Flóra Chorca Dhuibhne

Flóra Chorca Dhuibhne

Aspects of the Flora
of
Corca Dhuibhne

Máirín Uí Chonchubhair

Grianghraif: Aodán Ó Conchúir

Eagarthóir Luibheolaíochta: Caroline Mhic Daeid

Oidhreacht Chorca Dhuibhne
Baile an Fheirtéaraigh

Oidhreacht Chorca Dhuibhne
Baile an Fheirtéaraigh
Co. Chiarraí

An chéad chló 1995

ISBN 0 906096 07 3

Dearthóir: Denis Baker, The Unlimited Design Company,
Baile Átha Cliath

Táirgeadh scannáin le DOTS, Baile Átha Cliath

Arna chlóbhualadh ag Colour Books Ltd,
105 Eastát Tionsclaíoch Bhaile Dúill, Baile Átha Cliath 13

Bláthú
(*Do Mháirín Uí Chonchubhair*)

Nuair fágadh mé
Gan athair gan mháthair
Thit deora Dé ón spéir anuas.

Bhí an tine leis na sála agam,
Na seabhaic os mo chionn,
'S an phingin amháin i mo phóca.

Ar chósta Chorca Dhuibhne
D'aimsíos an síoda
I mbláth an tsamhraidh.

I mbruíon na mban sí
Is liomsa an tsíocháin
Sula gcuirim mo bhláth.

Déaglán Collinge

Clár

Brollach

Bunaíodh Oidhreacht Chorca Dhuibhne sa bhliain 1980 mar fhochoiste de Chomharchumann Forbartha Chorca Dhuibhne. Ba í bun-aidhm Oidhreacht Chorca Dhuibhne ó thús ná deis a thabhairt do mhuintir na háite eolas a fháil ar gach gné dá n-oidhreacht féin. Bhí suirbhé seandálaíochta, dírithe ar an aidhm seo, faoi lán-tseoil sa bhliain 1983 nuair a pléadh plean gníomhaíochta a chuirfeadh ár n-aidhm i gcrích go cuimsitheach.

As an suaitheadh sin tháinig plean atá bunaithe ar an dtuiscint a léirigh Donncha Ó Conchúir ar mhíniú an fhocail *oidhreacht*: "Is é is brí le hoidhreacht ná suim na n-acmhainní atá le húsáid againn chun maireachtana." D'aithin Donncha Ó Conchúir gnéithe éagsúla ginearálta na hoidhreachta, mar a leanas: an timpeallacht fhisiceach; an dúlra; agus an oidhreacht dhaonna. Is fíor a rá gurbh é Donncha Ó Conchúir, thar éinne eile, ba chúis le hOidhreacht Chorca Dhuibhne, agus do b'é a mhúscail an grúpa comhairleach a tháinig le chéile chun plean gníomhaíochta a chur ar bun. D'aimsigh an grúpa seo cúig cinn déag de fho-ghnéithe oidhreachta de réir na ngnéithe a d'aithin Donncha Ó Conchúir. Ina measc sin bhí an flóra, ábhar ina bhfuil suim ag roinnt mhaith daoine ann ach ná raibh le fáil i bhfoirm a bhí dírithe ar Chorca Dhuibhne ná ar mhuintir an cheantair.

Cheadaigh Roinn na Gaeltachta deontas airgid ón gCrannchur Náisiúnta leis an bplean gníomhaíochta a chur i bhfeidhm, plean a chuirfeadh eolas faoi na gnéithe éagsúla oidhreachta seo faoi bhráid an phobail ar shlite a bheadh taitneamhach oideachasúil, ag tosú le togra flóra. Leis an airgead seo fostaíodh riarthóir feidhmeannach, Máire Uí Shíthigh, chun an plean a stiúradh. Go gairid ina dhiaidh sin cuireadh Máirín Uí Chonchubhair agus Aodán Ó Conchúir ag obair ar an dtogra flóra, ag bailiú eolais agus ag tógaint pictiúirí. An rud a bhí i gceist ná bailiúchán eolais faoi ghnáthfhlóra Chorca Dhuibhne, le grianghraf cuí, a chur ar fáil do dhaoine go mbeadh suim acu ann, idir mhúinteoirí, leanaí scoile, tuismitheoirí, agus daoine nach iad. Bheadh sé ar fáil i Músaem Bhaile an Fheirtéaraigh.

De réir a chéile chuaigh sé i bhfeidhm ar an gcoiste go raibh seod againn: seacht n-imleabhar déag de phictiúirí iontacha agus téacs saineolach soiléir suimiúil gairmiúil. Tar éis comhairle a fháil ó bhitheolaithe acadúla, a thug sármholadh don obair, shocraíomar ar an ábhar a fhoilsiú mar leabhar. Fuaireamar tacaíocht dhíograiseach airgid le haghaidh a fhoilsithe ó Bhord Soláthar an Leictreachais, ó Chomhairle na hOidhreachta Náisiúnta, ó Oifig na nOibreacha Poiblí, agus ó chlár LEADER Meitheal Forbartha na Gaeltachta. Bhí an t-ábhar chomh mór sin, áfach, nárbh fhéidir an taighde ina iomláine a fhoilsiú, ná a leath. Mar sin féin dhein an t-eagarthóir luibheolaíochta, an Dr Caroline Mhic Daeid, cinnte de go bhfuil an bunábhar ann agus níos mó ná blaise den mbreis eolais a bhailigh an t-údar. Ina theannta sin tá gnéithe eile den oidhreacht le feiscint fite fuaite tríd an leabhar, go sonrach ins na píosaí béaloideasa a théann le roinnt des na plandaí. Fós tá an bailiúchán seacht n-imleabhar déag ann mar acmhainn as a bhféadfaí áiseanna riachtanacha múinteoireachta a sholáthar ar leibhéil éagsúla de réir éilimh.

Tá an leabhar seo, a thagann ina iomláine ó chroílár Chorca Dhuibhne, dírithe ar mhuintir Chorca Dhuibhne. Is é ár n-aidhm go mbeadh fáil ag gach éinne acusan air go fuirist, agus mura mbeadh cóip i ngach tigh i gCorca Dhuibhne go mbeadh ceann nó dhó i ngach rang scoile agus go mbeadh deis ag gach dalta scoile, ar a laghad, an acmhainn nádúrtha seo a mheas agus a bhlaiseadh.

Chomh maith leis sin tá sé dírithe ar an bpobal i gcoitianta agus ar mhuintir na Gaeilge ach go háirithe, mar tá formhór na bplandaí sa leabhar seo le fáil go fairsing in Éirinn. Seo mar a deir Donncha Ó Conchúir: "Má ghlactar leis gurb é is feidhm don mbeatha ar talamh an tairbhe is mó is féidir a bhaint as na hacmhainní atá mar oidhreacht againn, ní foláir dúinn aird ar leith a dhíriú orthu agus grinneolas a lorg agus a fháil ina dtaobh" (*Feasta,* Deireadh Fomhair 1988).

Ta baill Choiste Oidhreacht Chorca

Dhuibhne liostálta thíos. Tá Tomás Ó Fainín ar shlí na fírinne anois, faraor: d'éag sé sa bhliain 1993, agus chailleamar cara agus comhleacaí dílis díograiseach a dhein an-chuid oibre ar son Oidhreacht Chorca Dhuibhne agus mhuintir Chorca Dhuibhne, idir stiúradh a dhéanamh ar roinnt thochailt seandálaíochta agus ar an suirbhé seandálaíochta agus chomhairle a bhí riamh tuisceanach agus eagnaí. Táimid faoi chomaoin ag Tomás, agus ní dhéanfaimid dearmad ar na turasanna fada a dhein sé go rialta le bheith i láthair ag cruinnithe an choiste, ná ar an duine fial cneasta a bhí ann. Go ndéana Dia trócaire ar a anam dílis.

William P. Warren
Cathaoirleach
Oidhreacht Chorca Dhuibhne
Meán Fómhair 1995

Coiste Oidhreacht Chorca Dhuibhne

Pádraig Firtéar
Frank Lewis
Gearóid Ó Brosnacháin
Tomás Ó Caoimh
Tadhg Ó Coileáin
Donncha Ó Conchúir
Seán Ó Failbhe
Tomás Ó Fainín (nach maireann)
Pádraig Ó Siochrú
Máire Uí Shíthigh
William P. Warren
Pádraig de Bhál
Bhalentín de Rís

Buíochas

An Roinn Ealaíon, Cultúir agus Gaeltachta, don dtacaíocht leanúnach a thugann siad don dtogra oideachais oidhreachta atá á rith ag Oidhreacht Chorca Dhuibhne

Bord Soláthar an Leictreachais—go speisialta an Dr Pádraig Ó Muircheartaigh

Clár Leader—Meitheal Forbartha na Gaeltachta Teo.

Oifig na nOibreacha Poiblí—an Dr Tom Curtis

Coiste Gairmoideachais Chontae Chiarraí

Comhairle na hOidhreachta Náisiúnta

Bord Fáilte

Coiste Chomharchumann Forbartha Chorca Dhuibhne

Tigh Mhucrois

An Dr Michael Wyse Jackson, Coláiste na Trionóide, Baile Átha Cliath

An Dr Donal Synnott, Stiurthóir, Garraithe Náisiúnta na Lus

An Dr Micheal O'Connell, Coláiste na hOllscoile, Gaillimh

Bernadette Gallagher, a chuir an saothar ar fad ar diosca

Buíochas leis do **Bhreandán Mac Donncha**, An Roinn Oideachais, agus **Breandán Ó Cróinín**.

Buíochas speisialta
Táimid buíoch de cheann Roinn Bhéaloideas Éireann, Coláiste na hOllscoile, Baile Átha Cliath, as cead ábhar ó Bhailiúchán na Scol (1938) a chur i gcló.

Réamhrá

In earrach na bliana 1988 d'iarr Máire Uí Shíthigh, Oidhreacht Chorca Dhuibhne, orm caoga ceann de phlandaí coitianta na dúthaí a chur in aithne don bpobal i slí go músclófaí suim sa dúlra. Níor mhór freastal ar mhuintir na háite go príomha, ar a bpáistí agus ar a múinteoirí, agus, gan dabht, ar chuairteoirí a thiocfadh ar sciuird lae nó ar shaoire níos sia, agus ar a bpáistí siúd—smut do gach éinne, óg agus aosta, daoine le saineolas, sraceolas, nó aineolas!

Shocraíomar pictiúirí daite agus sleamhnáin a chur ar fáil, agus paimfléid eolais ag dul leo. Chuirfí na pictiúirí ar taispeántas, agus bheadh na sleamhnáin ar fáil ar iasacht do scoileanna agus a leithéidí gur suim leo iad; bheadh na paimfléid ar díol ar chúpla pingin ag an dtaispeántas. Ceapadh Aodán Ó Conchúir chun na pictiúirí a thógaint, agus chuir an bheirt againn chun oibre 17 Meitheamh 1988, lá breá ciúin. Bhí an t-áth orainn.

An Irish Flora leis an Dr D. A. Webb (Dundalgan Press, 1977) an leabhar is fearr atá ann chun aithne a chur ar fhlóra na hÉireann. Tá eochair dhé-roghach shár-mhaith i dtús an leabhair ina stiúraítear duine tré shraith roghanna nó go sroistear ainm an phlanda. Tugtar cur síos beacht gonta ar an bplanda sin i gcorp an leabhair a chinntíonn an bhfuil an ainm cheart aimsithe. Úsáidtear foclóir sainiúil luibh-eolaíochta mar is dual do mhion-chur síos gonta. D'úsáideas an leabhar seo i gcónaí chun ainm Laidine a chur ar phlanda agus saintréithe an phlanda a mheabhrú dom. Dheineas iarracht cuid den bhfoclóir sin a mhíniú le pictiúirí agus léaráidí i dtreo go bhféadfadh an "tuata tuisceanach" Webb a leanúint de réir a chéile agus úsáid a bhaint as a eochair siúd chun ainmneacha plandaí a dhéanamh amach dó féin—sórt díleá ar Webb don ngnáthdhuine. Níl slí ná scóip d'eochair in *Flóra Chorca Dhuibhne*.

Seo mar a chuireas féin agus Aodán chun oibre. Chuardaímis nó go bhfaighimis planda maith sláintiúil, gan mháchail, gan mhanta seilmide nó feithide ná faic eile. Thógaimis pictiúir ginearálta den ghnáthóg chun an planda a chur i gcomh-théacs plandaí eile, ithir, fána, scáth, srl. Ansin ghlanaimis timpeall air, thógaimis pictiúir den bplanda iomlán a léireodh a choda go léir: gas, duilleog, bachlóg, bláth, agus toradh (síol). Thógaimis gar-amharc den bhláth a léireodh a shaintréithe agus ceann eile den dtoradh muna bhféadaimis an dá cheann d'fháil le chéile. Ba mhinic d'fhillimis ar phlanda tar éis coicíse nó míosa chun toradh aibí a fháil. Thógaimis mionphictiúir d'aon ghné suntasach eile dá mba ghá sin—cuir i gcás riosóm nó corm.

Bhíodh Aodán foighneach cáiréiseach i gcónaí, agus chuireadh sé an dua air féin chun an pictiúir a bheith i gceart. "Cén mhaitheas mara mbeidh sé i gceart?" a deireadh sé. Dhéanfadh sé an bheart ar cheo nó ar scamall (dorchacht), ach chlip-eadh an séadán agus an camfheothan é. Ba mhinic é ar tinneall ar feadh leathuair an chloig go bhfanfadh planda socair go leor chun pictiúir soiléir d'fháil. Fiú agus an aimsir a bheith linn, thógadh sé uair an chloig planda a dhéanamh, ag brath ar an méid lionsaí a húsáidfí agus ar an méid "angles" a tógfaí. Bhain traochadh le hobair Aodáin, ach níor ghearán sé, bail ó Dhia air.

Chuireamar pictiúirí daite 10 × 8 orl. agus cuntas scríofa ar 63 planda faoi bhráid an choiste um Shamhain 1988, agus thaispeánamar na sleamhnáin ag léacht i Halla an Chlochair sa Daingean an tseachtain chéanna. Fuair an coiste léir-mheas ar an obair ó shaineolaithe, agus cuireadh taispeántas ar fáil i seomra le hÚdarás na Gaeltachta sa Daingean ar feadh an tsamhraidh 1989. Leanamar orainn leis an obair pháirce samhradh, Samhain agus Nollaig 1989 agus arís Cáisc, Cincís agus samhradh 1990. Bhí 306 planda againn faoin dtráth seo. Ba léir ón gcaidreamh a bhí ag Máire Uí Shíthigh agus ag baill eile an choiste le daoine a chonaic an taispeántas nó a thug dream-anna ag féachaint air, nó le daoine a léigh na himleabhair a cuireadh faoi bhráid an choiste nó le daoine a bhí ag cur ceist-eanna, go raibh ceithre shórt eolais á lorg: (1) ainm nó ainmneacha an phlanda agus a mbunús, (2) cur síos gairid ginearálta—cá bhfaighfí é, cén toirt é, cén sórt blátha a bheadh air, agus cathain, (3) seanchas—an úsáidtí chun bidh, leighis, geasa, ornáidí srl. é, agus (4) eolas teicniúil a chinnteodh go raibh an planda ainmnithe i gceart: coda an bhlátha, scaipeadh na síol, gais speisialta, conas a chuirfeadh sé an geimhreadh de, srl.

Ní raibh an lorg céanna ar gach sórt eolais: bhí daoine ann a bhí bodhar ag an seanchas agus go mb'fhearr leo an t-eolas teicniúil, agus daoine eile go mb'fhearr leo a mhalairt. Bhí na hainmneacha agus an t-eolas ginearálta óna bhformhór. Agus bhí an oiread suime ag cuairteoirí ón iasacht ann—Meiriceánaigh, Gearmánaigh, Sasanaigh—go gcaithfeadh an cuntas bheith dátheangach feasta.

Meastar timpeall 660 planda a bheith i gCorca Dhuibhne; 608 a luann Reginald Scully ina leabhar iomráiteach *The Flora of Kerry* (1916), atá, faraor, as cló le fada. Chaith Scully fiche bliain ag cuardach don leabhar sin; 306 a bhí againne tar éis trí bliana. Ní raibh sin olc. Scríos cuntas dátheangach faoi na teidil thuasluaite i míreanna i dtreo go bhféadfadh an léitheoir gabháil thar aon mhír nár shuim leis gan stró. Bhí breis agus 600 pictiúir daite 10 × 8 orl. leis an gcuntas a cuireadh faoi bhráid an choiste in ocht n-imleabhar déag in Aibreán 1991. Leanadh an eagar mar atá in *Clár de Phlandaí na hÉireann* le Scannell agus Synnott (Oifig an tSoláthair, 1987).

Cuireadh pictiúirí den bhflóra alpach—.i. flóra a fhásann breis agus 700 m os cionn leibhéal na farraigé—leis an gcuntas ó shoin. Mo bhuíochas le Tom Curtis, Oifig na nOibreacha Poiblí, agus Beirní Goggin, an Daingean, a thug go barr Chnoc Bréanainn mé ar a dtóir seo lá scríbe agus gaoithe i Lúnasa 1993. Tá rian na doininne ar chuid de na pictiúirí sin.

Chinn an coiste ar an saothar a fhoilsiú. Iadsan a bhí ag luí amach orthu féin anois ag lorg urraí, eagarthóirí, dearthóirí, clódóirí, srl. Bheadh an leabhar rómhór róchostasach le cur i gcló mar a bhí. Ceapadh an Dr Caroline Mhic Daeid mar eagarthóir luibheolaíochta agus é de chúram uirthi é a ghearradh siar. Is í a bhí cumasach i mbun a gnó. Shocraigh an coiste an réamhaiste a bheith i nGaelainn amháin, chun go bhféadfaí breis plandaí a chur sa leabhar. Chuir Caroline an-slacht ar an réamhaiste, agus coimre an-ghearr Béarla lena cois. Measadh go maithfí sin dúinn toisc cuntas cruinn soiléir ar gheolaíocht Chorca Dhuibhne a bheith ar fáil i mBéarla ag Ralph Horne ina leabhar *Geological Guide to the Dingle Peninsula* (Suirbhéireacht Gheolaíoch Éireann, 1976) agus an t-eolas luibheolaíochta in aon téacsleabhar bitheolaíochta nó luibheolaíochta.

Is mise a bhaist *Flóra Chorca Dhuibhne* ar an leabhar, chun go dtuigfí as i ngach teanga. An focal Laidine ar fhásra atá i gceist agus ní hé ciall shainiúil na luibheolaithe gairmiúla ar an bhfocal "flora" i mBéarla. Mea culpa.

Cá bhfuaireas na hainmneacha agus an seanchas? Bhailíos a mbunús i nDún Chaoin samhraí 1965 agus 1966, agus d'adaíos leo ó shin. Bhí Bid Ní Lubhaing an-chruinn ar fad maidir le hainmneacha, agus ba mhó tráthnóna seoigh a chaith an bheirt againn thíos aige Méiní Céitinn Uí Dhuinnshléi, bean go raibh sáreolas aici ar luibheanna agus ar leigheasanna. Ba mhinic Mártan Ó Catháin (Bab-Bú) inár gcuideachta, agus chaitheadh Tomás Dubh Ó Catháin a ainmneacha agus a oidis féin chugainn ó am go chéile. Fuaireas iad chomh maith ó Bhríd Buidhléir, Siobhán Uí Bheaglaoi, Seán agus Tomás Ó Dála an Choma, Siobhán Uí Shé, Tomás Ó Dála na hInse, Micheál Ó Guithín (an File—mac Pheig Sayers), Mike Lyne Ó Guithín, Neil Uí Dhálaigh agus a máthair, Mary Uí Chonchubhair, agus Pádraig de Lóndra. Ní raibh m'athair ná mo mháthair chun deiridh le heolas ach oiread, ná m'aintín, Siobhán Ní Dhálaigh, agus m'uncailí Seosamh Ó Dálaigh, Ceathrú, agus Pádraig Mac Gearailt, Ard an Bhóthair. Tháinig Séamas Ó Muircheartaigh Bhaile an Fheirtéaraigh agus Dónall Ó Catháin i gcabhair orm leis, agus thug an tAthair Ó Ciosáin liosta ainmneacha Gaelainne dom. Fuaireas liosta ainmneacha ón mBráthair A. S. Ó Maoileoin a bhailigh sé i nDún Chaoin i rith na mblianta fada a chaith sé ag teacht ann, agus cabhair nár bheag ón Dr Tomás Ó Séaghdha, Com agus Gaillimh. Beannacht Dé lena n-anamacha go léir: tá gach éinne acu ach Bid bailithe leo. Gura fada buan tú, a Bhid.

Chuireas leis an mbailiúchán seo ó shin. Fuaireas liosta ó Frances Uí Chinnéide a bhailigh a hathair críonna, Liam Ó

Lubhaing, i bparóiste an Fheirtéaraigh 1919, agus dheineas an-chuid taighde eile. Ní mór a thuiscint, áfach, nach i dtaobh le hainm amháin atá aon phlanda agus gur féidir cur leis an saothar seo. Bheinn ag súil go mbaileodh Oidhreacht Chorca Dhuibhne an-chuid ainmneacha agus seanchas breise atá anois folaithe nó dearmadta nuair a fheicfidh daoine na pictiúirí seo.

Foláireamh tábhachtach: ná trialladh éinne na leigheasanna sa leabhar seo. Dúirse dáirse is ea iad, agus níor bhaineas féin úsáid as aon cheann acu. *Bíonn a bheag nó a mhór de nimh ins gach luibh íce—ná téadh éinne sa tseans.*

Mo bhuíochas d'Oidhreacht Chorca Dhuibhne ar iarraidh orm an obair thaitneamhach seo a dhéanamh. Tá súil agam go mbainfidh na dreamanna a bhí in aigne Mháire Uí Shíthigh i 1988 tairbhe as, idir aineolaí, shraceolaí, agus shain-eolaí, agus go músclófar suim san dúlra. Buíochas le Máire féin, a d'oibrigh go dian, moch déanach, chun an leabhar a thabhairt chun críche; leis an Dr Willie Warren, cathaoirleach Oidhreacht Chorca Dhuibhne, a stiúir agus a chomhairligh sinn; le Donncha Ó Conchúir, a thug moladh agus misneach dúinn; Dónall Synnott, Garraithe Náisiúnta na Lus, a bhí fial le ham agus le heolas; Michael John Ó Sé, Áth Caisle, a chuir "laistíos de chnoc" ó Shrón Bhroin go Doire Mhór in aithne dúinn; Máirín Uí Shíthigh agus Máirín Uí Dhálaigh, Craft Centre, Dún Chaoin; Seán Ó Dubhda, Baile na hOidhre; Michael Wyse Jackson, Coláiste na Tríonóide, Baile Átha Cliath; Peter Jackson, Coláiste Chuilm, Baile Átha Cliath; Eilín agus Neilí Uí Chatháin; agus Pat O'Connor, Eileen Buckley agus Déaglán Collinge, Coláiste na gCnoc Glas, Baile Átha Cliath. Buíochas leis do m'fhear céile, Liam, agus do mo chlann—Fiachra, Neasa, Cian, agus Eoin—a chuaigh ar shiúlóidí fada ag cuardach lusanna agus a chabhraigh in an-chuid slite eile. Gura fada buan iad go léir.

Máirín Uí Chonchubhair

Triocha Céad Chorca Dhuibhne

Dar liom is í an tsolaoid is soiléire d'fhéadfainn a luadh ar chruth aiceanta Chorca Dhuibhne an lae inniu ná a rá gur iomaire ardchnoc é atá sínte ar feadh daichead míle slí siar amach sa bhfarraige mhór. Tá raon de shléibhte móra trí lár na leithinse siar ó oirthear Shliabh Mis, os cionn ghleann na Mainge, go Cnoc Bréanainn thiar thuaidh (an dara cnoc is airde in Éirinn) agus go Sliabh an Iolair thiar theas os cionn na farraige. Eireaball den raon cnoc sin is ea na Blascaodaí.

Is beag de mhachaire íseal talún d'fhág na cnoic sin ag an duine chun beatha a bhaint as. An beagán d'ithir churadóireachta atá ann is ar leicne íochtaracha na gcnoc agus i ngleannta eatarthu atá, agus 'na imeall cúng ar feadh cuid den chósta. Tá faillte arda cois na farraige san iarthar mar rampar cosanta ar an dtír in aghaidh balcbhéimeanna na mara móire aniar. Tá an faobhar ard cosanta sin ón Inse, ar an dtaobh theas, siar go Ceann Sléibhe an Iolair agus ó thuaidh soir go Binn Diarmada agus timpeall Cnoc Bréanainn go dtí an Clochán. Tránna ísle atá lastoir—theas agus thuaidh.

Dar leat, sa chuid iartharach den leithinis d'ith an fharraige mhór a raibh de thalamh íseal ar an imeall amuigh de na cnoic agus tá sí anois ag ionsaí na gcnoc féin. Tá sí gafa go domhain isteach faoi chuid acu agus sciolpóga móra dá gcliathán beirthe chun siúil léi 'na craos. Tá, dá bhrí sin, faillte nochtaithe cloch 200 agus 400 agus 600 agus 700 troigh ar airde ar aghaidh na farraige mar a dtug cnoc a dhrom leis an namhaid neamhshuaineasach atá síorraí ar a thí. Tá faobhar na faille sin bearnach briste, cuasa doimhne gearrtha isteach inti, fiacla géara amach uirthi, cosáin chúnga síos inti, carraigeacha ag a bun, trá cloch nó grin nó gainimhe go fánach ann. Níl ceann acu sin gan ainm. Is é imeall faillteach na tíre sin an chuid is saibhre agus is éagsúla maidir le logainmneacha.

Is beag fothain ó shíonta na farraige agus na spéire atá in aon chuid den leithinis—d'fhothain mar tuigtear a leithéid i meán na tíre istigh. Is cuma nó oileán í, dar ndóigh, agus tréithe oileáin is dual di maidir le haeráid agus síonta. Ach de bhrí gur den mhórthír í thug sí tréithe eile léi—garbh-áilleacht na mórchnoc is diamhaire na ngleannta. Bhí tráth ann, leis, nuair a bhí coillte móra i gCorca Dhuibhne—giúis, dair agus beith. D'fhan a rian go flúirseach ins na portaigh ísle sa cheantar uile. An gciallaíonn sin go raibh cneastacht san aeráid ansiúd fadó ná fuil anois ann?

An chuid bheag de thalamh íseal d'fhág na cnoic mhóra istigh agus an mhuir shantach ón dtaobh amuigh 'na ndiaidh, tá ithir fhónta sa chuid is mó de, cré dhearg éadrom a thugann fás agus toradh ar feadh ceithre mhí nó cúig den bhliain. Bhíodh móin mhaith ins na hísleáin i gcóngar na ndaoine, ach tá formhór na bportach ísle sin ídithe ón síorbhaint le cianta. Tá ar dhaoine anois an mhóin atá go flúirseach ar na cnoic, nó i ngleannta i bhfad ó bhaile uathu, a bhaint agus a bhreith leo. Tá móin ar bharr cuid de na cnoic ann go hairde 800, 1,500 agus 1,700 troigh. Níl creachaillí crann ins na portaigh cnoic sin.

Ruachloch ghainimhe atá i bhformhór na leithinse. Is í atá ins na faillte uile ón Inse siar agus ó thuaidh timpeall agus soir thar Chnoc Bréanainn go dtí ceann na trá ísle ag an gClochán.

Sliocht as *Triocha Céad Chorca Dhuibhne* (1939)
le Pádraig Ó Siochfhradha (an Seabhac)

Introduction

Although this is a bilingual book, we do not attempt to provide an English version of the Réamhaiste, which follows this Introduction. The reason for this is that while there is no available Irish-language introduction to botany suitable for use with this book, there are several English-language texts that cover this ground more than adequately. This Introduction is a brief outline of the natural elements of the area that have a direct influence on the nature of the flora.

The barony of Corca Dhuibhne is approximately coextensive with the most northerly of the south-western peninsulas of Ireland. It takes the form of a long ridge that stretches westwards about 50 km into the Atlantic Ocean. Corca Dhuibhne has a mountainous spine that extends from Sliabh Mis (Barr Trí gCom, 851 m) in the east to Cnoc Bréanainn (952 m) and on to Sliabh an Iolair (516 m) in the west. The islands at its western tip (Na Blascaodaí) form an offshore extension of this ridge. The coastline is irregular, and the peninsula varies between 6 and 20 km in width from north to south, with no point more than 8 km from the sea.

The rocks that make up Corca Dhuibhne span a period of more than 400 million years. Shales and volcanic rocks of Silurian age (423–395 million years ago) form the oldest geological deposits of the area. Among the shales are included some sandstones and limestones. The Silurian rocks are exposed at the western end of the peninsula, between Dún Chaoin and Cuan Ard na Caithne and in a narrow strip between An Mhin Aird and Doire Mór. Most of Corca Dhuibhne is composed of rocks of Devonian age (395–345 million years ago). These are divided into three groups: the older Dingle Group and the younger Caherbla Group, and Glengariff Harbour Group. Rocks of the Dingle Group (sandstones and conglomerates and mudstones) occur generally west of Sliabh Mis, occupying the central core of the peninsula as far west as Lios Póil but covering most of the ground west of there. Resting on top of these are the sandstones and conglomerates that make up the remaining two groups of Devonian age, formerly referred to as old red sandstone. These rocks form the ground for almost the whole of Sliabh Mis and extend westwards on each side of the peninsula: from Doire Mór to Ceann Sibéal on the northern side and from Cill Mhuire to Doire Mór on the south side. Carboniferous limestone occurs along the northern coast from An Cam to Trá Lí; it forms Oileáin an Mhachaire and underlies the sands at Inse and north of An Machaire itself.

The rocks that go to make up the peninsula of Corca Dhuibhne have been folded, faulted and uplifted at various times. The most significant and the most recent such event took place about 290 million years ago at the end of the Carboniferous period. This resulted from pressure being exerted from the south-east. It resulted in the rocks being folded along axes running approximately north-east to south-west.

It is likely that most of Corca Dhuibhne was covered by Carboniferous limestone, and possibly by other rocks deposited in the interval from the close of the Carboniferous period to the beginning of the Ice Age. However, the three hundred or so million years that have elapsed since the close of the Carboniferous period saw all the rocks younger than Devonian being stripped off by processes of weathering and erosion. The 70 million years of the Tertiary period, immediately preceding the Pleistocene (Ice Age) period, probably witnessed most of this weathering and erosion.

During the Ice Ages of the Pleistocene period (1,600,000–10,000 years ago) this area was covered by ice sheets and glaciers on more than one occasion. There were both locally generated ice caps and ice sheets that pushed in over the area from the mountains of Uíbh Ráthach to the south and the area to the north and north-east. The result of this was manifold: deep corries and glaciated valleys with steep, dominantly north-facing cliff faces were created in the mountains; many rock surfaces were scraped bare and contain either very shallow soils or no soil at all; rock was ground down by the ice and deposited as till (boulderclay), sand, and gravel, chiefly on the lower ground and in valley bottoms; and glacial deposits from outside the area were introduced by the ice sheets both from the north and the south. Such extraneous influences include the introduction of substantial amounts of limestone included in glacial deposits resting on the old red sandstone of the northern slopes of Sliabh Mis.

Except for those of Inse and An Machaire, and some very isolated pockets in the areas of Silurian limestone, the soils of Corca Dhuibhne are acidic, reflecting the generally acid nature of the bedrock. Poor drainage reflects high annual rainfall, uneven ground, and the widespread development of an iron-pan a few decimetres below the ground surface. Drainage is further influenced by local microclimate, which in turn is controlled by height above sea level, openness to sunshine, shade offered by north-facing cliffs, and shelter offered from prevailing winds.

Following the close of the glacial period 10,000 years ago, the sea level, which had been low, rose gradually to its present level, forming a splendid spit and beach at Inse and the tombolo (spit connecting an island to the mainland) at An Machaire, along with the other beaches and coastal features of the area. Poor drainage coupled with high rainfall has resulted in the widespread occurrence of blanket bog on hill slopes and in the mountain, and high-level valleys late in the postglacial period.

Overall, the climate of Corca Dhuibhne, while variable depending on height above sea level and position relative to the sea, is generally wet and mild. Thus rainfall varies from an average of about 1,250 mm per year between sea level and 150 m to approximately 2,000 mm on Cnoc Bréanainn; mean daily air temperature in January varies from about 6°C at Trá Lí to more than 7°C at Dún Chaoin. Frost is rare and occurs with decreasing frequency westwards. Snow hardly ever lies on the ground at sea level and is rare even in the mountains.

The scenery of Corca Dhuibhne, although splendid, is not that of a natural landscape. Humans arrived in this area very early in the postglacial period. The first people to live in Corca Dhuibhne came about 9,000 years ago. These were hunters and gatherers of the Mesolithic period and did not significantly alter the landscape. Neolithic people, who were farmers, arrived about 6,000 years ago and began a process of altering the landscape that has continued to the present day. The total lack of natural tree cover in the area is one result of this. The existence of place-names such as Doire Mór and Ard na Caithne indicate the fairly recent existence of natural oakwoods and arbutus stands; the common occurrence of the terms *coill* and *doire* in the place-names of the area indicates that these are not isolated examples.

Réamhaiste

Timpeallacht Chorca Dhuibhne

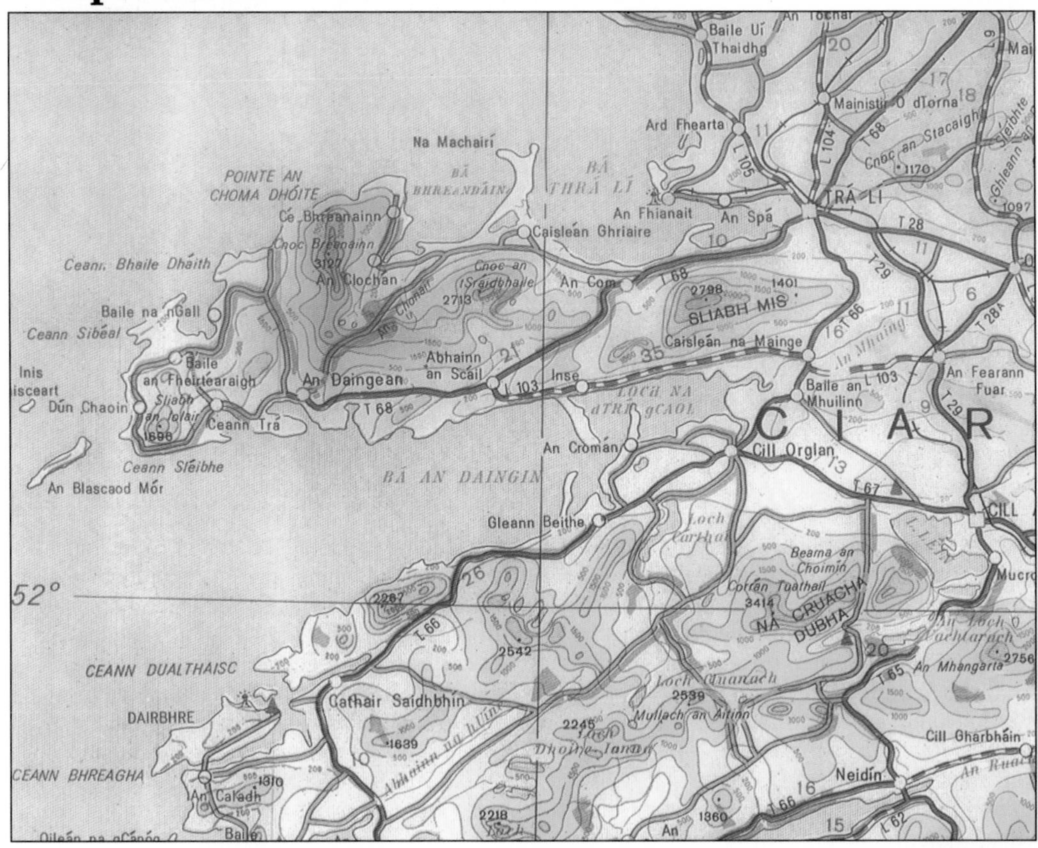

Corca Dhuibhne agus an ceantar máguaird

Bunaithe ar an tSuirbhéireacht Ordanáis le cead an Rialtais (ceadúnas uimh. 5983)

Braitheann líon na ngnáthóg éagsúil atá ar fáil do phlandaí in áit ar bith ar na tionchair neamhbhitheacha atá i bhfeidhm ann. Chun fásra Chorca Dhuibhne a thuiscint ní foláir dúinn ar dtús féachaint ar na tosca atá ag obair le chéile chun an timpeallacht a rialú.

Tionchair fhiseagrafacha

Geolaíocht

Carraig dhríodair is mó atá i mbuncharraig Chorca Dhuibhne; tá an mhórchuid cruaidh agus aigéadach, le ganntanas de na mianraí atá riachtanach do chothú plandaí.

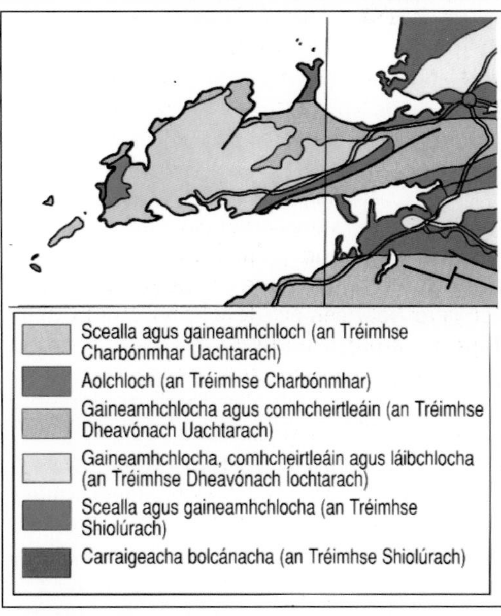

Buncharraig Chorca Dhuibhne

Is d'aois Shiolúrach na carraigeacha is sine i gCorca Dhuibhne. Scealla agus bruthcharraig atá iontu, a leagadh síos idir 423 agus 395 milliún bliain ó shin, faoi uisce fharraige éadomhain. Bhí an talamh sa réigiún ina bhfuil Corca Dhuibhne anois á hardú go mall (an t-oraigineas Caladónach), agus bhí bolcáin bheo sa cheantar máguaird. Tá carraigeacha den aois seo le feiscint sa limistéar idir Dún Chaoin agus Cuan Ard na Caithne ar an gcósta thiar agus arís i stiall fhada ag leanúint na ngleannta soir ó thuaidh ón gcósta ag an Min Aird go dtí Gleann Dhoire Mór.

Faoi dheireadh na Tréimhse Siolúraí bhí na Fillshléibhte Caladónacha (ina measc sléibhte Chonamara agus Dhún na nGall) nach mór ardaithe, agus bhí ceantar Chorca Dhuibhne ar chósta ilchríche. Sa tréimhse Dheavónach, a mhair ó timpeall 395 go 345 milliún bliain ó shin, is ea a leagadh síos formhór na gcarraigeacha as a ndeintear leithinis Chorca Dhuibhne anois: an tSean-Ghaineamhchloch Rua. Gaineamhchlocha, comhcheirtleáin agus láibchlocha atá iontu, toradh chreimeadh sléibhte Caladónacha na háite a bhí ídithe fé dheireadh na tréimhse seo.

Is iad carraigeacha Ghrúpa an Daingin (ar a dtugtaí Cisil an Daingin tráth) an grúpa is sine den Tréimhse Dheavónach. Astu a dheintear an talamh go léir ón mBlascaod Mór chomh fada soir leis an Min Aird, soir ó thuaidh go Cnoc Bréanainn agus Más an Tiompáin, agus soir arís go dtí Cathair Conraoi. Luíonn carraigeacha den Tréimhse Dheavónach Uachtarach ar na carraigeacha seo ar dhá thaobh na leithinse (ó Cheann Sibéal go dtí an Doire Mór sa tuaisceart agus ó Chill Mhuire go dtí an Doire Mór sa deisceart) agus ar Shliabh Mis ina iomlán.

Ag deireadh na Tréimhse Deavónaí bhí limistéar na hÉireann báite arís faoi fharraige éadomhain. Sa Tréimhse Charbónmhar, a lean ó 345 go dtí 310 milliún bliain ó shin, leagadh síos sraitheanna tiubha aolchloiche ar ghrinneall na farraige sin, agus clúdaíodh na carraigeacha Deavónacha. Ach timpeall 270 milliún bliain ó shin, tar éis dheireadh na Tréimhse Carbónmhaire, tharla an Filleadh Heircíneach, a d'ardaigh talamh dheisceart na hÉireann arís os cionn leibhéal na farraige. Le linn tréimhsí fada creimthe, ídíodh an aolchloch intuaslagtha go léir—agus rud ar bith eile a bhí os a cionn—as na hardáin, agus fágadh na carraigeacha Deavónacha ina seasamh mar shléibhte. Níl aolchloch charbónmhar fágtha i gCorca Dhuibhne anois ach amháin ar imeall an chósta thuaidh ó cheantar an Choma isteach go má Thrá Lí agus mar bhunchloch ag Oileáin an Mhachaire agus leithinis ghainmheach an Inse.

Oighriú

Le linn na hOighearaoise Pléisticéiní (a thosaigh timpeall 1.6 milliún bliain ó shin) tharla tréimhsí sealaíochta fuachta agus teochta. Le linn tréimhsí fuachta do ghearr oighearshruthanna amach na gleannta móra, na comanna agus na locháin ar shléibhte Chorca Dhuibhne. Fágadh smionagar carraige i bhfoirm chré bhholláin, gainimh agus gairbhéil ar shleasa íochtaracha na sléibhte i ndiaidh an leac oighir. San eachtra dheireanach oighrithe, a chríochnaigh timpeall deich míle bliain ó shin, bhí oighearchaidhp-eanna áitiúla ar shléibhte Chorca Dhuibhne. D'fhág siad sil-leaganacha i ngleannta na hAbhann Móire taobh thoir agus na Feothanaí taobh thiar de Chnoc Bréanainn, agus i ngleannta an Doire Mhóir agus Churraichín ar an taobh thuaidh de Shliabh Mis. Sa chuid eile de leithinis Chorca Dhuibhne tá an deasca oighreach ann ó eachtraí oighrithe a tharla roimhe sin.

Cruth na talún

Bíonn tionchar ag treo agus airde fána ar an mionaeráid, mar go rialaíonn siad an méid fuinnimh lonraigh a shroicheann an talamh, rud a chinneann teocht na hithreach agus an méid solais a bhíonn ar fáil chun fótaisintéise. Bíonn difríochtaí fothana, agus dá bharr sin éagsúlacht taise, ag brath ar threo na fána maidir le treo na príomhghaoithe.

Tá baint ag géire fána le gluaiseacht uisce agus talún, le creimeadh, le hiompar, agus le sil-leagan. Dá ghéire an fána is mó an seans go dtarlóidh sciorradh nó gluais-eacht talún. Bailíonn níos mó smionagar cloiche de bharr tuilleadh sionchaithimh, agus fágtar an ithir níos tirime toisc go ritheann an t-uisce chun srutha níos tapúla ná ar fhána réidh.

Tá droim shléibhe Chorca Dhuibhne ag síneadh soir-siar beagnach le fad na leithinse, mantach ag na príomhghleannta ag rith siar ó dheas go dtí soir ó thuaidh. Ritheann na srutháin ghairide go tapaidh le fána—cuid acu ag taoscadh an mhórchuid loch is lochán atá i measc na sléibhte, cuid eile ag bailiú uisce ó na limistéir mhóra móna atá ar urláir na ngleannta nó ar dhromchla na gcnoc. Tá an cósta fada agus ilghnéitheach, le dumhcha leathana in Inse agus i gCaisleán Ghriaire agus stiall fhada de chladaigh ísle charraigeacha ar an taobh theas. Críochnaíonn an leithinis i bhfaillte maordha Phointe an Choma Dhóite, Cheann Bhaile Dháith, agus Cheann Sléibhe.

I gcomparáid leis an talamh shléibhtiúil, níl mórán talún réidhe i gCorca Dhuibhne. Tá cuid de mar stiall fhada ar imeall na farraige agus an chuid eile sa limistéar taobh thiar de Chnoc Bréanainn. Luíonn an chuid is mó den talamh réidh idir leibhéal na farraige agus 150 m os a chionn.

Airde os cionn leibhéal na farraige
Bíonn cnoic agus ardáin níos sceirdiúla agus níos fuaire ná gleannta agus ísleáin. Bíonn taise an aeir níos luaimní ar na hardáin, agus bíonn an maoschlár níos ísle ná mar atá ar na hísleáin chomh maith. Deineann sioc luath an fhómhair agus sioc déanach an earraigh níos mó díobhála ar urlár na ngleannta doimhne agus sna hísleáin, mar a mbailíonn pócaí d'aer fuar, ná ar ghuala na gcnoc nó na ngleannta. Ag an am céanna titeann an teocht 1.6°C ar an meán le gach 300 m airde os cionn leibhéal na farraige.

Tá mórchuid de lár sléibhtiúil na leithinse níos mó ná 300 m os cionn leibhéal na farraige. Is é Cnoc Bréanainn an pointe is airde, ar 953 m, agus tá ceithre bheann déag atá níos mó ná 700 m ar airde:

	m
Cnoc Bréanainn	953
Barr an Choimín	891
Barr Trí gCom	851
Barr an Ghéaráin	840
Cathair Conraoi	835
Binn os Gaoith	826
Binn Fatha	822
Binn Ard	809
An Géarán (Cn. Bréanainn)	803
Cnoc an tSráidbhaile	798
An Géarán (Sl. Mis)	792
Más an Tiompáin	763
Piaras Mór	748
Piaras Beag	702

Forbairt ithreach

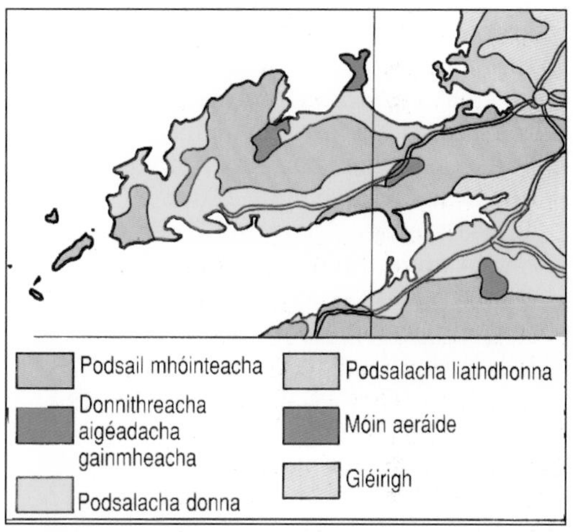

Ithir Chorca Dhuibhne

Braitheann forbairt ithreach in áit ar bith ar shaintréithe na gcarraigeacha atá mar bhunábhar aici agus ar an aeráid.

Tarlaíonn creimeadh mall ar na carraigeacha faoi thionchar na haimsire: sioc ag teacht i ndiaidh báistí, teocht i ndiaidh fuachta. Bristear síos na mealltracha móra carraige chun smionagar a dhéanamh, agus is air seo is féidir le plandaí áirithe cur fúthu. Cuirtear ábhar orgánach ó lobhadh na bplandaí seo leis an smionagar diaidh ar ndiaidh, chun tús a chur le forbairt ithreach. Braitheann scagacht, aigéadacht agus mianraí na hithreach ar shaintréithe na buncharraige; bhraitheann uigeacht agus torthúlacht, áfach, ar an ábhar orgánach so, ar a dtugtar **húmas**. Faoi thionchar aeráide taise boige bíonn go leor ábhair orgánaigh san ithir.

Carraigeacha aigéadacha na Tréimhse Deavónaí is ea máthairábhar na hithreach ar shléibhte arda Chorca Dhuibhne. Tá creimeadh ag dul ar aghaidh go mall réidh, fiú ar na carraigeacha is cruaidhe, agus sceallach ag bailiú ag a mbun. Ach tá réimse fairsing freisin ar shleasa agus ar bharr na sléibhte clúdaithe le móin—fuílleach plandaí, a bhailíonn ann faoi thionchar na haeráide fliche fionnuaire. **Móin aeráideach** nó **bratphortach** a thugtar air, mar clúdaíonn sé an talamh mar bhrat. Is den saghas seo is ea portaigh mhóra abhantrach na hAbhann Móire.

Sil-leaganacha oighreacha bunábhar na hithreach ar an dtalamh íseal. Gairbhéil, gainimh agus cré bhholláin de bhunús carraigeacha aigéadacha is ea a bhformhór. Tá ithir mhianrach le go leor húmais le fáil go fairsing ar na máthair-ábhair seo, go mór mór sna limistéir idir leibhéal na farraige agus 150 m os a chionn. Bíonn siad tirim nó fliuch de réir scagacht an bhunábhair.

Chomh maith le forbairt móna a spreagadh, scuabann an flúirse báistí ábhair cothaithe tríd an ithir síos, rud a fhágann an-bhocht í, go háirithe talamh portaigh agus talamh sléibhe. **Láisteadh** a thugtar ar an bpróiseas seo. Ní mór do na feirmeoirí aoileach nádúrtha feirme nó feamainne agus leasú ceimiceach ("leasú paca") a leathadh chun na hithreach a choimeád saibhir torhtúil.

Tá gob fada gainimhe ag Inse ar an gcósta theas agus ag Oileáin an Mhachaire ar an gcósta thuaidh. Clúdaíonn siadsan agus leagan gainimh eile ar an gcósta an aolchloch bhunaidh, ach bíonn an ithir a fhorbraíonn orthu alcaileach, toisc smionagar sliogán a bheith inti. Tá fadhbanna ar leith ag baint le hithir na ndumhcha mar gheall ar a goirte agus a triomacht.

Tionchair aeráide

Is í leithinis Chorca Dhuibhne an limistéar talún is sia siar san Eoraip. Tá an príomh-bhaile, an Daingean, beagnach ar an domhanleithead céanna le cathair Vársá, le tuaisceart Oileán Sakhalin, agus le deisceart Labrador, ach níl de thosca aeráide coiteann acu ach fad an lae agus uillinn airde na gréine.

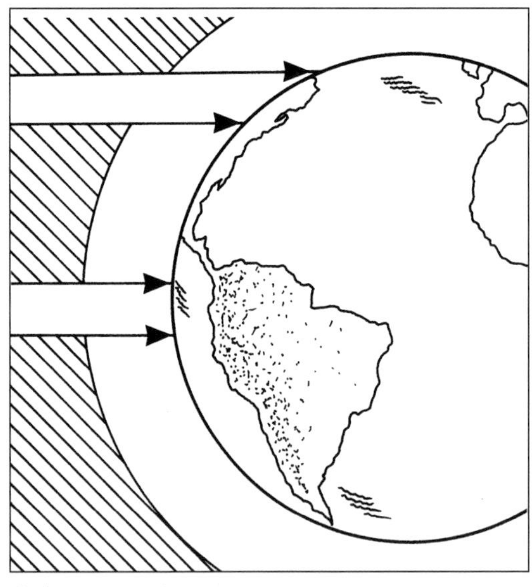

Gathanna na gréine

Déine solais

Tugtar an **griantairiseach** ar an méid d'fhuinneamh lonnrach na gréine a thiteann ingearach gach soicind ar gach méadar cearnach d'aerbhrat an domhain (1.4×10^3 Wm^{-2}). Cé go bhfuil so seasamhach, ní shroicheann an méid céanna fuinnimh gach áit ar dhromchla an domhain. Braitheann sin ar dtús ar dhomhanleithead: ag an Meánchiorcal bíonn an ghrian go hingearach os cionn na talún ag meán lae; i dtreo na mol ní bhíonn an ghrian ingearach am ar bith, agus bíonn fuinneamh na ngathanna scaipthe trí thiús aerbhrait níos mó agus ar achar talún níos leithne.

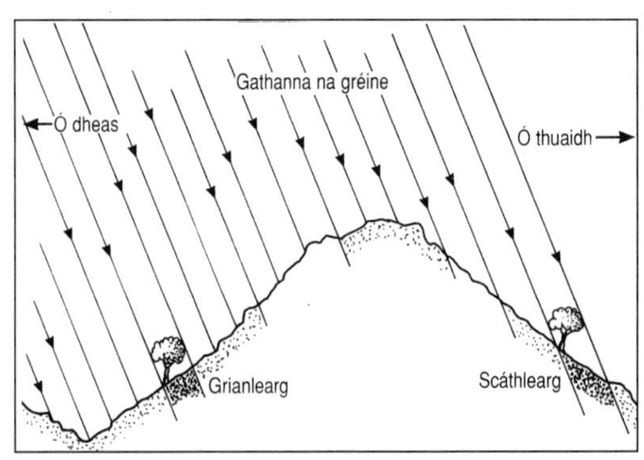

Tionchar treo agus fána ar scaipeadh ghathanna na gréine

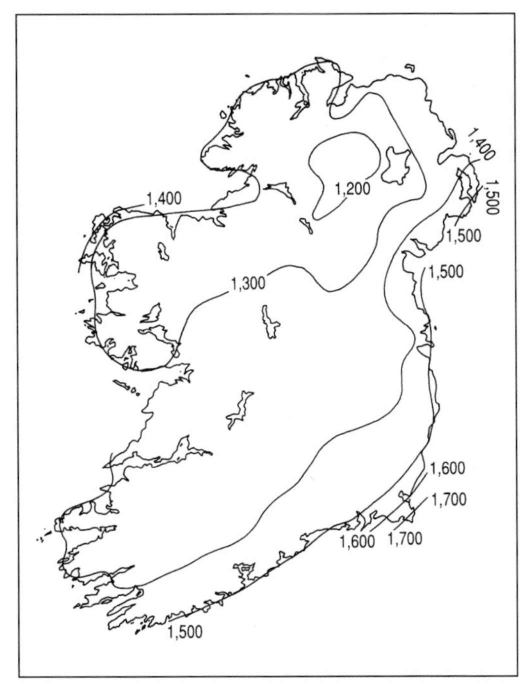

Meánmhéid uaireanta an chloig gréine sa bhliain

Braitheann sé freisin ar chruth na talún in áit ar leith. Faigheann fána atá ag féachaint ó dheas breis gréine agus níos lú scátha ná fána atá ag féachaint ó thuaidh; bíonn teocht na hithreach níos airde, agus ní bhíonn an ithir ná an t-aer chomh tais.

Bíonn tionchar ag an aimsir ó áit go háit ar an méid fuinnimh a shroicheann an talamh: in Éirinn ceileann na scamaill agus an ceo gathanna na gréine cuid mhaith den am. I gCorca Dhuibhne, cosúil le formhór na tíre, ní bhíonn an ghrian ag lonradh go geal ach, ar an meán, ar feadh trí huaire an chloig go leith gach lá i rith na bliana.

Tionchar na farraige

Níl limistéar ar bith den leithinis níos mó ná 8.5 km ón bhfarraige. Tá an aeráid faoi thionchar maolaithe an Aigéin Atlantaigh, go mór mór an feacht te ar a dtugtar Síobadh Mór an Atlantaigh Thuaidh. Is iad saintréithe na haeráide seo ná samhradh fionnuar, geimhreadh bog, agus fliuchras ard i rith na bliana ar fad. Athraíonn an aimsir ó lá go lá agus go minic i rith an lae.

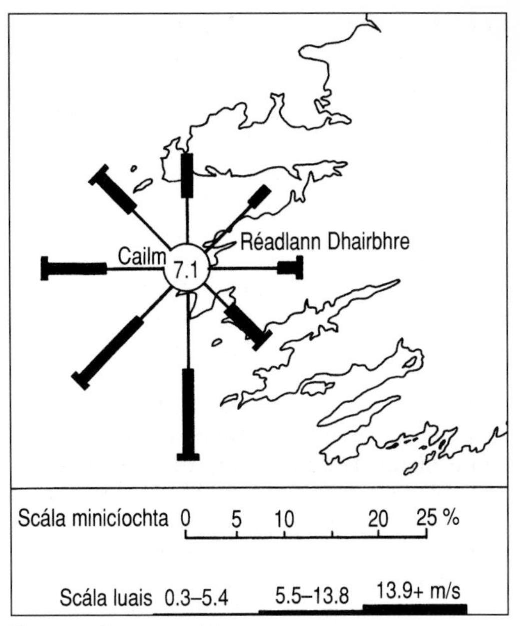

Treo agus luas na gaoithe

An ghnáthghaoth

Is iad na gaotha aneas agus aniar aneas gnáthghaotha chósta thiar agus theas Chorca Dhuibhne. Séideann siad mar leoithní séimhe sa samhradh, ach bíonn gálaí diamhra ann sa gheimhreadh agus gaotha láidre eatarthu. Braitheann treo agus luas na gaoithe ar chruth na talún, agus mar sin ní hionann iad gach áit ar an leithinis.

Fliuchras

Buaileann na gaotha taise teo sléibhte arda Chorca Dhuibhne, fuarann siad, agus cailleann siad cuid den ghal uisce mar cheo nó mar bháisteach. Titeann ar a laghad 1 mm báistí ar dhá chéad lá sa bhliain, beagnach ar fud na leithinse ar fad.

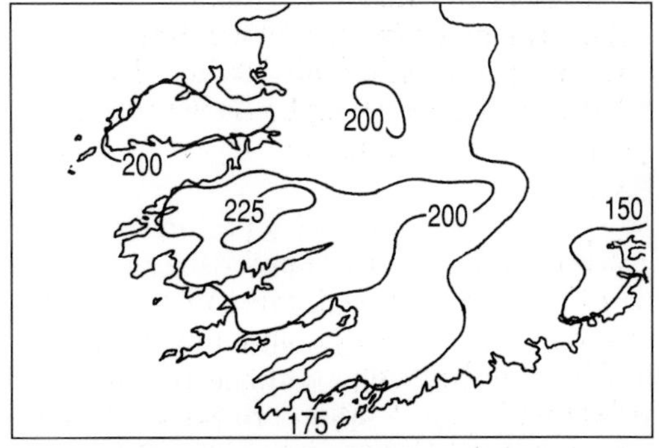

Meánmhéid laethanta le 1 mm báistí nó níos mó

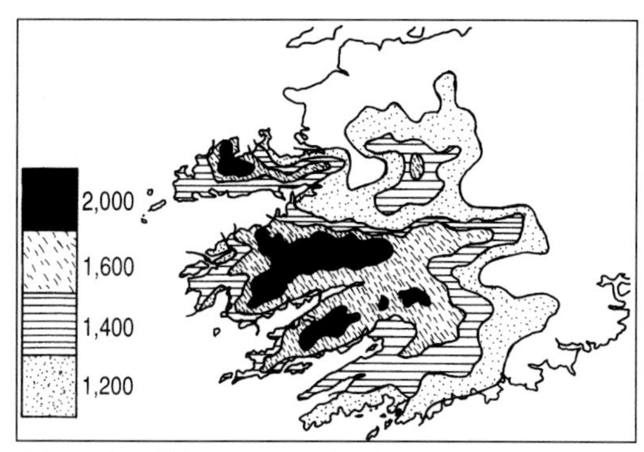

Báisteach na bliana ar meán (mm)

Titeann ar an meán 1,250 mm báistí ar thalamh íseal Chorca Dhuibhne sa bhliain; éiríonn sin go 1,500–2,000 mm ar na sléibhte arda; agus ar Chnoc Bréanainn titeann níos mó ná 2,000 mm sa bhliain.

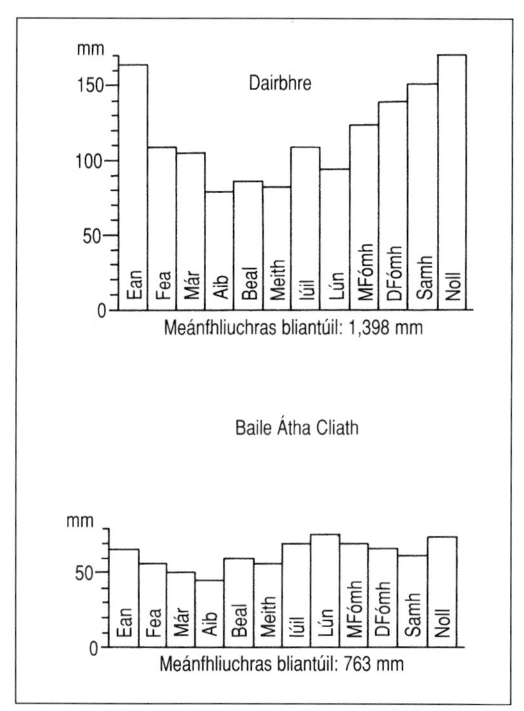

Meánfhliuchras bliantúil: Dairbhre agus Baile Átha Cliath

Saintaise

Is é is brí le saintaise ná an coibhneas (i gcéatadán) idir an méid gal uisce san aer agus an méid a d'fhéadfadh a bheith ann agus é lán-ualaithe. Bheadh aimsir thirim in Éirinn dá mbeadh saintaise 75 faoin gcéad ann, agus is minic saintaise níos mó ná 90 faoin gcéad sna gleannta doimhne a ritheann soir ó thuaidh.

Acmhainn imghalaithe

Is í seo an méid uisce is féidir a chailliúint ón ithir trí imghalú ó phlandaí agus ón ithir féin. I gCorca Dhuibhne is mó an titim báistí ná an acmhainn imghalaithe, rud a fhágann flúirse uisce san ithir d'fhás plandaí.

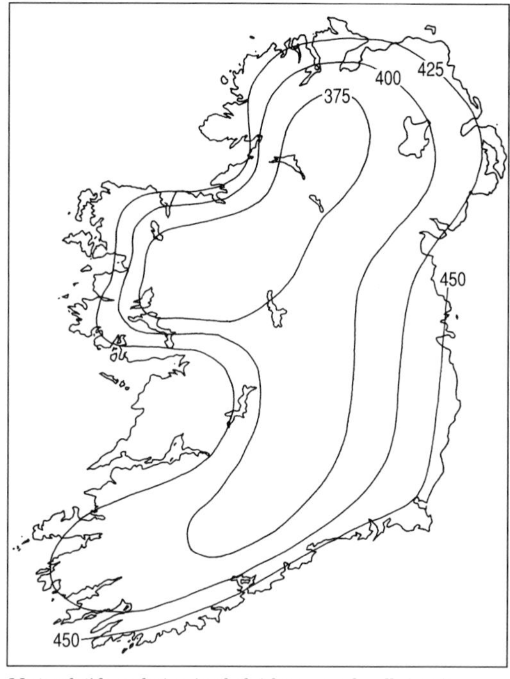

Meánmhéid acmhainn imghalaithe sa samhradh (mm)

Teocht

Bíonn an teocht measartha ar feadh na bliana uile: is fíorannamh a tharlaíonn teocht nó fuacht mórán thar an meán.

Meánteocht laethúil, Eanáir	*c.* 6.5°C
Meánteocht laethúil, Iúil	*c.* 15°C
Meánraon teochta laethúla	*c.* 6°C
Meánraon teochta bliantúla	*c.* 8°C
Meánteocht na bliana	*c.* 10.5°C

Bíonn níos lú ná cúig lá seaca is fiche sa bhliain, agus fiú amháin i gcás na sléibhte is airde is annamh a luíonn sneachta orthu ach ar feadh cúpla seachtain i mí Eanáir agus mí Feabhra.

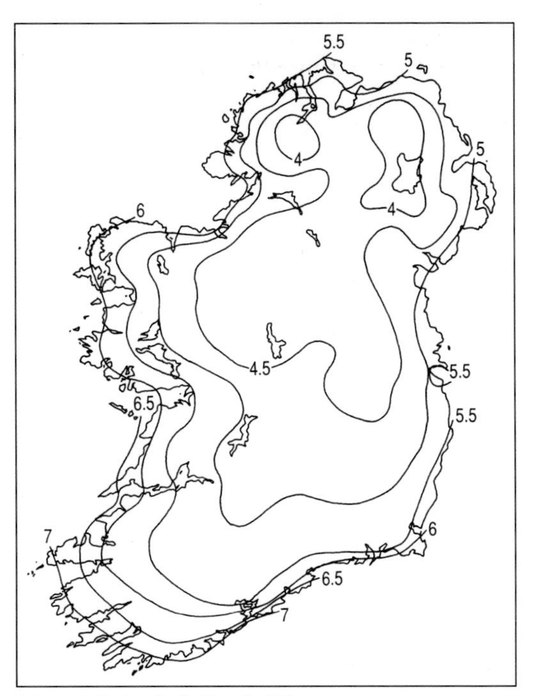

Meánteocht laethúil, Eanáir (°C)

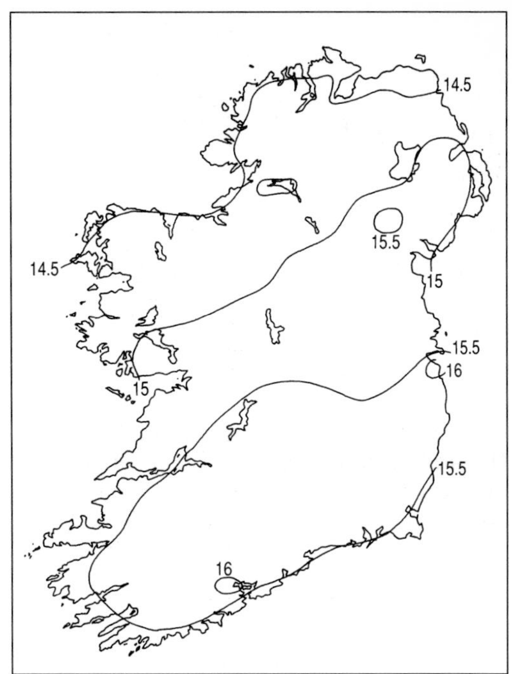

Meánteocht laethúil, Iúil (°C)

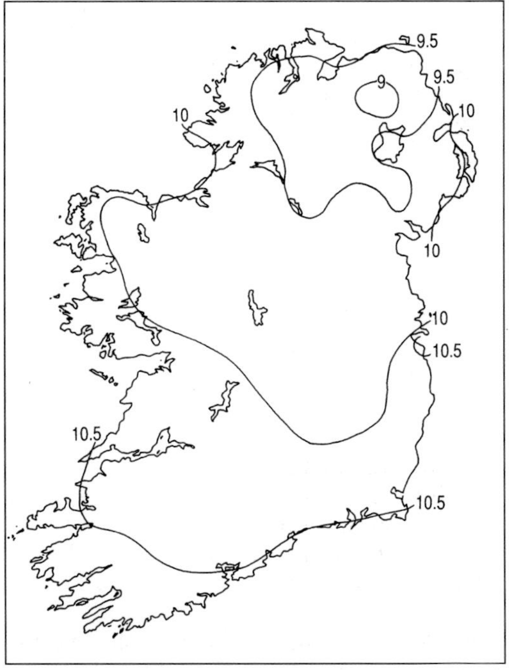

)Meánteocht laethúil na bliana (°C)

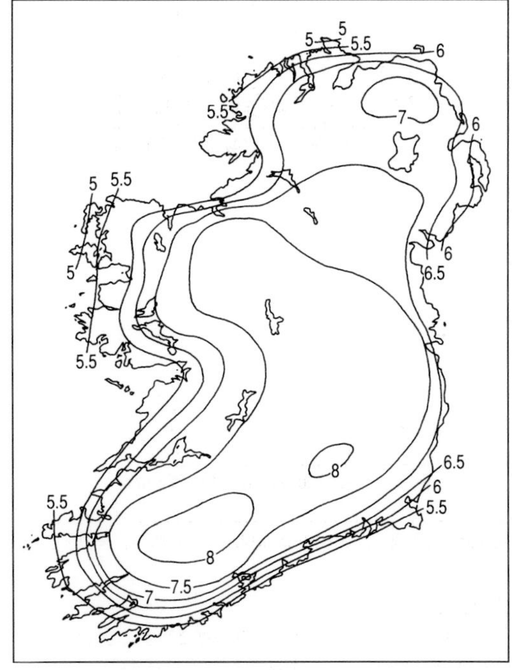

Meánraon teochta laethúla (°C)

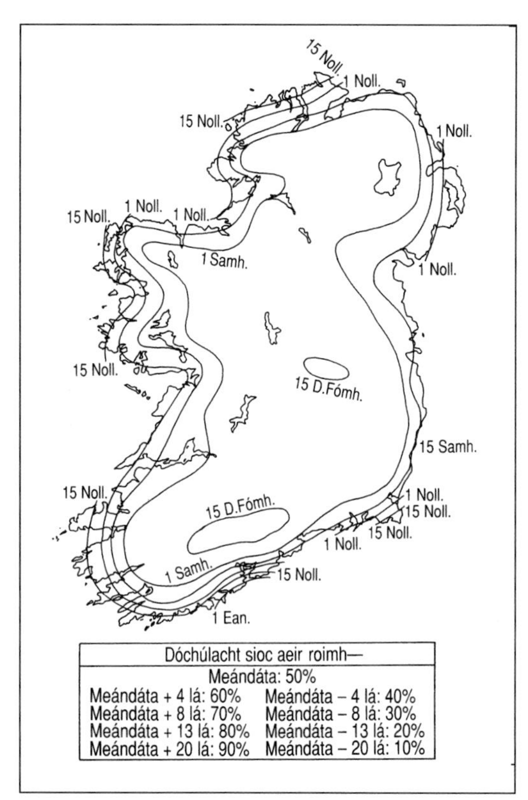

Céad sioc an fhómhair ar meán

1 Noll.
15 Noll.
15 Samh.
1 Noll.
1 Ean.
15 Noll.
1 Ean.

Meándáta críochnaithe fhás an fhéir

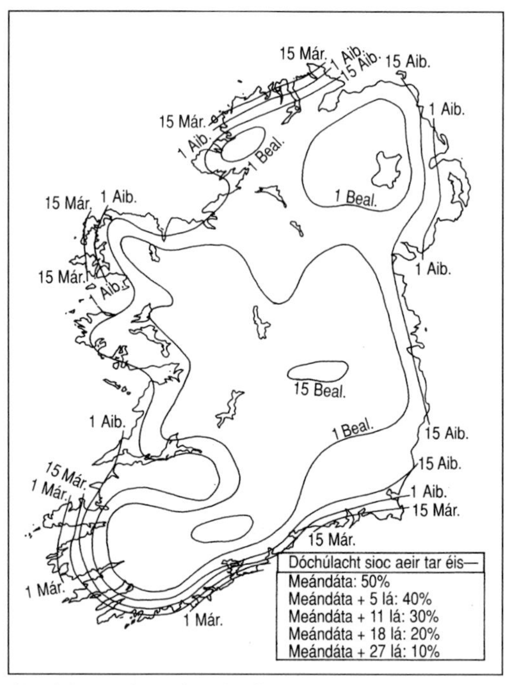

Sioc deireanach an gheimhridh ar meán

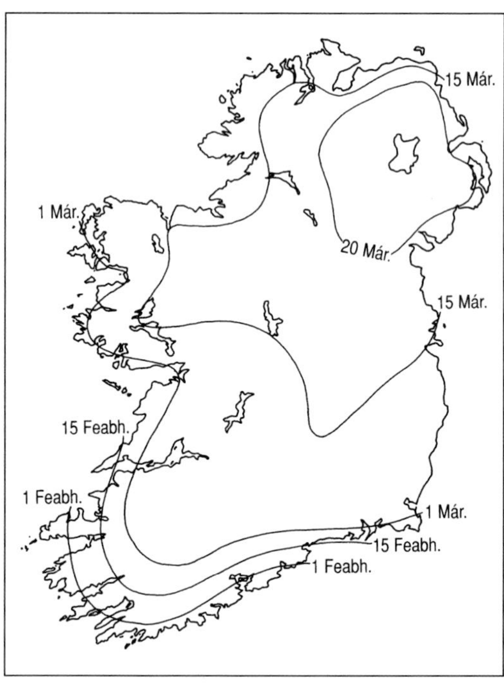

Meándáta tosaithe fhás an fhéir

Sneachta ar Chnoc Bréanainn

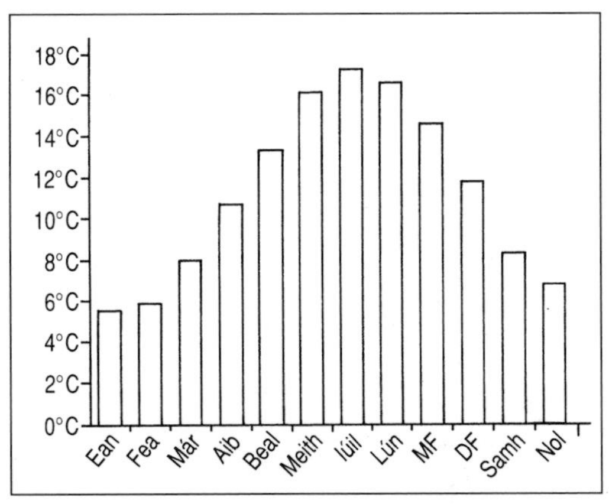

Meánteocht na hithreach ag Réadlann Dhairbhre

Braitheann fás ar theocht na hithreach chomh maith le teocht an aeir. Is féidir le féar fás má tá teocht na hithreach níos mó ná 6°C.

Is é meánfhad shéasúr an fháis sa chuid is mó de Chorca Dhuibhne ná 300 lá.

Aimsir Chorca Dhuibhne

Meánmhéid sholas na gréine sa ló	3.5 uaire an chloig
Meánteocht laethúil, Eanáir	6.5°C
Meánteocht laethúil, Iúil	15°C
Meánteocht na bliana	10.5°C
Deireadh le sioc	15 Márta
Céad sioc an fhómhair	1 Nollaig
Laethanta seaca sa bhliain	<25 lá
Fad an tsamhraidh	>60 lá
Fad an gheimhridh	<30 lá
Fad shéasúr an fháis	300 lá
Laethanta le báisteach	>200 lá
Meánfhliuchras na bliana	>1,250 mm

Gnáthóga Chorca Dhuibhne

Tugtar gnáthóg ar réigiún den timpeallacht ina mbíonn cumann áirithe orgánach ar fáil, mar shampla bán, coill, corrach, loch fíoruisce, fál, dumhach, nó riasc sáile.

Na páirceanna

Tionchar an duine

Sara dtáinig an duine go Corca Dhuibhne chuir éagsúlacht tírgnéithe agus mion-aeráide go leor gnáthóga nádúrtha ar fáil do phlandaí. Anuas orthu san anois tá tionchar an duine ar an dtuaith: ag leagadh coillte, ag baint mhóna, ag taoscadh riasc, ag saothrú na talún, ag tabhairt stoic agus barraí coimhthíocha isteach, ag tógaint tithe, bóthar, droichead, agus clathacha, agus ag cur fál. Is beag áit saor ó smacht an duine agus a chuid ainmhithe tí agus clóis inniu.

Is ar an ithir mhianrach, idir an fharraige agus an comhrian 150 m, a chónaíonn formhór na ndaoine, rud a fhágann go bhfuil an timpeallacht sna limistéir sin athraithe go mór ag an bhfeirmeoireacht. Ní chun donais ar fad atá an t-athrú: cé ná fuil coillte fágtha, tugann na fálta áit chónaithe do mhórán plandaí coille. Is féidir le go leor planda cur fúthu ar imeall na ngort, nó ar thaobh an bhóthair. Is sa limistéar seo is mó a fhaightear na plandaí a leanann an duine: fiailí saothraithe agus d'éalaithigh gairdín (luibheanna íce nó tís, glasraí, lusra cumhra, agus bláthanna atá imithe as an bhfaisean).

Faillte farraige

Ar na gnáthóga is gaire don riocht nádúrtha áirítear iad siúd cois farraige. Ní foláir do phlandaí a fhásann sna háiteanna seo bheith in ann sáile agus déine gaoithe a fhulaingt, rud a éileann oiriúnú ar leith. Is iad na faillte móra farraige na háiteanna is iargúlta ar fad, gan teacht orthu ach amháin ón bhfarraige nó le fearas (agus oiliúint) dreapadóireachta. Tá an t-ádh orainne, áfach, go bhfuil cuid na plandaí cois farraige seo le fáil in áiteanna eile ná fuil chomh hachrannach.

Plandaí faille ar sheanfhalla

Cois farraige

Dumhcha
Is déine dálaí maireachtála sa dumhcha ná i ngnáthóg ar bith eile. Ní foláir do na plandaí iontu cur suas le gluaiseacht na gainimhe, le ganntannas uisce agus le hithir alcaileach chomh maith le sáile agus le gaoth. Ní mór do phréamhacha agus riosóim na speiceas téisclime gluaiseacht na gainimhe a stop agus an dumhach a dhaingniú sular féidir leis na plandaí eile fás ann. Tá dumhcha fíorspéisiúla in Inse ar an gcósta theas agus in aice le Caisleán Ghriaire ar an gcósta thuaidh. San áit sin freisin tá Loch Gile—loch uisce cailcreach, le fásra sainiúil.

Portaigh agus fraochlaigh
Tá sleasa na sléibhte clúdaithe le hiliomad saghas portach agus fraochlach (de réir fhliuchras na háite). In aice leis an gcósta theas mar a bhfuil sléibhte tirim go leor, fraochlach tirim le féar mín a chlúdaíonn na fánaí. Ach ar na sléibhte in aice leis an gcósta thuaidh, mar a dtiteann níos mó báistí, portaigh agus fraochlaigh fliucha a bhíonn ar na dromchlaí agus fánaí, le caonaigh portach, féar garbh, agus cíb.

Na sléibhte arda
Cuireann taise agus fionnuaire na gcoirí a fhéachann soir ó thuaidh gnáthóg ar fáil do chaonaigh ar leith, .i. na speicis Atlantacha. In airde sna sléibhte freisin fásann roinnt plandaí atá níos gnáthaí agus níos flúirsí ar shléibhte arda na Mór-roinne nó i gcóngar an Mol Thuaidh, .i. na plandaí alpacha.

Locha agus locháin
Tá suas le caoga loch is lochán sna sléibhte, cuid acu an-bheag. Bíonn an t-uisce iontu aigéadach, agus é fuar agus domhain i gcuid acu. Fásann plandaí san uisce le ciúis cuid mhaith acu, fiú na cinn is airde, atá gar d'uasraon an fhásra uisce in Éirinn.

Lochán sléibhe

Rangú agus ainmniú orgánach beo

An bheatha

Is í an chill bunchloch na beatha. Faoi mar atá foirgnimh de gach saghas tógtha le bloic, tá gach orgánach beo déanta as cealla. Tá na haigéid núicléiseacha—mar aigéad ribeanúicléasach agus aigéad dí-ocsairibeainúicléasach (DNA), na substaintí a bheireann treoir na beatha ó ghlúin go glúin—suite i ngach cill bheo.

Bíonn cealla eagraithe ina n-orgánaigh bheo—nithe gur féidir leo análú, cothú, síolrú, agus fás—de réir theagasc a gcuid DNA féin; is de réir an teagaisc sin a bhíonn orgánach ar leith ina chaonach, ina dhamhán alla, ina chrann, nó ina neach daonna.

Is féidir le horgánaigh áirithe a gcuid bidh féin a dhéanamh as uisce agus dé-ocsaíd charbóin, trí sholas na gréine a ghabháil. Fótaisintéis a thugtar ar an bpróiseas seo, agus deirtear go bhfuil na horgánaigh a dheineann é **uatrófach**. Tugtar orgánaigh **heitreatrófacha** orthu siúd a bhíonn ag brath ar orgánaigh eile chun bia a dhéanamh dóibh.

Tá timpeall 1,500,000 saghas éagsúil orgánach beo ar eolas go dtí seo.

Rangú orgánach beo

Deintear na horgánaigh bheo go léir a riarú de réir chóras rangaithe atá bunaithe ar chosúlachtaí agus éagsúlachtaí eatarthu. Ba é Carl von Linné (ar a dtugtar Linnaeus de ghnáth), Sualannach a mhair ó 1707 go 1778, a bhunaigh an córas rangaithe seo.

Is é an **speiceas** bunús an rangaithe, teideal a thugtar do ghrúpa orgánach comhchosúil, gur féidir leo síolrú lena chéile agus gur féidir lena sliocht síolrú mar an gcéanna. Bailítear speicis atá gaolmhar lena chéile i gcnuasach ar a dtugtar **géineas**. Deintear rangú níos airde trí ghrúpaí gaolmhara a bhailiú le chéile mar seo a leanas (tá roinnt fo-rang fágtha ar lár):

Clann	Bailiúchán de ghéinis ghaolmhara
Ord	Bailiúchán de chlanna gaolmhara
Rang	Bailiúchán d'oird ghaolmhara
Roinn	Bailiúchán de ranganna gaolmhara
Ríocht	Bailiúchán de ranna gaolmhara

Deintear cúig ríocht de na horgánaigh bheo, mar seo:

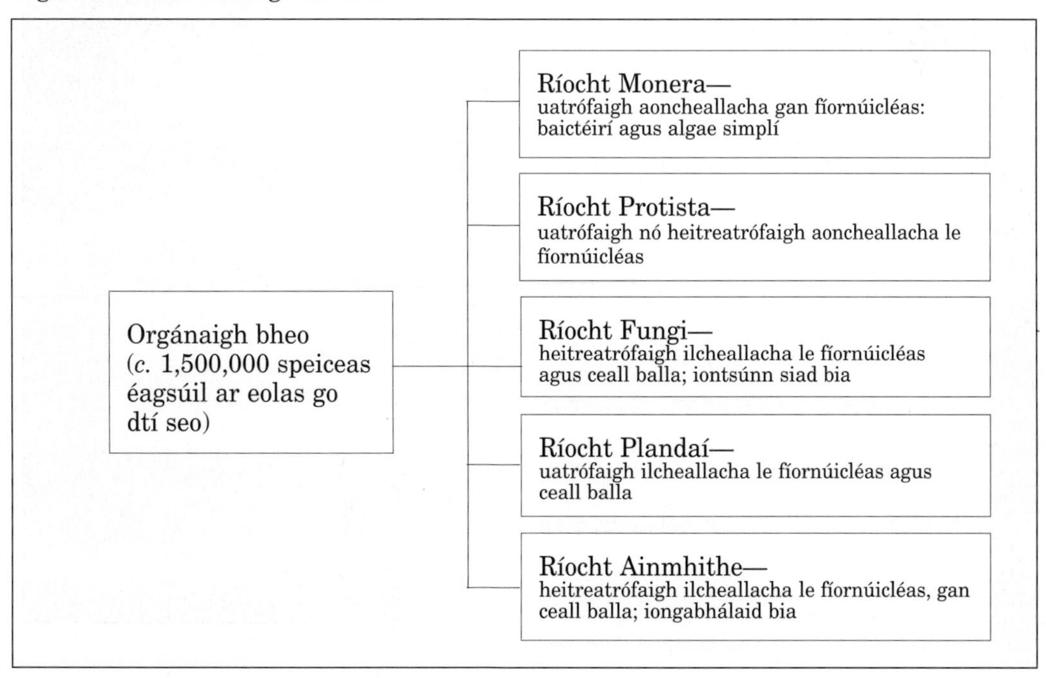

Rangaítear ríocht na bplandaí mar seo:

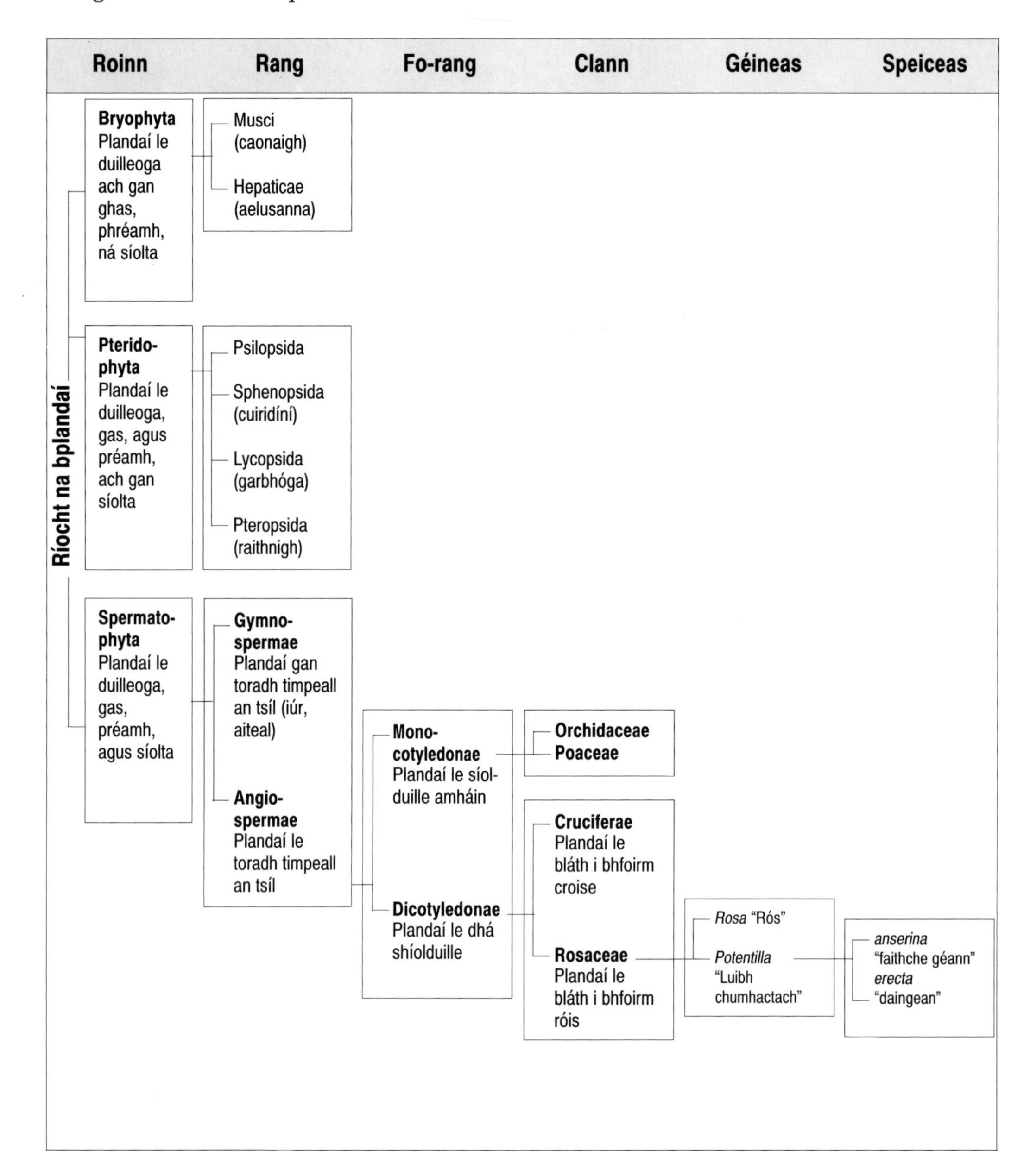

Ainmniú orgánach beo

Cheap Linnaeus córas ainmnithe **dé-théarmach**, chun ainm chaighdeánach Laidine a chur ar gach orgánach beo de réir an ghéinis agus an speicis lena mbaineann sé. Do leag sé síos go mbeadh dhá chuid san ainm:

(*a*) ainm an ghéinis, a scríobhtar i gcónaí le ceannlitir, agus

(*b*) ainm an speicis, a scríobhtar i gcónaí le gnáthlitir.

Scríobhtar an ainm go léir sa chló iodálach, mar seo: *Bellis perennis* L. (nóinín).

Is féidir leis an ainm tagairt a dhéanamh do shaintréith éigin den ngéineas nó den speiceas, mar shampla:

- *Trifolium* [trí dhuilleog] *campestre* [móinéir]
- *Potentilla* [luibh chumhachtach] *palustris* [corraigh]

Tá stair fhada ag baint le cuid de na hainmneacha Laidine; mar shampla, i gcás *Saponaria officinalis,* tagann ainm an ghéinis ón Laidin Mheánaoiseach, *sapo*—gallúnach, agus tagann ainm an speicis ón bhfocal Laidine *officina*—seomra stóir na luibheanna sna seanmhainistreacha. Ma tá an focal *officinalis* nó *officinale* in ainm planda, ciallaíonn sin gur seanluibh leighis é.

Uaireanta úsáidtear ainm duine, ar nós *Sibthorpia,* i gcuimhne Humphrey Sibthorpe, ollamh le luibheolaíocht in Ollscoil Oxford, a mhair ó timpeall 1713 go 1797 agus go raibh comhfhreagras aige le Linnaeus.

Cé go bhfuil cuid de na hainmneacha athraithe le himeacht na haimsire, tá córas rangaithe agus ainmnithe Linnaeus againn fós. Chun údar ainm planda a chur in iúl, scríobhtar giorrú a ainmsean i ndiaidh ainm an speicis: ciallaíonn an litir "L." tar éis ainm Laidine an nóinín thuas gurbh é Linnaeus féin a d'ainmnigh é.

Éiceolaíocht

Is é is brí le héiceolaíocht ná staidéar ar idirspleáchas plandaí agus ainmhithe agus ar an idirghníomhú atá eatarthu agus leis an timpeallacht ina bhfuil siad.

Idirspleáchas plandaí agus ainmhithe

I dtéarmaí éiceolaíochta, rangaítear orgánaigh de réir an saghas beathaithe a chleachtann siad, mar seo a leanas.

Táirgeoirí: Plandaí glasa a dheineann a gcuid bidh féin trí fhótaisintéis agus a tháirgeann bia d'orgánaigh eile.

Tomhaltóirí: Ainmhithe nó orgánaigh neamhfhótaisintéiseacha a bhraitheann ar orgánaigh eile chun bia a sholáthar dóibh.

Dianscaoilteoirí: Orgánaigh bheaga a bheathaíonn iad féin ar phlandaí agus ainmhithe marbha amháin agus ar dhramhaíl orgánach. Scaoileann siad dúile agus comhdhúile riachtanacha a bhíonn iontu so ar ais san ithir le hathúsáid—fosfáití, níotráití, agus mianraí. **Athchúrsáil cothaitheach** nó **timthriall na ndúl** a tugtar ar so. Fágtar freisin an fuílleach orgánach ar a dtugtar húmas mar thoradh ar athchúrsáil. Is meascán é seo de bhruscar dodhíleáite, go mór mór de bhunús planda, atá an-tábhachtach do uigeacht ithreach. Áirítear feithidí, piastaí, fungais agus baictéir i measc na ndianscaoilteoirí.

Fótaisintéis

Iontsúnn an planda glas fuinneamh lonrach na gréine agus cuireann i dtaisce ina chealla féin é, i bhfoirm stór d'fhuinneamh ceimiceach—bia. Is iad an siúcra glúcós agus an gás ocsaigin céad táirgí an phróisis seo, ar a dtugtar fótaisintéis. Úsáideann sé

(*a*) solas na gréine,

(*b*) dé-ocsaíd charbóin ón aer,

(*c*) uisce ón ithir, agus

(*d*) clóraifil—lí ghlas—sa phlanda.

$6CO_2$ (dé-ocsaíd charbóin)	+	$6H_2O$ (uisce)	+	fuinneamh lonrach na gréine	+	clóraifil	→	$C_6H_{12}O_6$ (glúcós)	+	$6O_2$ (ocsaigin)

Tógann an planda fosfáití, níotráití, potaisiam agus mianraí eile ón timpeallacht, agus is féidir leis ansin na substaintí go léir atá riachtanach don mbeatha, don bhfás agus don síolrú a dhéanamh ina chuid ceall féin: carbaihiodráití, saillte, próitéiní, agus vitimíní.

Ní féidir le horgánaigh gan chlóraifil fótaisintéis a dhéanamh: mar sin braitheann siad go léir (lasmuigh de chúpla saghas uatrófach speisialaithe, na ceimeatrófaigh) ar na plandaí glasa chun fuinneamh i bhfoirm stór bidh a sholáthar dóibh. Is féidir lena bhformhór roinnt mianraí a ghlacadh ó fhoinsí eile, agus is féidir le cuid acu (mar shampla na ceimeatrófaigh) a gcuid próitéine go léir a dhéanamh dóibh féin. Ach is iad na plandaí glasa amháin a tháirgeann roinnt aimínaigéad ar leith atá riachtanach do dhéanamh próitéine, ní hamháin dá gcuid ceall féin ach do chealla na n-ainmhithe chomh maith. Gan na haimínaigéid seo a bheith ar fáil ina gcuid bidh ní féidir le hainmhithe, an duine ina measc, maireachtaint ar chor ar bith. Braitheann na plandaí glasa ar **heitreatrófaigh**—go mór mór na feithidí, na fungais, agus na baictéir—chun mianraí agus ábhair cothaithe riachtanacha eile ar nós fosfáití agus níotráití a chur ar fáil dóibh sa timpeallacht. Deintear sin trí fhíocháin marbh plandaí agus ainmhithe agus dramhaíl orgánach eile a athchúrsáil.

Braitheann ainmhithe agus orgánaigh heitreatrófacha eile ar phlandaí glasa

(*a*) chun bia a sholáthar dóibh trí fhótaisintéis,
(*b*) chun ocsaigin a chur ar fáil ionas gur féidir leo análú agus an t-aer a ghlanadh trí dé-ocsaíd charbóin a ionsú, agus
(*c*) chun fothain, dídean agus scáth a thabhairt chun póraithe agus chun iad féin agus a n-óg a chosaint ó chreachadóirí.

Braitheann plandaí glasa ar ainmhithe agus ar orgánaigh heitreatrófacha eile chun

(*a*) dé-ocsaíd charbóin a sholáthar don bhfótaisintéis trí análú, ionas gur féidir leis na plandaí bia a dhéanamh,
(*b*) aoileach a chur ar fáil chun an ithir a shaibhriú trí athchúrsáil cothaitheach,
(*c*) pailin a iompar ó bhláth go bláth chun crosphailniú a chur i gcrích, agus
(*d*) síolta a scaipeadh ó áit go háit.

Na dúile atá le fáil in orgánaigh bheo

Dúil	Garchéatadán de réir mheáchana		
	I screamh an domhain	I bplanda arbhair	San duine
Ocsaigin (O)	49.0	75.0	65.0
Carbón (C)	0.09	13.0	18.0
Hidrigin (H)	0.88	10.0	10.0
Nítrigin (N)	0.03	0.45	3.3
Cailciam (Ca)	3.4	0.07	1.5
Fosfar (P)	0.12	0.06	1.0
Potaisiam (K)	2.4	0.28	0.35
Sulfar (S)	0.05	0.05	0.25
Sóidiam (Na)	2.6	Rian	0.24
Clóirín (Cl)	0.19	0.04	0.19
Maignéisiam (Mg)	1.9	0.06	0.05
Iarann (Fe)	4.7	0.03	0.005
Mangainéis (Mn)	0.08	0.01	0.0003
Sileacan (Si)	25.0	0.36	Rian

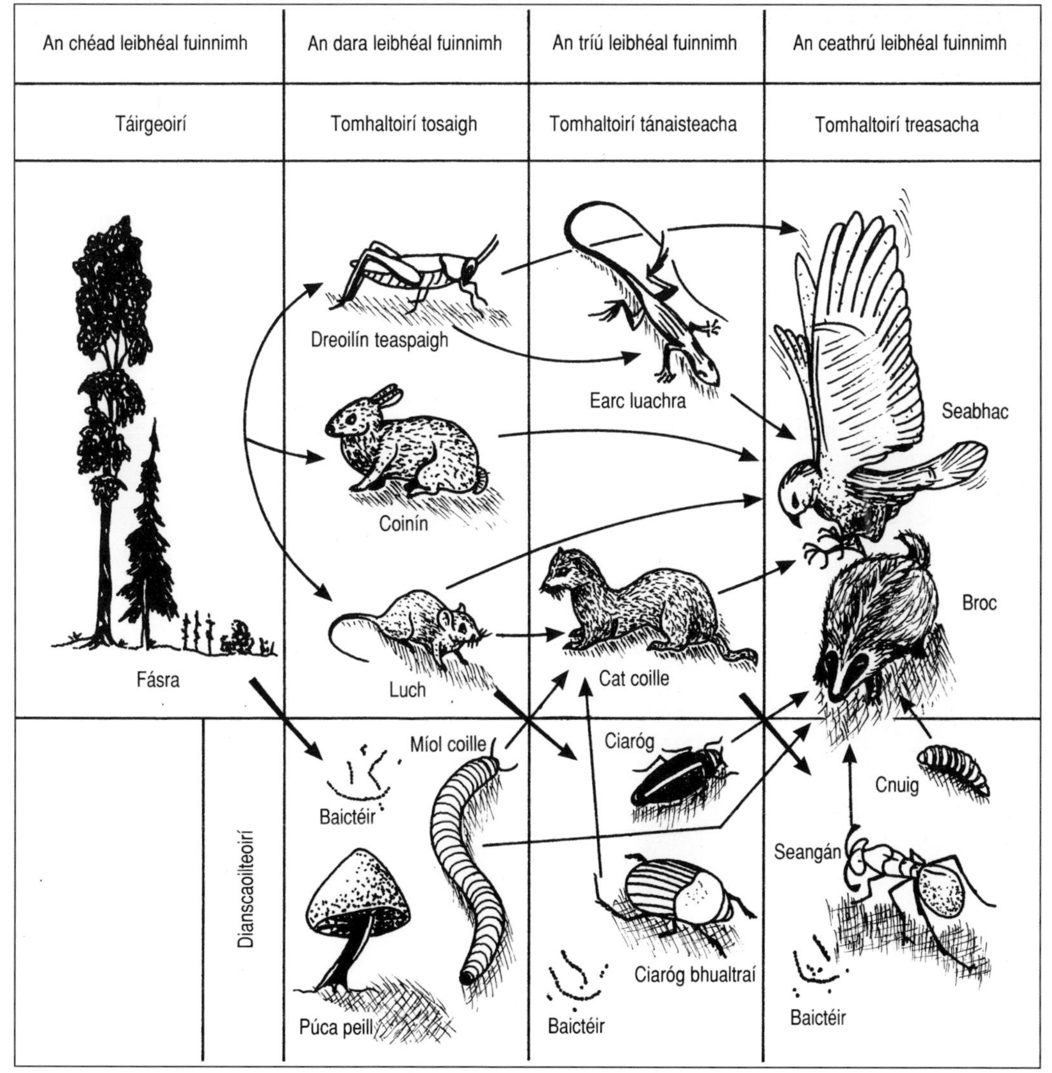

Conairí fuinnimh agus damhna tríd an mbithsféar

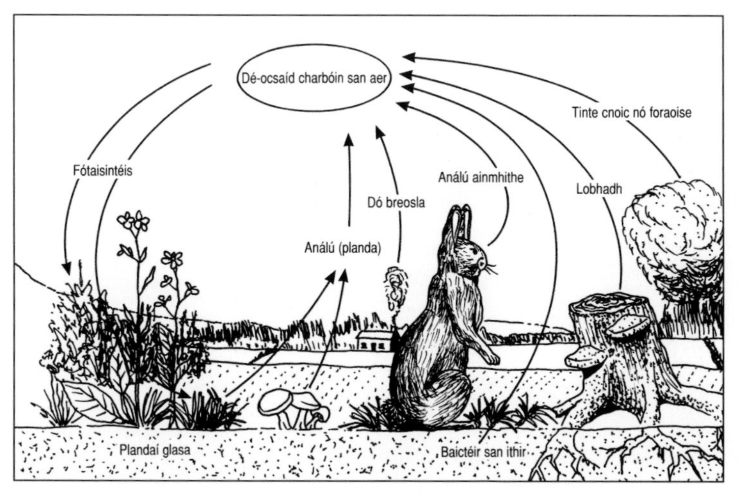

Síorghluaiseann fuinneamh trín mbithsféar; tagann mar sholas, scaipeann mar theas, *ach ní féidir é athúsáid.* Athúsáidtear damhna de shíor, áfach.

Timthriall charbóin

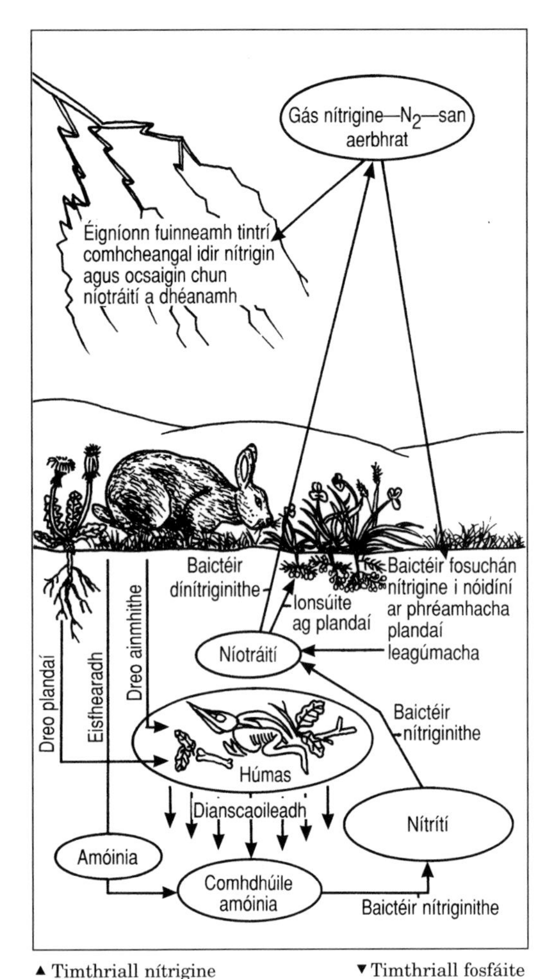

▲ Timthriall nítrigine

Cumann

Seo é an téarma a thugtar don bhflóra agus don bhfauna a mhaireann ar scáth a chéile in aon ghnáthóg ar bith.

Taobh amuigh de thionchair fhiseagrafacha, aeráide agus ithir na gnáthóige, glacann idirghníomhaíocht bhitheolaíoch páirt freisin i ndéantús cumann ar bith. Tá dhá phríomhshaghas tosca bitheacha ann: naimhdeas agus simbheois.

Naimhdeas a thugtar ar an aontas as a dtagann dochar do ghrúpa orgánach amháin. **Simbheois** a tugtar ar an aontas ná tagann dochar ar bith as ach as a dtagann tairbhe do ghrúpa amháin.

Naimhdeas

Tá trí shaghas naimhdis ann sa nádúr: creachadh, seadánachas, agus leathsheadánachas.

1. Creachadh: Is **creachóirí** na feoilitigh a mharaíonn ainmhithe eile chun iad féin a chothú, mar shampla an gainéad, an madra rua, an dobharchú (madra uisce), an eascú, an seabhac.

2. Seadánachas: Maireann **seadán** ar óstach, súnn sé bia as, agus lagaíonn go mór é nó cuireann chun deiridh é, mar shampla dubh (bleaist) ar phrátaí, bruth rua ar choirce nó ar chruithneacht, míola glasa ar rós.

▼ Timthriall fosfáite

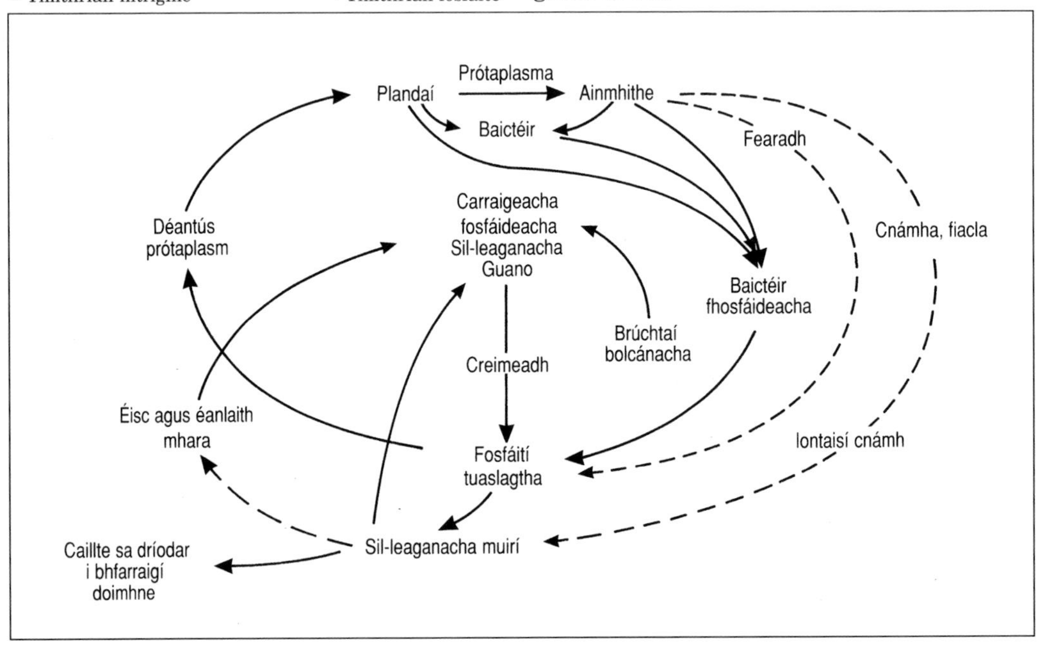

3. Sampla den **leathsheadánachas** is ea plandaí áirithe de chlann na Scrophulariaceae. Is féidir leo a gcuid bidh féin a dhéanamh trí fhótaisintéis, ach "goideann" siad uisce agus mianraí ón óstach, mar shampla féara, seamair, aiteann go minic.

Iomaíocht: Aontas é seo idir dhá orgánach ná téann chun sochair aon cheann acu, ach i bhfad na haimsire cuirtear an ceann is laige, is leochailí nó is míchumtha as an gcumann. Maireann an ceann is sláintiúla, agus is oiriúnaí don timpeallacht sin.

Tarlaíonn iomaíocht idir bhaill den speiceas céanna agus idir speicis éagsúla.

Bíonn iomaíocht idir ainmhithe chun bia, fothain agus "dúthaigh"—ionad (agus páirtí) chun síolraithe—a bhaint amach.

Bíonn iomaíocht idir phlandaí chun solas, uisce, mianraí agus spás a fháil. Is féidir le plandaí áirithe maireachtaint faoi scáth crainn nó toir mar go ndeineann siad a gcuid bláthú agus síolradh i dtosach an earraigh, nuair a bhíonn na plandaí os a gcionn gan duilliúr. I gcásanna áirithe ní féidir le síolphlanda maireachtaint in aice leis an máthairphlanda, mar cuireann préamha an phlanda mhóir substaintí amach chun cosc a chur le forbairt an phlanda óig. Cuireann seo bac ar shár-líonadh a dhéanfadh dochar don speiceas.

Simbheois

Comhairíocht: Seo aontas ina maireann dhá orgánach le chéile chun tairbhe dóibh araon, mar shampla baictéir *Rhizobium* i nóidíní phréamh na Leguminosae. Fosaíonn an baictéar nítrigin ón aer agus cuireann ar fáil don bplanda é mar níotráit. Faigheann sé féin bia agus dídean ón bplanda mar mhalairt.

Is **míciríosa** aontas idir fungais na hithreach agus préamh an phlanda. Bailíonn an fungas mianraí, go mór mór fosfáit, don bpréamh, agus mar mhalairt faigheann sé féin siúcraí agus dídean sa phréamh. Bíonn míciríosa ar phréamh fhormhór na luibheanna ach amháin na Cruciferae agus na Chenopodiaceae—toisc, meastar, gur bliantóga a bhformhór seo agus nach maireann siad fada go leor.

Braitheann mórchuid bláthanna ar fheithidí chun **crosphailniú** a chur i gcrích dóibh; chun iad a mhealladh, íocann siad "tuarastal" bidh i bhfoirm meala nó pailine. Tá saolré na mbeach bunaithe go hiomlán ar an gcomhaontas seo le plandaí.

Comhthíos: Seo aontas idir dhá orgánach a théann chun sochair do cheann amháin ach ná téann chun sochair ná dochair don gceann eile. Sampla de seo is ea na heipifítí.

Is plandaí **eipifítí** a mhaireann ar phlandaí eile ach ná deineann dochar dóibh, mar shampla eidhneán, raithneach, agus caonach, a fhásann ar chrainn nó ar fhallaí, go mór mór in áiteanna taise. Tá préamha teagmhasacha acu chun dreapadh ar pé taca atá ar fáil. Ní thógann siad faic ón gcrann ach dreapann siad in airde air chun solas a fháil. Ionsúann siad uisce na báistí nó taise an aeir trí na préamha—nó díreach trí na duilleoga i gcás na gcaonach agus na raithneach, nó tríd an bpríomhphréamh san ithir i gcás an eidhneáin—agus deineann siad a gcuid bidh féin trí fhótaisintéis.

Ma tá crann lag nó sean is féidir le meáchan na n-eipifítí, go mór mór más eidhneán atá i gceist, é a leagadh nó a mhúchadh; ach is féidir le crann atá slán folláin fás tapaidh a dhóthain chun ná tarlódh seo.

Scaipeadh síl: Nuair a itheann éan torthaí cosúil le sméara, tá an planda ag cur bia ar fáil i bhfoirm orgáin inídithe. Téann na síolta trí inní an éin gan dochar, agus tagann siad amach leis an aoileach. Ní hamháin go scaiptear na síolta ach is cosúil go ndeineann an turas trí inní an éin maitheas do fhormhór acu, mar spreagtar péacadh ina dhiaidh. I bplandaí ar nós an gharbhlusa (*Galium aparine*) greamaíonn an síol le fionnadh ainmhithe le crúcaí beaga. Is sochar don bplanda an síol a scaipeadh; ní dochar don ainmhí é a bheith ceangailte dó ar feadh tamaillín.

Coda an phlanda agus a gcuid oibre

Coda an phlanda

1. Na seipil. Cosnaíonn na seipil bachlóg an bhlátha; tugtar an **chailís** orthu le chéile (ón Laidin, *calix*—cupán).

2. Na piotail. Go minic bíonn dathanna geala orthu, stór meala ina mbun, agus

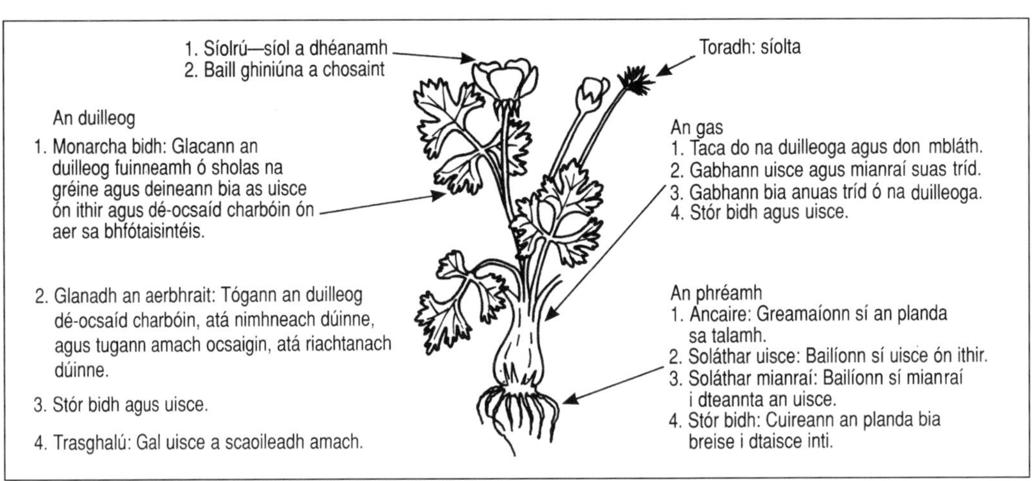

▲ Coda an phlanda: cam an ime *(Ranunculus bulbosus)*

▼ Coda an bhlátha

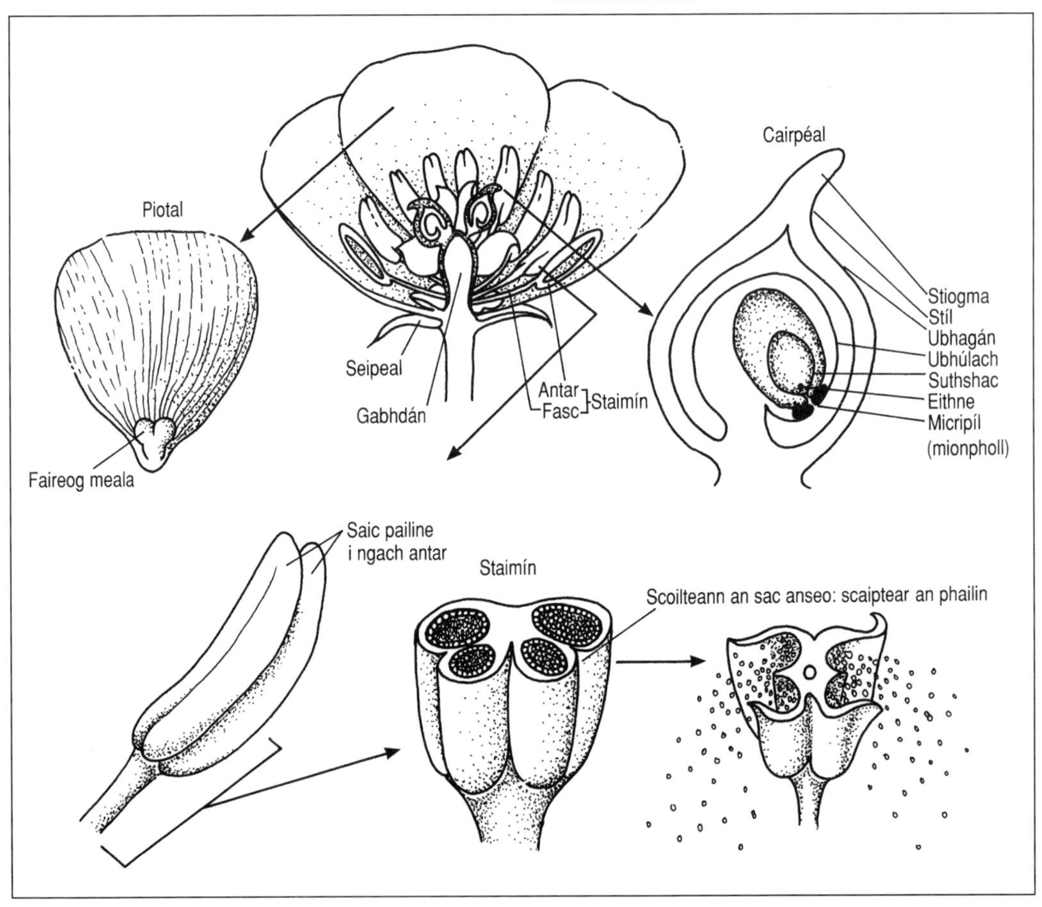

boladh uathu chun feithidí a mhealladh. Cuidíonn na feithidí le pailniú an bhlátha. Tugtar an **choróinín** ar na piotail le chéile (ón Laidin, *corona*—coróin).

3. Na staimíní. Is iad seo an chuid fhireann den mbláth; tugtar **aindréiciam** orthu le chéile (ón nGréigis, *andró*—fireann, *oikíon*—teach). Tá dhá chuid sa staimín:

(*a*) an fasc—coisín bheag thanaí, agus
(*b*) an t-antar—ball le ceithre shac ina dtáirgtear pailin; is í an phailin cill fhireann an phlanda.

4. Na cairpéil. Duilleoga speisialta a chasann isteach orthu féin agus a dheineann ball ar chuma buidéil. Is í seo an chuid bhaineann den mbláth. Tá trí chuid ann:

(*a*) an stiogma—sórt ardáin greamaithigh ag barr an chairpéil: greamaíonn an phailin de;
(*b*) an stíl—scrogall nó muineál fada; agus
(*c*) an t-ubhagán—bíonn an t-**ubhúlach**, an chill bhaineann, anseo.

Tugtar an **gineiciam** (ón nGréigis, *gyné*—bean, *oikíon*—teach) nó an **phistil** (ón Laidin, *pistillum*—tuairgnín) ar na cairpéil le chéile.

5. Coisín. Gas speisialta le haghaidh atáirgthe. Bíonn an bláth nó an bláthra ar a bharr. Bíonn sé singil (m.sh. sabhaircín—*Primula vulgaris*) nó géagaithe (m.sh. bainne bó bleacht—*Primula veris*).

6. Gabhdán. Barra an choisín. Bíonn coda an bhlátha ceangailte de. Bíonn sé leathan leibhéalta (m.sh. caisearbhán—*Taraxacum* spp.), cruinn (m.sh. cam an ime—*Ranunculus* sp.), nó cuasach (m.sh. rós—*Rosa* sp.).

Bíonn méid ar leith de na coda thuasluaite ag gach bláth den chlann chéanna; bíonn a shainchruth féin ar na baill i ngach clann chomh maith. Mar shampla, bíonn ceithre sheipeal, ceithre phiotal, sé staimín (ceithre cinn fhada agus dhá cheann ghearra) ag gach planda de na Cruciferae (clann an chabáiste); bíonn cúig sheipeal, cúig phiotal, deich staimín agus cairpéal amháin ag gach ball de na Leguminosae (clann an phónaire); agus bíonn cúig sheipeal, cúig phiotal, an-chuid staimíní agus an-chuid cairpéal ag na Rosaceae (clann an róis).

Téarmaíocht a bhaineann le bláth

1. Bláth iomlán. Bláth ina bhfuil na ceithre chuid seo: seipil, piotail, staimíní, agus cairpéil.

2. Bláth neamhiomlán. Bláth ina bhfuil ceann amháin nó níos mó de na ceithre chuid sin in easnamh.

3. Bláth foirfe. Bláth ina bhfuil staimíní agus cairpéil.

4. Bláth neamhfhoirfe. Bláth ina bhfuil staimíní nó cairpéil in easnamh.

5. Bláth pistileach. Bláth neamhfhoirfe le pistil (cairpéal) gan staimíní.

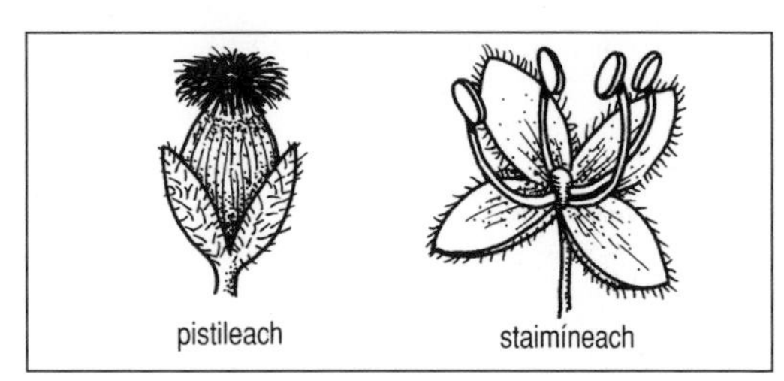

Blátha na neantóige (*Urtica dioica*)

6. Bláth staimíneach. Bláth neamhfhoirfe le staimíní ach gan cairpéil.

7. Planda moinéiceach. Planda ar a bhfuil bláthanna staimíneacha *agus* bláthanna pistileacha (ón nGréigis, *monós*—singil, *oikíon*—teach).

8. Planda dé-éiceach (ón nGréigis, *dís*—dúbailte, *oikíon*—teach). Planda ar a bhfuil bláthanna staimíneacha *nó* bláthanna pistileacha.

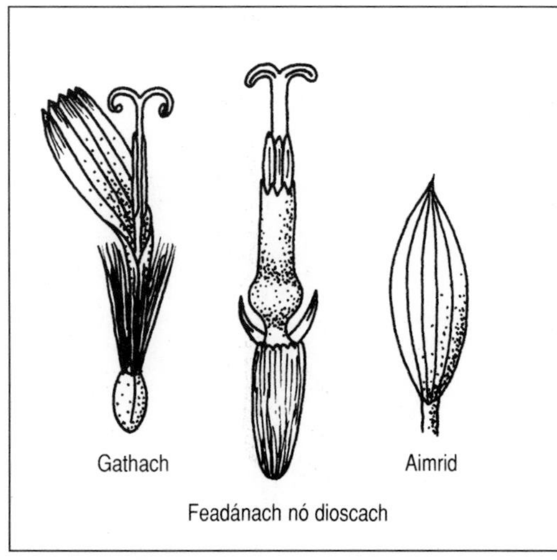

Bláthóga na Compositae

9. Bláth ilchodach. Bláth ar chuma an nóinín (*Bellis perennis*) nó an chaisearbháin (*Taraxacum* sp.), atá déanta d'iliomad mionbhláthanna ar a dtugtar **bláthóga**. Bíonn na bláthóga seo ar ghabhdán leathan réidh. Tá dhá shaghas bláthóg ann: **bláthóg ghathach** agus **bláthóg dhioscach** (feadánach). Bíonn bláthóga gathacha bána ar imeall an nóinín agus bláthóga dioscacha buí ina lár.

10. Bláth aimrid. Bláth gan staimín gan chairpéal. Ní bhíonn ach coróinín ag roinnt áirithe bláthóg gathach imill (clann Compositae).

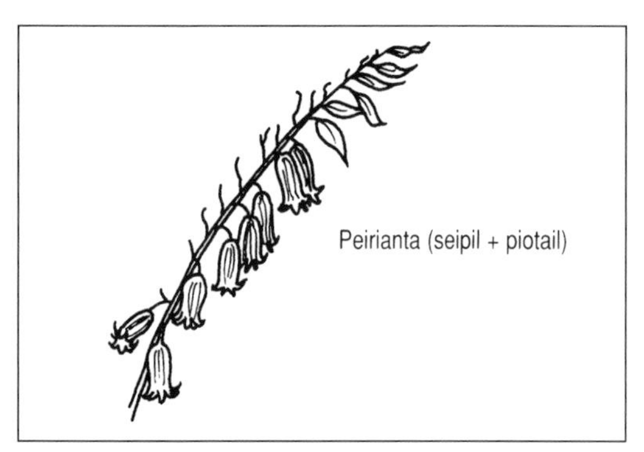

Coinnle corra (*Hyacinthoides non-scriptus*)

11. Peirianta (ón nGréigis, *perí*—timpeall, *ánthos*—bláth). Téarma a thugtar ar na seipil agus na piotail le chéile. Timpeallaíonn siad na coda atáirgeacha. Níl siad riachtanach don atáirgeadh, agus ní bhíonn siad i mbláthanna áirithe ar aon chor (clann Myricaceae).

12. Bláth rialta nó **achtanamorfach.** Bláth gur féidir é a ghearradh ar a fhad, ar phlána ar bith, in dhá leath comhionann. Deirtear go mbíonn **siméadracht ghathach** ag a leithéid seo de bhláth. Samplaí: cam an ime (*Ranunculus* sp.), bainne bó bleacht (*Primula veris*), briosclán (*Potentilla anserina*).

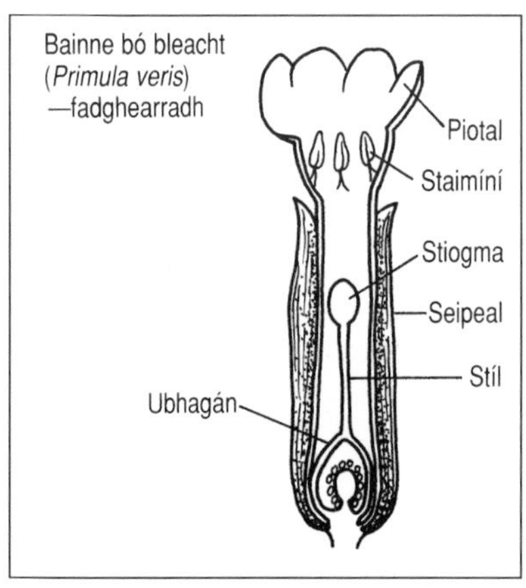

Bláth rialta

13. Bláth neamhrialta nó **sigeamorfach.** Bláth nach féidir é a ghearradh ar a fhad ach i bplána amháin chun dhá leath comhionann a dhéanamh. Bíonn **siméadracht dhéthaobhach** ag na bláthanna seo. Samplaí giolcach sléibhe (*Cytisus scoparius*), sail chuach (*Viola riviniana*), méaracáin púcaí (*Digitalis purpurea*).

Cúig bhláth neamhrialta

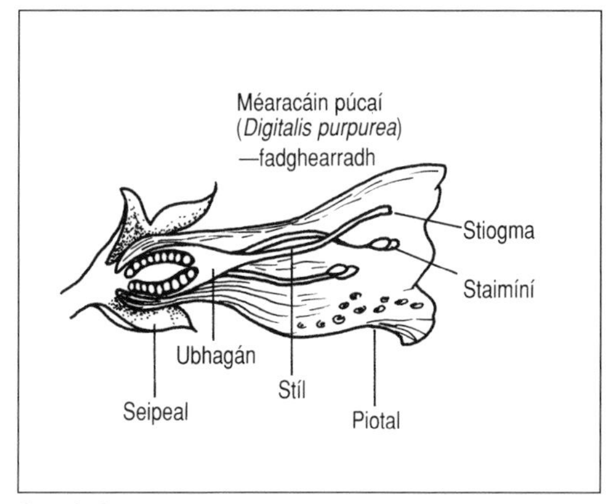

Scrophulariaceae

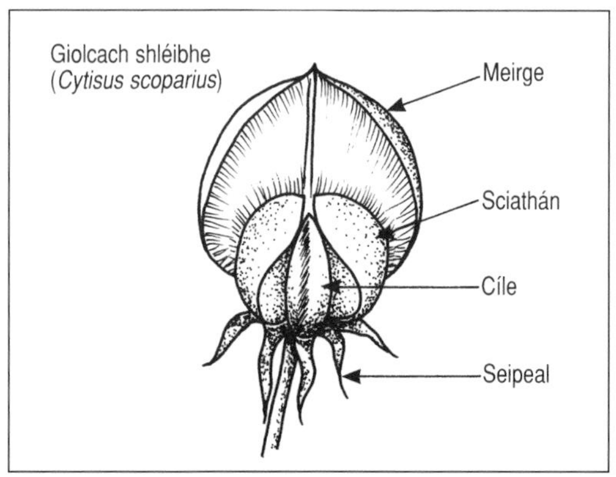

Leguminosae

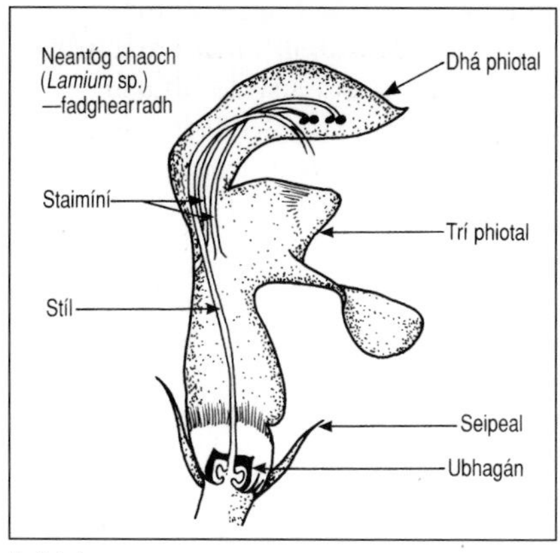

Labiatae

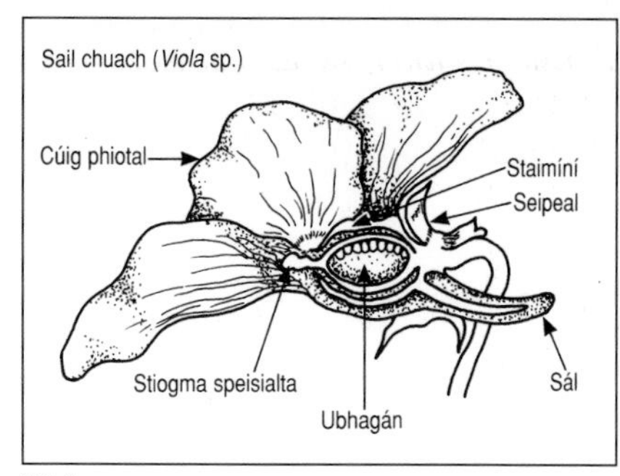

Violaceae

14. Cairpéal (ón Laidin, *carpellum*—toradh beag). Duilleog speisialta atá fillte isteach uirthi féin agus leis na himill aontaithe i bhfoirm feadáin. Tá trí chuid ann: stiogma, stíl, agus ubhagán.

15. Ubhagán simplí. Ubhagán déanta as cairpéal amháin. Sampla: cam an ime (*Ranunculus* sp.).

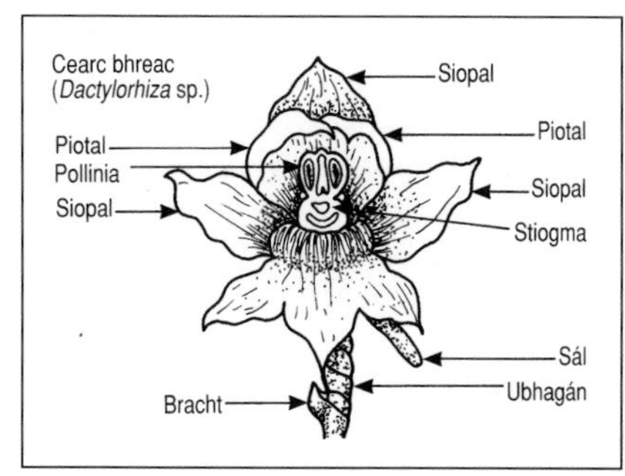

▲ Orchidaceae

▼ Bláth hipiginiúil

▼ Bláth peiriginiúil

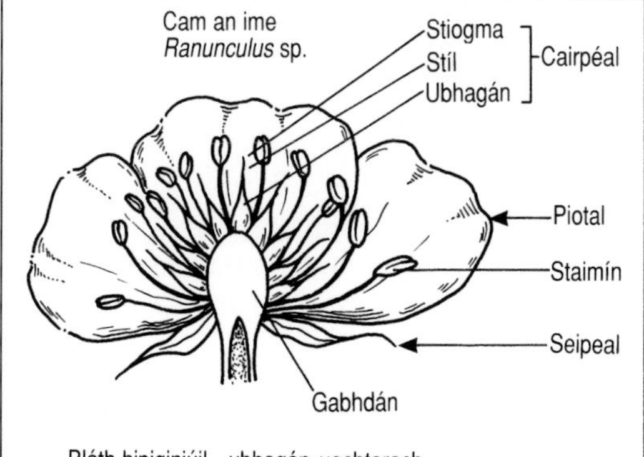

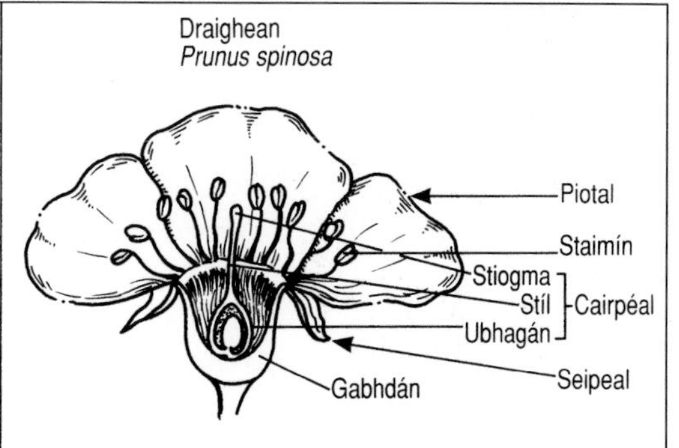

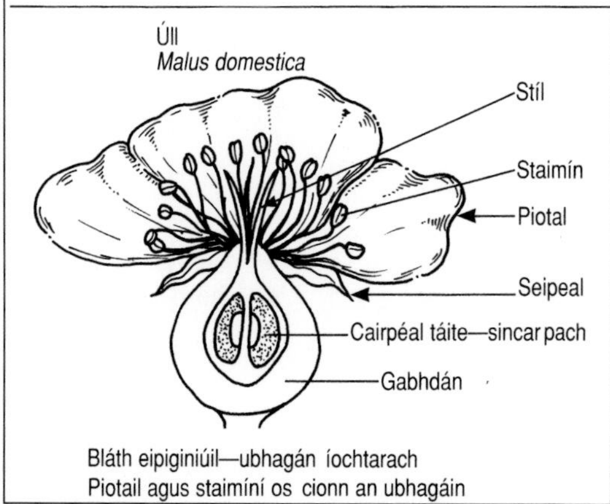

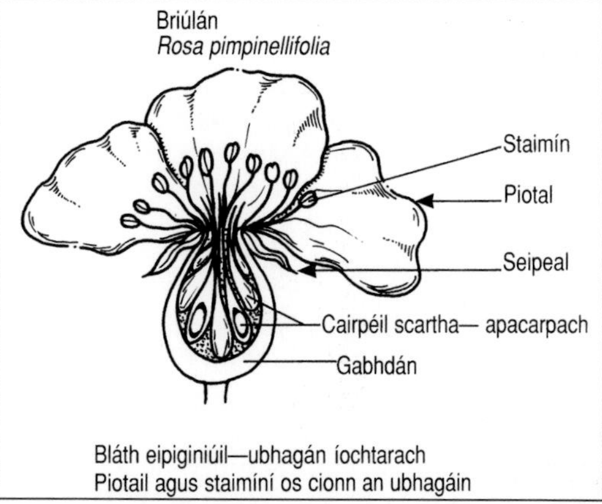

Bláth eipiginiúil

Bláth eipiginiúi

16. Ubhagán ilchodach. Ubhagán déanta as dhá chairpéal nó níos mó. Sampla: úll (*Malus domestica*).

17. Bláth hipiginiúil (ón nGréigis, *hypó*—faoi, *gyné*—bean). Bláth ina bhfuil na piotail, na seipil agus na staimíní ceangailte den ngabhdán cruinn faoi bhun an ubhagáin ach scartha amach go hiomlán uaidh. Sampla: cam an ime (*Ranunculus* sp.).

18. Ubhagán uachtaránach. Ubhagán a bhíonn suite os cionn coda eile an bhlátha sa bhláth hipiginiúil.

19. Bláth peiriginiúil (ón nGréigis, *perí*—timpeall, *gyné*—bean). Bláth ina bhfuil na seipil, na piotail agus na staimíní ceangailte de chiumhais gabhdáin ar dhéanamh fochupáin nó corcáin. Bíonn an cairpéal (pistil) i lár an ghabhdáin. Dealraíonn sé go mbíonn na staimíní agus na piotail timpeall an ubhagáin, ach bíonn an t-ubhagán uachtarach dáiríre. Sampla: draighean (*Prunus spinosa*).

20. Bláth eipiginiúil (ón nGréigis, *epí*—os cionn, *gyné*—bean). Bláth ina mbíonn coda eile an bhlátha ceangailte de bharr an ubhagáin. Bíonn an t-ubhagán íochtarach mar sin. Sampla: rós (*Rosa* sp.).

21. Bláth comhphiotalach. Bláth ina mbíonn na piotail aontaithe ar a laghad ag a mbun.

22. Bláth apacarpach (ón nGréigis, *apó*—amach ó). Bláth ina bhfuil an-chuid cairpéal agus iad go léir scartha amach óna chéile. Sampla: cam an ime (*Ranunculus* sp.)

23. Bláth sincarpach (ón nGréigis, *syn*—le chéile). Bláth ina mbíonn na cairpéil táite le chéile—na hubhagáin ar a laghad ach na stiogmaí agus stíleanna uaireanta. Sampla: úll (*Malus domestica*).

24. Bracht. Duilleog níos lú ná gnáth-dhuilleoga an phlanda agus neamhchosúil leo, go mbíonn dlúthbhaint aici le bláth nó bláthra. Bíonn an bracht ina aonar (m.sh. odhrán—*Heracleum sphondylium*) nó an-chuid acu le chéile (m.sh. mealbhacán—*Daucus carota*).

25. Braichtín. Bracht beag faoi bhun blátha aonair i gcomh-umbail (m.sh. tréanlus braonach an chorraigh—*Oenanthe crocata*).

26. Tiomchla. Fáinne dlúth nó grúpa brachtanna díreach faoi bhun an bhlátha nó bhláthra (m.sh. buachalán buí—*Senecio jacobea*; caisearbhán—*Taraxacum* sp.).

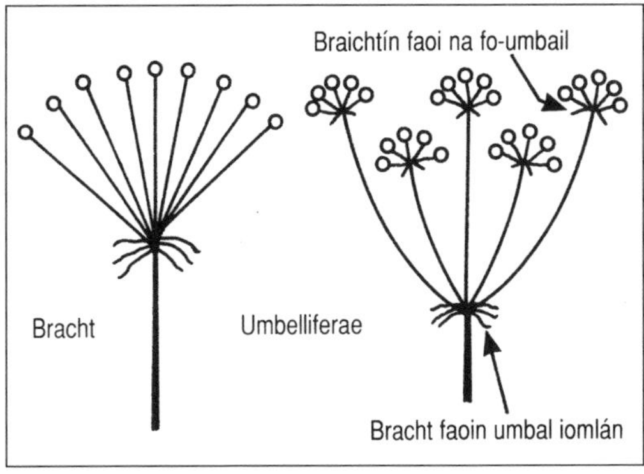

Bracht agus braichtín: Umbelliferae

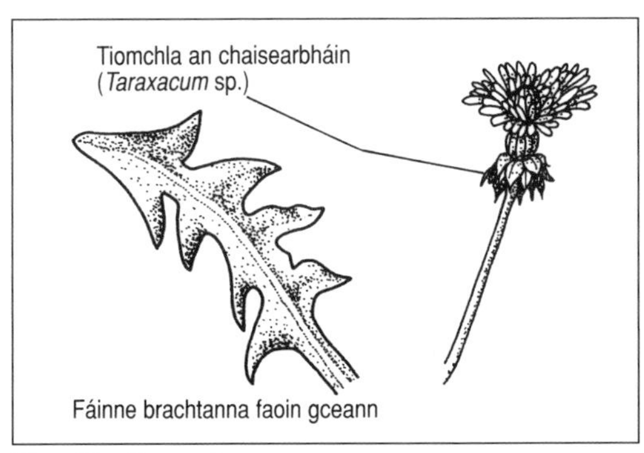

Tiomchla: Compositae

27. Spóragán. Gabhdán nó sac ina dtáirgtear spóir neamhghnéasacha.

28. Sóras. Cnuasach spóragán ar fhronn raithní.

Bláthra. An chuid den bplanda ar a bhfásann na bláthanna: an tslí ina mbíonn bláthanna eagraithe.

Cineálacha bláthra

Dias

Blátha gan chos i spíce. Osclaíonn na bláthanna ón mbun go dtí an barr. Sampla: an slánlus (*Plantago lanceolata*).

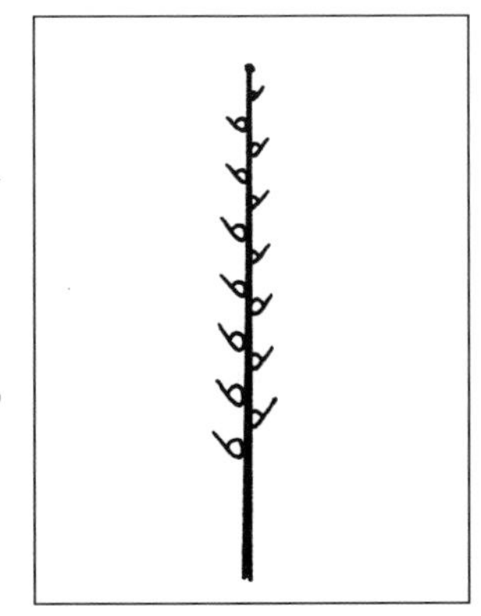

Caitín
Dias ar crochadh anuas. Aibíonn na bláthanna ón mbarr go dtí an bun. Samplaí: crainn bheithe (*Betula* sp.); crainn shailí (*Salix* spp.).

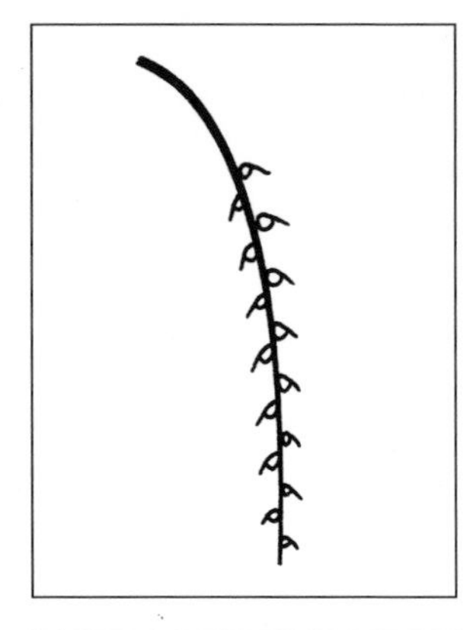

Ceann
Iliomad bláthanna gan chos, nó le cosa gearra, go dlúth ar ghabhdán leathan. Aibíonn na bláthanna ón imeall isteach. Samplaí: caisearbhán (*Taraxacum* spp.); nóinín (*Bellis perennis*).

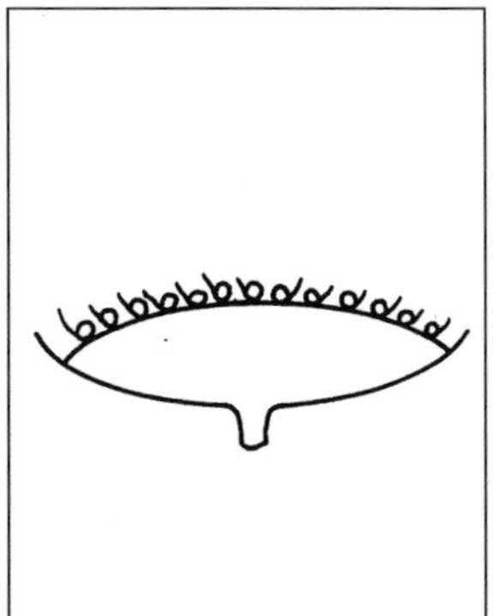

Spáideog
Bláthanna beaga neamhfhoirfe ar spíce feolmhar; dhá shórt bláthanna ann (fireann agus baineann), agus truaill á gcosaint. Sampla: cluas chaoin (*Arum maculatum*).

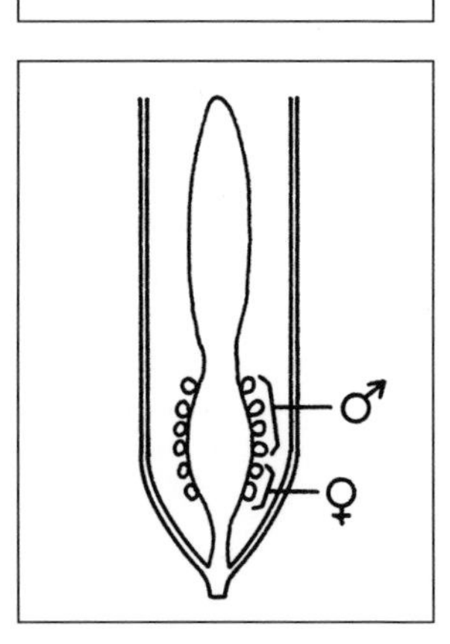

Raicéim
Cosúil le dias ach na bláthanna ar choisíní ar comhfhad. Samplaí: méaracáin púcaí (*Digitalis purpurea*); lus an sparáin (*Capsella bursa-pastoris*).

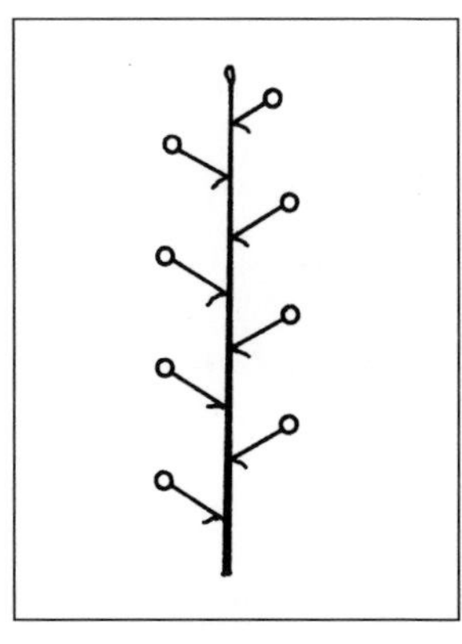

Coirím
Cosúil le raicéim ach na coisíní ar fadanna éagsúla, i dtreo is go mbíonn an bláthcheann leibhéalta nó cuasach. Sampla: caorthann corraigh (*Valeriana officinalis*).

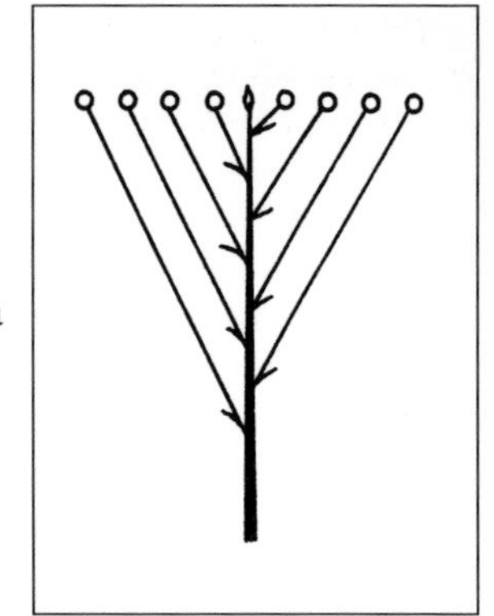

Umbal
Cosúil le coirím ach go bhfásann na coisíní go léir ón bpointe céanna. Sampla: bainne bó bleacht (*Primula veris*).

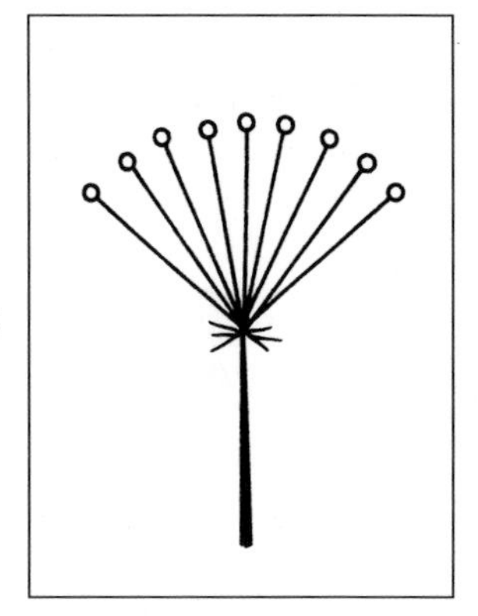

Comh-umbal
Sampla: odhrán (*Heracleum sphondylium*).

Címe
Fásann na bláthanna sa chím as bachlóga foirceanta. Sampla: luibh Eoin Baiste (*Hypericum tetrapterum*).

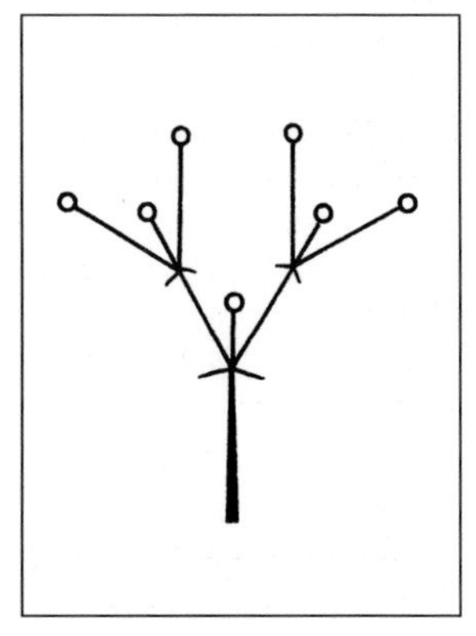

Címe leataobhach
Címe go dteipeann ar leath de a fhorbairt agus go mbíonn an leath eile de ina chuaile. Sampla: an compar (*Symphytum officinale*).

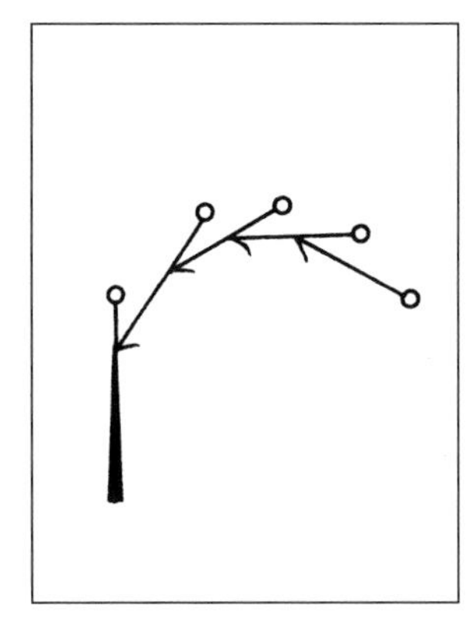

Panacal
Sórt raicéime le coisíní géagaithe. Sampla: na féara.

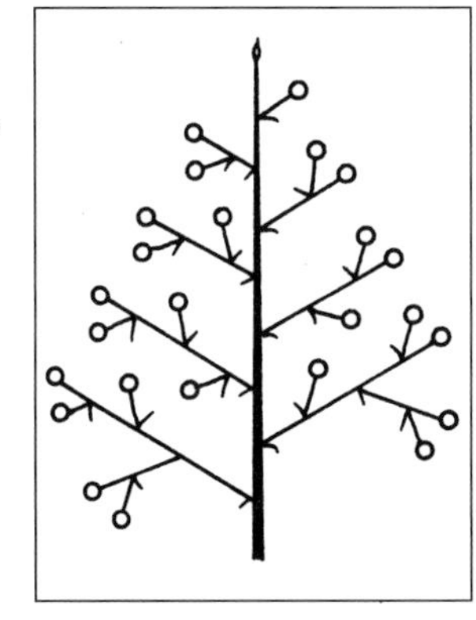

Pailniú

Pailniú: Pailin a aistriú ó antar go stiogma.
Féinphailniú: Pailin a aistriú ó antar go stiogma an bhlátha chéanna nó go stiogma blátha eile ar an bplanda céanna.
Crosphailniú: Pailin a aistriú ó antar blátha go stiogma blátha eile ar phlanda difriúil den speiceas céanna. Deineann an ghaoth nó feithidí é seo.
Pailniú gaoithe: Samplaí: neantóg (*Urtica dioica*), copóg shráide (*Rumex obtusifolius*), saileog (*Salix* sp.), coll (*Corylus avellana*), slánlus (*Plantago lanceolata*), féara.

1. Bíonn flúirse de ghráinní bídeacha agus éadroma pailne acu chun go séidfeadh an ghaoth iad. Téann an chuid is mó acu ar strae.
2. Bíonn antair mhóra acu agus iad ar sileadh lasmuigh den mbláth.
3. Bíonn stiogmaí leathana cleiteacha acu chun breith ar an bpailin a bhíonn ar foluain san aer.
4. Bíonn na bláthanna ar choisíní fada go hard os cionn na nduilleog, nó osclaíonn siad i bhfad sula n-osclaíonn na duilleoga.
5. Is annamh a bhíonn piotail ar na bláthanna seo. Ma bhíonn siad ann bíonn siad bán nó glas agus neamhshuaithinseach. Ní bhíonn faireoga meala iontu.

Pailniú feithidí: Samplaí: cam an ime (*Ranunculus* sp.), crobh éin (*Lotus corniculatus*), neantóg chaoch (*Lamium* sp.), bainne bó bleacht (*Primula veris*).

1. Ní dheineann siad an oiread sin pailine, agus bíonn na gráinní mór, le dromchla mín greamaitheach nó clúdaithe le clúmh giobach.
2. Bíonn na stiogmaí greamaitheach agus na hantair istigh sa bhláth sa riocht go gcuimlíonn siad de chorp na feithide.
3. Bíonn bláthanna le piotail mhóra ildaite ann agus le cumhracht nó bréantas. Bíonn treoracha meala i gcuid de na plandaí, a stiúrann na feithidí chun na bhfaireog meala ag bun an bhlátha, i dtreo go gcaithfidh an fheithid póirseáil isteach sa bhláth agus cuimilt de na hantair nó den stiogma.

Pailniú agus toirchiú

1. Titeann gráinní pailine ar an stiogma.
2. Táirgeann an stiogma lacht greamaitheach a chothaíonn pailin oiriúnach ach a mhilleann pailin anaithnid.
3. Spreagann seo an gráinne pailine chun feadán pailine a dhéanamh, a théann síos tríd an stíl, le taobh an ubhagáin agus isteach san ubhúlach tríd an mionpholl.

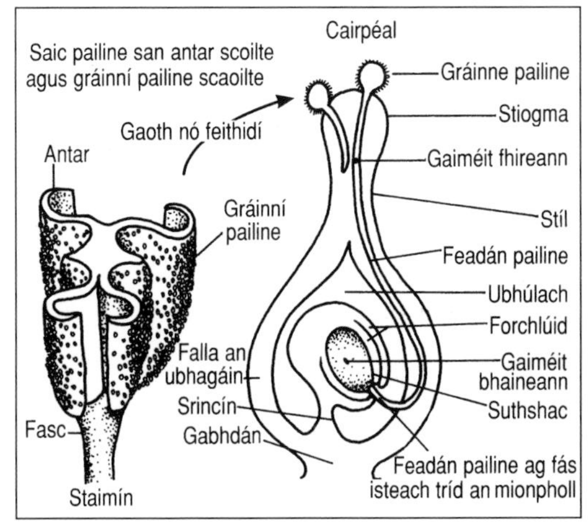

Pailniú agus toirchiú

4. Nuair a shroicheann an feadán an suthshac, pléascann an barr agus scaoiltear an ghaiméit fhireann (eithne an ghráinne pailine) isteach sa suthshac.
5. Comhtháthann an ghaiméit fhireann leis an ngaiméit bhaineann agus deintear aon cheall amháin astu, ar a dtugtar an **siogót**. Seo **toirchiú.**
6. Tar éis toirchithe, feonn na staimíní agus na piotail agus titeann siad den mbláth. I rith an ama céanna tagann forbairt ar an ubhagán a dheineann síol den ubhúlach laistigh de fhalla an ubhagáin. Deinnean **toradh** den ubhagán; feonn an stiogma agus an stíl.

Forbairt an ubhagáin tar éis toirchithe

1. Roinneann an siogót chun **suth** bídeach planda a dhéanamh. Tugtar **miotóis** ar phróiseas na cilldeighilte; tá na príomhghnéithe mar an gcéanna i bplandaí agus in ainmhithe.
2. Bíonn (*a*) préamh óg ar a dtugtar **préamhán**, (*b*) gas óg ar a dtugtar **péacán** agus (*c*) duilleog nó dhó ar a dtugtar **cotailéadón** sa suth. Bíonn bia i dtaisce sna cotailéadóin go minic.

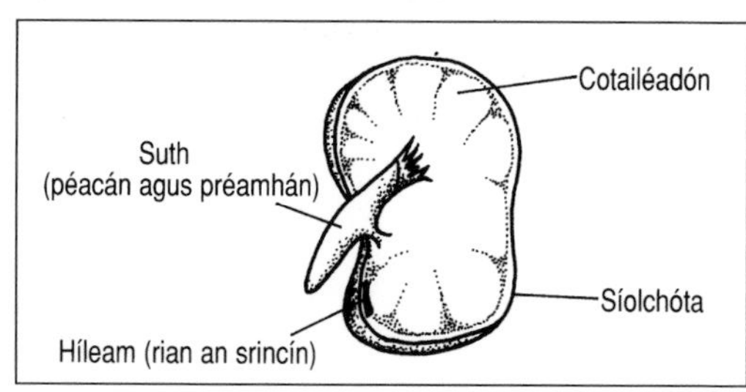

Fadghearradh síl

3. Téann an suthshac agus na forchlúideanna timpeall air i méid le linn don suth bheith ag forbairt istigh iontu.
4. Tiubhann na forchlúideanna go ndeineann siad **síolchóta** mar chlúdach agus mar chosaint ar an suth agus ar an stór bidh a bhíonn i dtaisce ann.
5. Ar deireadh sútar formhór an uisce as an síol, rud a fhágann an-chruaidh é agus beag beann ar choinníollacha mífhabhracha. Tugtar an **staid shuanach** air seo. Maireann síolta san staid seo cúpla mí nó roinnt blianta.

6. Deineann **síol** den ubhúlach tar éis toirchithe. Deineann toradh den ubhagán tar éis toirchithe.

Torthaí

Fíorthorthaí

Tagann forbairt ar fhalla an ubhagáin go ndeintear sciath chosanta don síol. Tugtar **peireacarp** air seo (ón nGréigis, *perí*—timpeall, *karpós*—toradh). Samplaí: faighneog aitinn (*Ulex* sp.); craiceann, laíon agus cloch na háirne (*Prunus spinosa*); sliogán cruaidh an chnó (*Quercus* sp.).

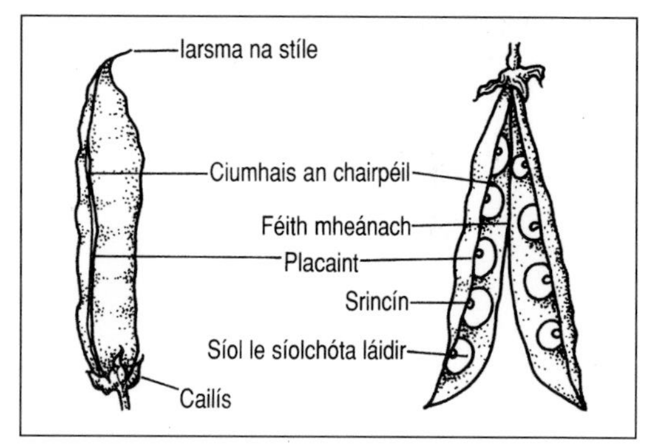

Léagúm: an pónaire leathan (*Vicia fava*)

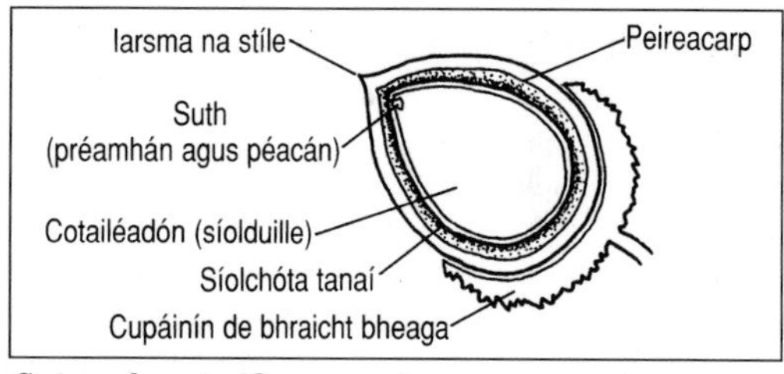

Cnó: an dearcán (*Quercus* sp.)

Bréagthorthaí

Is beag athrú a thagann ar fhalla an ubhagáin sna torthaí seo, ach forbrann an gabhdán nó coda eile. Samplaí:
An gabhdán ataithe: sú talún (*Fragaria vesca*): téann an gabhdán i méid agus i súmhaire ach fanann na hubhagáin ina n-aicéin chrua ar an imeall.
An póma: an t-úll (*Malus domestica*): atann an gabhdán go dtimpeallaíonn sé an t-ubhagán ar fad; tugtar croí an úill ar an ubhagán.
An mogóir: feirdhris (*Rosa* sp.): bíonn gabhdán laíonmhar mar shoitheach timpeall na n-aicéin.

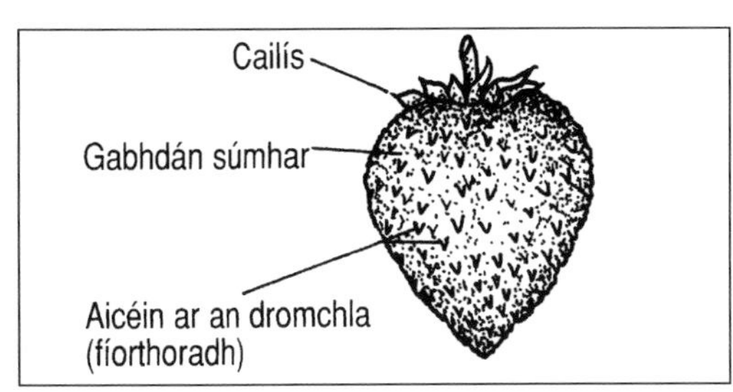

Gabhdán: sú talún (*Fragraria* sp.)

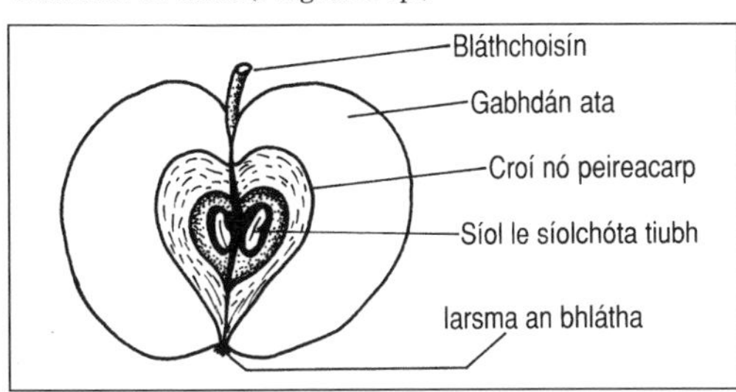

Póma: úll (*Malus domestica*)

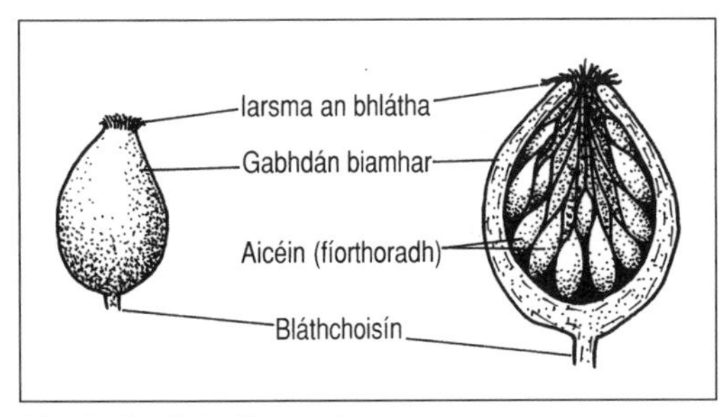

Mogóir: feirdhris (*Rosa* sp.)

Comhdhéanamh an toraidh

Toradh: Falla an ubhagáin agus na síolta istigh ann. Tá dhá phríomhshaghas ann:

1. Toradh tirim: Toradh ina mbíonn na coda tirim nuair a aibíonn siad. Tá dhá shaghas ann:

(*a*) toradh tirim oscailteach; tá trí shaghas díobh seo ann, ag brath ar an méid cairpéal as a bhforbair siad:
- (i) as chairpéal amháin: falacail agus léagúm;
- (ii) as dhá chairpéal: sileac (fada caol), sileaicín (gearr leathan);
- (iii) as breis is dhá chairpéal: cochall;

(*b*) toradh tirim neamhoscailteach; tá dhá shaghas díobh seo ann, ag brath ar an méid cairpéal as a bhforbair siad:
- (i) as cairpéal amháin: cnó, aicéin, samár, gráinne;
- (ii) as dhá chairpéal nó níos mó: toradh Umbelliferae.

2. Toradh súmhar: toradh go ndeintear laíon

(*a*) den bpeireacarp go léir nó de chuid de, nó

(*b*) den ngabhdán nó coda cúnta eile nuair a aibíonn sé. Tá dhá shórt ann, ag brath ar an méid cairpéal as a bhforbair siad:
- (i) as aon chairpéal amháin: drúp;
- (ii) as breis is cairpéal amháin: caor.

Torthaí tirime oscailteacha

1. Falacail: Toradh tirim oscailteach a fhorbraíonn as cairpéal amháin agus a scoilteann fan uaim amháin. Sampla: lus buí Bealtaine (*Caltha palustris*).

2. Léagúm: Toradh tirim oscailteach i bhfoirm faighneoige a fhorbraíonn as cairpéal amháin agus a scoilteann fan dhá uaim. Sampla: aiteann (*Ulex* sp.).

3. Sileac: Toradh tirim oscailteach a fhorbraíonn as dhá chairpéal. Tá dhá sheomra sa sileac; osclaíonn sé fan deighilt idir an dá sheomra, ag tosú ag bun agus ag dul suas go barr. Sampla: léine Mhuire (*Cardamine pratensis*).

4. Sileaicín: Ar nós an tsilic i ngach slí ach go bhfuil sé leathan gearr. Sampla: lus an sparáin (*Capsella bursa-pastoris*).

5. Capsúl: Toradh tirim oscailteach a fhorbraíonn as dhá chairpéal nó breis. Forbraíonn cuid acu as dhá chairpéal; mar sin bíonn dhá, trí nó ceithre sheomra ann. Bíonn a shlí féin ag gach capsúl chun oscailte:

(*a*) osclaíonn cuid acu trí phoill bheaga ina mbarr; sampla: lus an chodail (*Papaver* sp.);

(*b*) scoilteann cuid eile fan uaime i ndroim gach cairpéil; sampla: feileastram (*Iris pseudacorus*);

(*c*) scoilteann cuid acu fan deighilt idir na seomraí, agus scamhann na cliatháin anuas de ó bharr i dtreo an bhun; sampla: saileachán (*Epilobium* sp.);

(*d*) scoilteann cuid de na cochaill chruinne fan a meánlíne agus doirteann na síolta amach; sampla: falcaire fiáin (*Anagallis arvensis*).

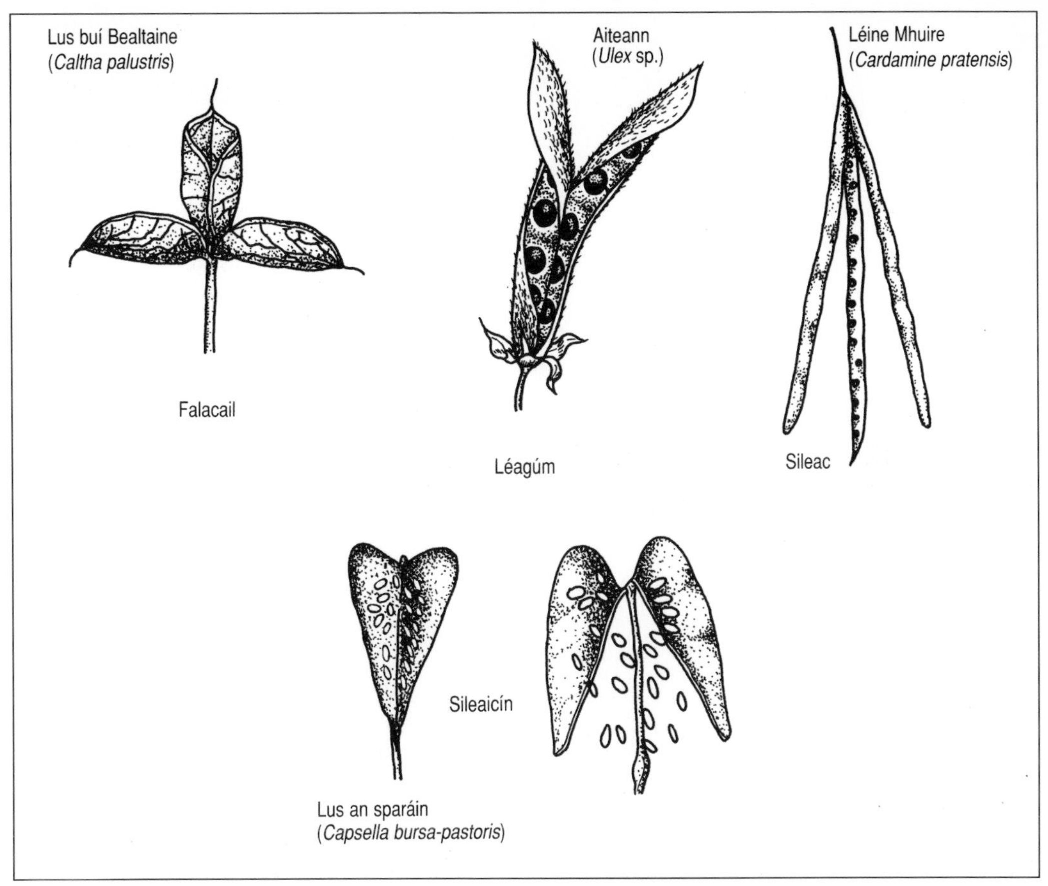

Torthaí tirime oscailteacha

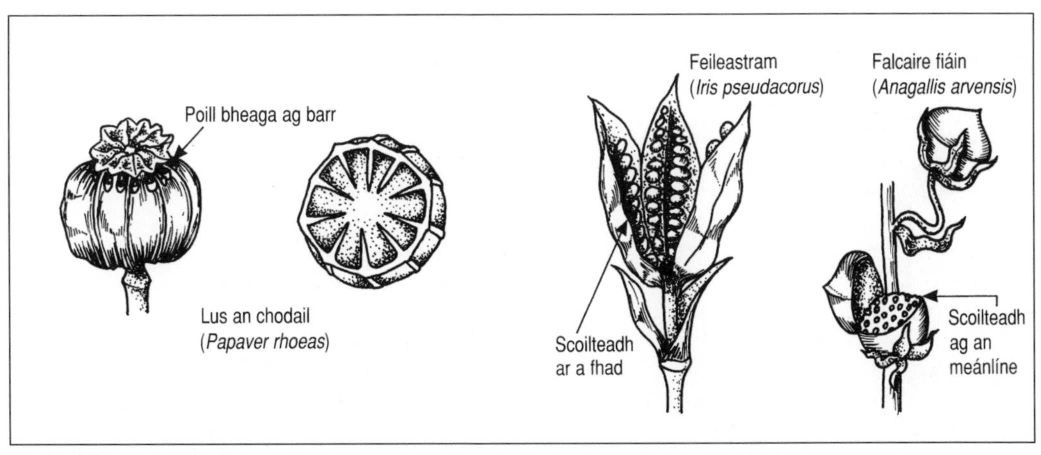

Torthaí tirime oscailteacha: capsúl

Torthaí tirime neamhoscailteacha

1. Cnó. Toradh tirim neamhoscailteach a d'fhorbair as cairpéal amháin. Deineann sliogán cruaidh den bpeireacarp. Sampla: glúineach the (*Polygonum hydropiper*).

2. Aicéin. Toradh tirim neamhoscailte a d'fhorbair as cairpéal amháin. Sampla: na fearbáin (*Ranunculus* sp.).

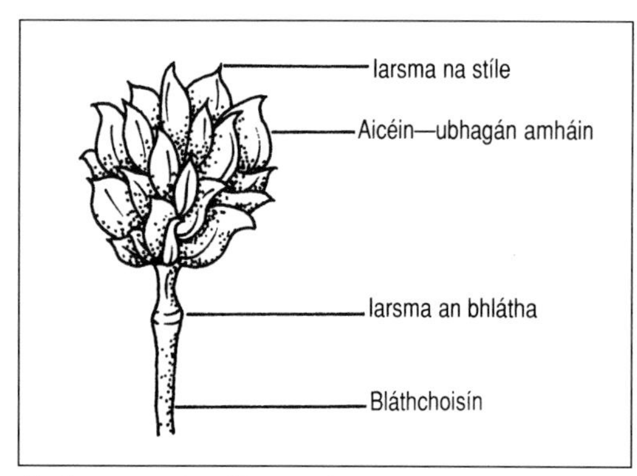

Aicéin: cam an ime (*Ranunculus* sp.)

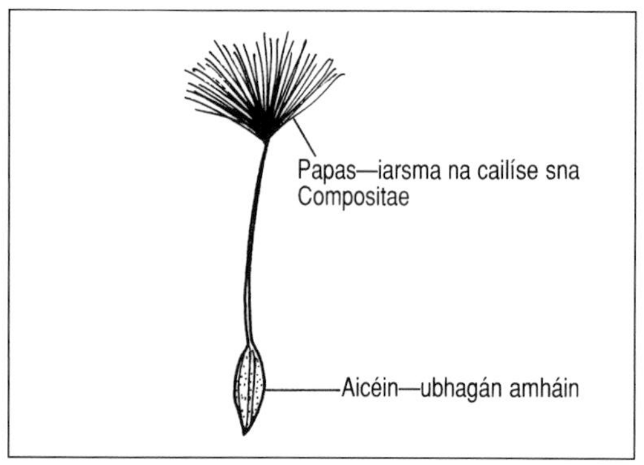

Aicéin: caisearbhán (*Taraxacum* sp.)

3. Samár. Aicéin speisialta ar a bhfásann sciathán ó thaobh an ubhagáin. Bíonn cuid acu dúbailte. Sampla: crainn mailpe (*Acer campestre*).

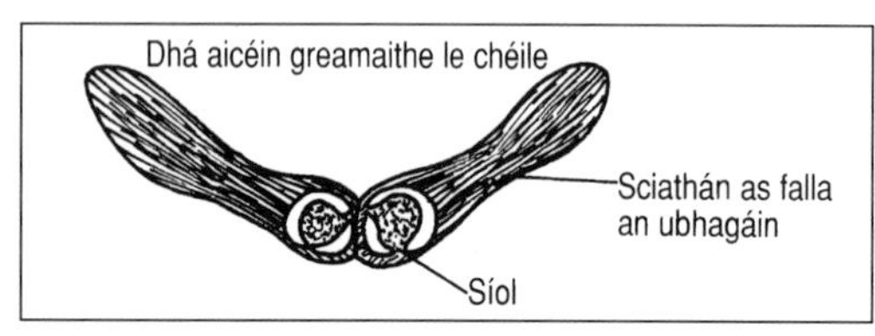

Samár: crann mailpe (*Acer campestre*)

4. Gráinne. Toradh tirim neamhoscailteach a d'fhorbair as cairpéal amháin agus go bhfuil an síolchóta táite go hiomlán leis an bpeireacarp. Sampla: arbhar buí (*Zea mays*).

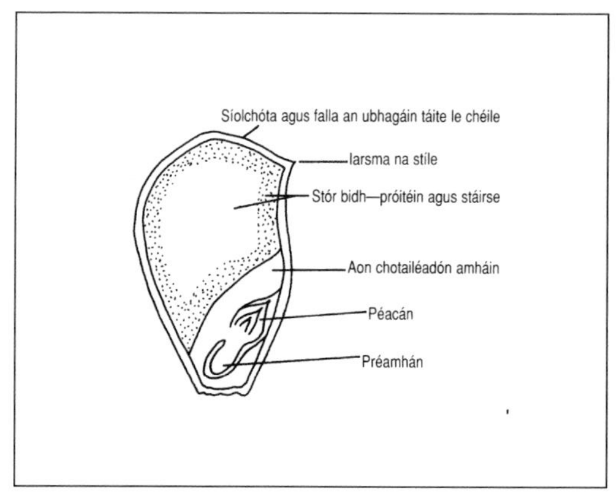

Gráinne: arbhar buí (*Zea mays*)

Torthaí súmhara

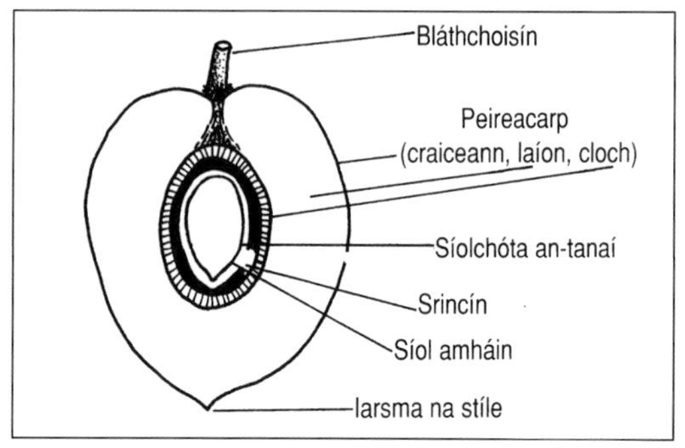

Drúp: airne (*Prunus spinosa*)

1. Drúp. Toradh déanta as cairpéal amháin agus go ndeintear laíon den bpeireacarp go léir. Sampla: áirne (*Prunus spinosa*).

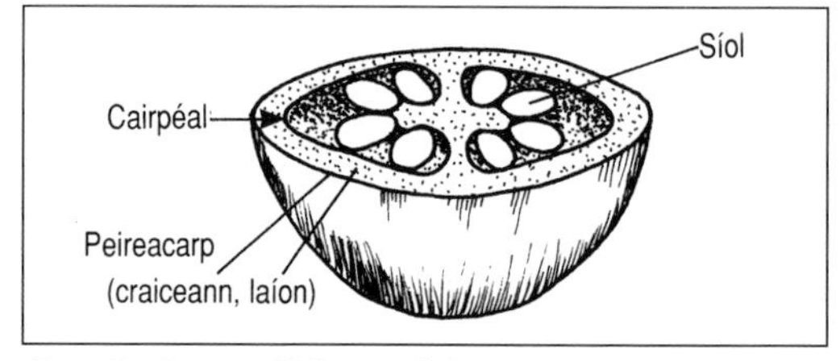

Caor: fuath gorm (*Solanum dulcamara*)

2. Caor. Toradh déanta as níos mo ná cairpéal amháin agus go ndeintear laíon den bpeireacarp go léir. Sampla: fuath gorm (*Solanum dulcamara*).

Scaipeadh síol

Is é leas an phlanda go scaipfí na síolta chomh fada ó bhaile agus is féidir, chun iomaíocht agus ró-líonadh a sheachaint, dóthain spáis a fháil, agus coilíní nua a thosnú. Bíonn oiriúnú ar leith ar thorthaí chun so a thabhairt chun críche. Scaipeann gaoth, uisce agus ainmhithe síolta.

Gaoth

1. Papas—sort paraisiút nó seol ar thorthaí Compositae agus sailleachán.
2. Sciatháin ar thorthaí fuinseoige, teile agus mailpeanna. Gluaisid mar héileacaptar nó boomerang tríd an aer.
3. Poll i mbarra capsúl—craitheann luascadh na gaoithe na síolta amach le gaoth mar croithfí salann, m.sh. lus an chodail (*Papaver* sp.).
4. Síolta éadrom púdair a scuabtar san aer, mar shampla na magairlíní (*Orchis* sp.).

Ainmhithe

1. Hitch-hikers—Bíonn crúcaí nó leadáin ar an dtoradh a ghreamaíonn don ainmhí, m.sh. an leadán liosta (*Arctium* sp.), machall coille (*Geum urbanum*).
2. Toradh súmhar: deineann béile d'ainmhithe; gabhann na síolta trína n-ionathair, m.sh. sméara (*Rubus* sp.), mogóirí (*Rosa* sp.).
3. Toradh a ardaíonn an t-ainmhí leis le n-ithe: itheann sé an píosa súmhar ach fágann an síol ina dhiaidh, m.sh. drúp (áirne, *Prunus* sp.), póma (úll, *Malus* sp.).
4. Toradh a chuireann an t-ainmhí i dtaisce—dearcáin (*Quercus* sp.) agus meas na beithe (*Fagus sylvatica*); dearmadtar iad agus péacann siad.

Uisce

Bíonn fallaí coirc nó muscáin ar thorthaí áirithe chun iad a choimeád ar snámh, m.sh. fearnóg (*Alnus glutinosa*), duilleog bháite (*Nymphea alba*), agus coconut.

Féinscaipeadh

Pléascann faighneog agus capsúl de bharr triomú neamhchothrom nó brú agus teilgtear síolta, m.sh. aiteann (*Ulex* sp.) agus an falcaire fiáin (*Anagallis arvensis*).

An duilleog

Coda na duilleoige

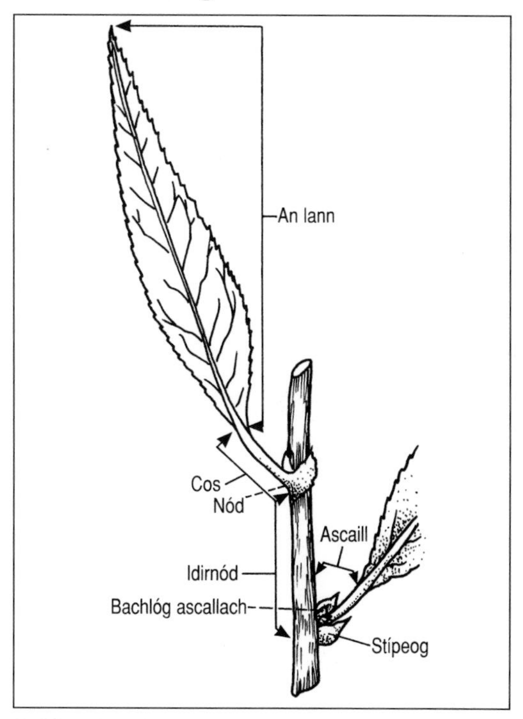

Duilleog shimplí

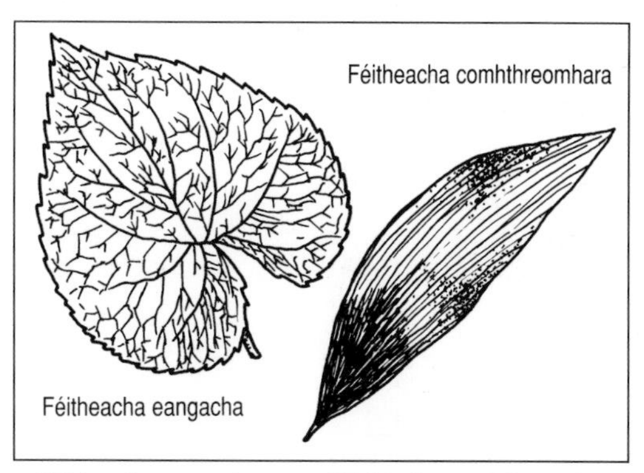

▲ Féitheacha eangacha Féitheacha comhthreomhara

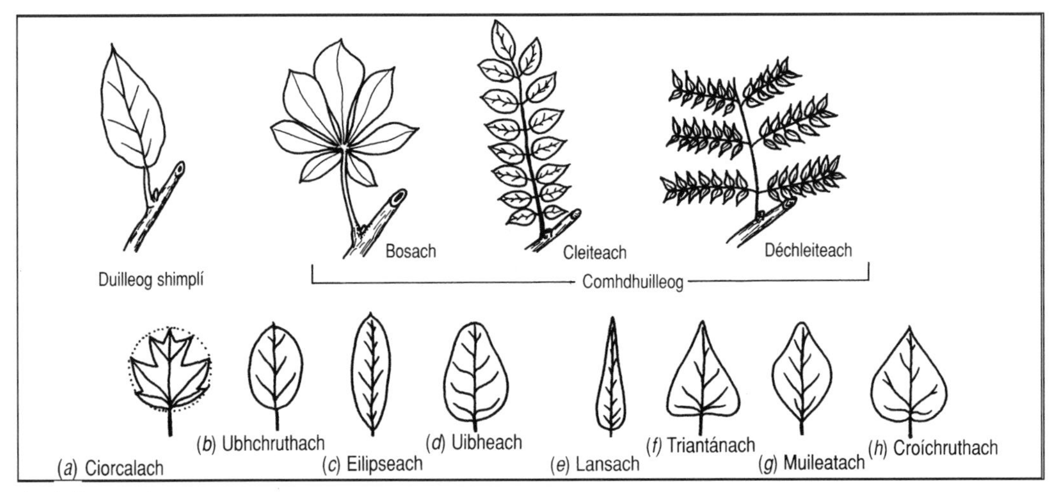

An duilleog—sórt agus crut

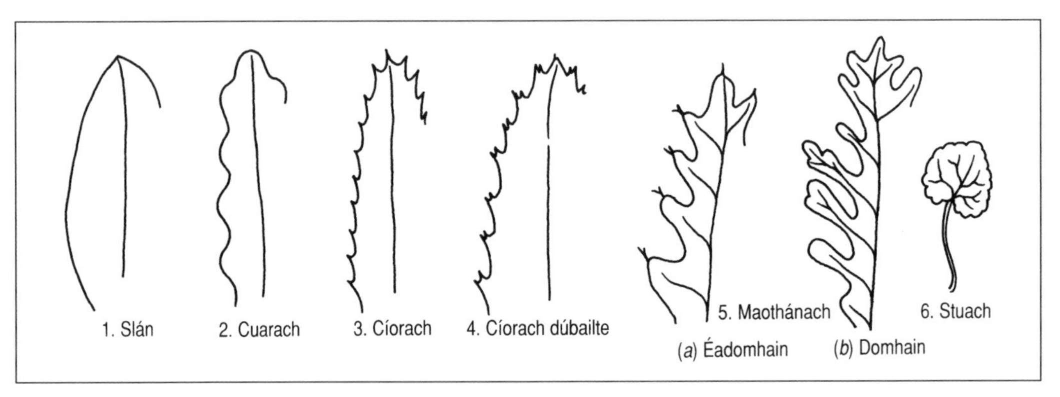

Lann—imeall

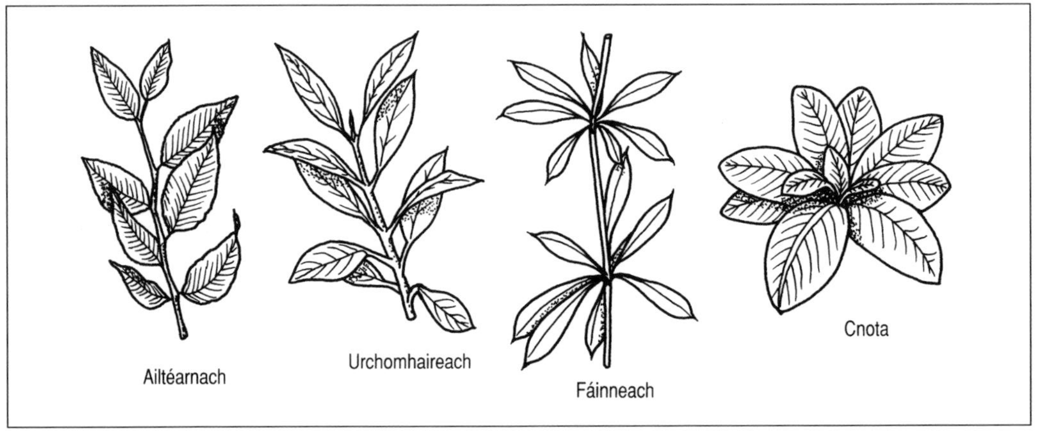

Duilleagar

Gais speisialta

Gais faoi thalamh

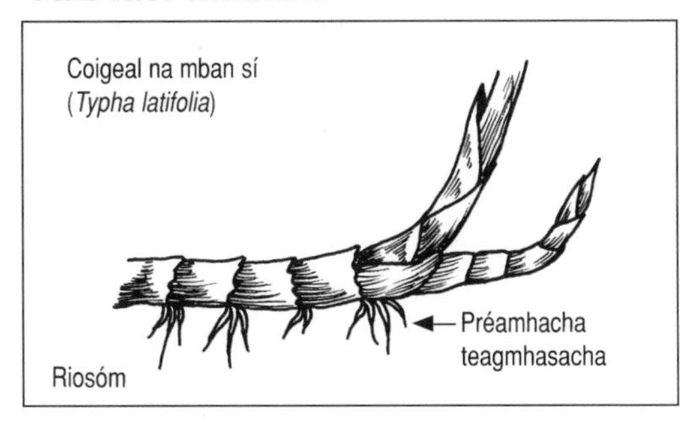

Gas faoi thalamh

1. Riosóm. Gas a fhásann comhthreomhar le dromchla na talún. Bíonn nóid agus idirnóid, gainní agus bachlóga ascallacha air. Bíonn siad gearr nó an-fhada, agus bíonn stór bidh i dtaisce iontu a chuireann ar chumas an phlanda il-bhliantúla maireachtaint i rith an gheimhridh. San earrach fásann cuid de na bachlóga in airde díreach chun plandaí nua a dhéanamh, ar a dtagann bláth agus síol; fásann a thuilleadh acu faoin ithir—géaga ar an riosóm. Tarlaíonn seo arís agus arís eile i dtreo is go ndeineann il-bhliantóga le riosóim paistí leathana dlútha os cionn na talún. Bíonn préamha teagmhasacha ag fás as chun uisce a sholáthar.

2. Tiúbar. Gas faoi thalamh agus é ata le stór bidh. Is é atá ann dáiríre ná foirceann ata riosóim. Bíonn **súilíní** (bachlóga) ar ghas i gcónaí, agus is féidir le gach súilín planda nua a dhéanamh.

3. Cormán. Gas ata faoi thalamh—riosóm an-ghairid, an-ramhar, le bachlóga agus préamha ag na nóid; tagann planda nua as gach bachlóg. Tar éis tamaill deineann cuid acu cormán nua agus faigheann an seanchormán bás. Bíonn préamha an chormáin nua so-chraptha chun é tharraingt síos sa chré.

4. Bleibín. Gas beag triantánach le bachlóg, gainní súmhara ata le stór bidh, agus gainní tanaí tirime lasmuigh díobh sin.

Gais dreaptha

1. Fánaithe. Luibheanna a fhásann ar mhuin plandaí eile. Go minic bíonn dealga beaga nó leadáin orthu chun greim a fháil ar an dtaca. Sampla: garbhlus (*Galium aparine*).

2. Gas le préamha teagmhasacha. Préamhacha aerga ar ghais a chuireann ar a gcumas dreapadh ar thaca. Súnn siad uisce na báistí nó taise an aeir, ach ní shúnn siad bia ná uisce ón dtaca. Sampla: eidhneán (*Hedera helix*).

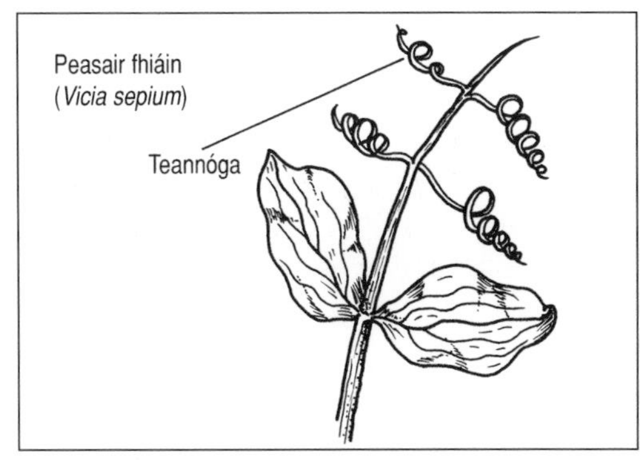

Gas dreaptha

3. Teannóga. Gaisíní fada tanaí a shnaidhmeann timpeall taca agus a chuireann ar chumas an phlanda dreapadh chun breis solais a fháil.

4. Féithleann. Gais a chasann timpeall taca. Sampla: táithfhéithleann (*Lonicera periclymenum*).

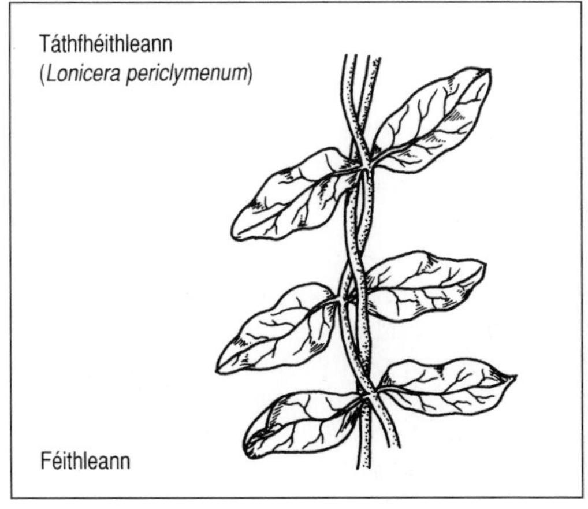

Gas dreaptha

Gais sínte nó athracha

1. Stólan. Gas reatha a shnámhann ar bharr na talún agus a chuireann préamh uaidh ag na nóid. Fásann planda nua as na nóid chomh maith. Bíonn an comhdhéanamh géiniteach céanna ag na plandaí nua agus atá ag an máthairphlanda. Is struchtúr bliantúil an stólan, agus faigheann sé bás tar éis bliana. Sampla: athair talún (*Achillaea millefolium*).

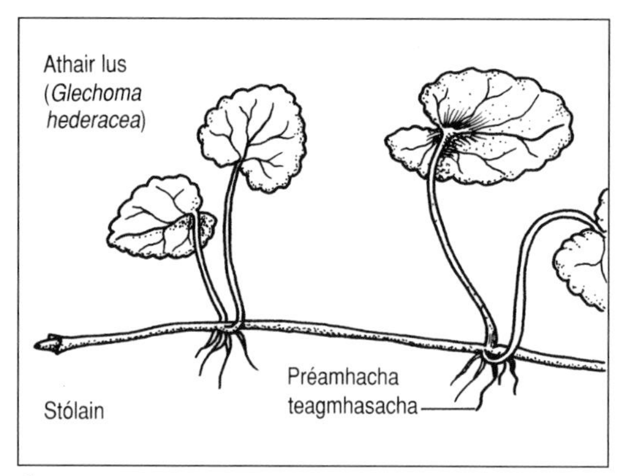

Gas sínte

2. Ceann buinneáin. Stólan a fhásann glan den dtalamh ach a chuireann a cheann san ithir chun préamhaithe agus planda nua a dhéanamh. Gas stuach a chuireann a cheann faoi thalamh is ea buinneán. Sampla: sceacha (*Rubus* sp.).

3. Meathán. Buinneán a fhásann ó phréamh, cóngarach don bplanda nó achar gearr uaidh. Sampla: feochadán reatha (*Cirsium arvense*).

Gais ilghnéitheacha

1. Gais ghairide aerga: ag slánlusa agus caisearbháin agus ag fás na chéad bhliana de mhéaracáin púcaí, choinneal Mhuire, mheacan.

2. Gais ramhra shúmhara: ag plandaí cois farraige, chun fíoruisce a chaomhnú.

3. Spíonaí nó dealga: cosaint don bplanda, áis chun dreapaidh, áis chun ráta trasghalaithe (cailliúint uisce) a laghdú: aiteann, draighean, rós.

Sainduillí

Gainní bachlóg: duilleoga beaga ramhra, uaireanta roisíneach nó giobach, a chosnaíonn bachlóga.
Bracht: q.v.
Cairpéal: q.v.
Spíonaí: duilleog cornaithe ar a faid isteach uirthi féin chun an ráta treasghalaithe a laghdú, m.sh. aiteann (*Ulex* sp.), fraoch (*Calluna* sp., *Erica* sp.). Ní duilleog gach spíona, áfach.
Teannóg: duilleog fhada chaol snáitíneach timpeall ar thaca chun dreaptha, m.sh. fiseánaigh agus pónairí (*Vicia* sp.).
Gaiste chun feithidí a ionghabháil, m.sh. léithuisce (*Pinguicula* sp.), drúichtín na móna (*Drosera* sp.).
Stór bidh: duilleoga ramhra súmhara, m.sh. oinniún (*Allium* sp.).
Stór uisce: duilleoga ramhra súmhara céireacha, m.sh. púiríní seangán (*Sedum anglicum*), greidhric (*Crithmum maritimum*).

Saolré

Bliantóga

Luibheanna a fhásann ó shíol, a dheineann bláth agus síol, agus a fhaigheann bás laistigh de bhliain. Caitheann siad a gcuid fuinnimh go léir i ndéantús síolta. Múchtar cuid mhaith de na síolta sa talamh, agus ní fhásann siad nó go gcorraítear an ithir agus go nochtar den aer iad. Samplaí: puirseach bhuí, cochaillín dearg, lus an sparáin, fliodh, glúineach bheag, puirseach mhín.

Débhliantóga

Luibheanna go dtógann sé dhá bhliain orthu a saolré a chríochnú. Fásann cnota duilleog ón síol sa chéad bhliain. Fásann gas bláfar as seo sa dara bliain a dheineann bláth agus síol; ansin dreonn an planda go léir. Samplaí: méireacáin púcaí, coinneal Mhuire.

Ilbhliantóga

Luibheanna nó plandaí adhmadacha a mhaireann trí bliana nó níos mó. Tagann bláth agus síol orthu gach bliain. Dreonn na luibheanna go talamh tar éis síol a scaipeadh gach bliain, ach maireann an bonnstoc (préamha ata le bia) nó gais speisialta (riosóim, tiúbair, cormáin, bleibíní) faoi thalamh i rith an gheimhridh, agus péacann siad arís san earrach. Cuireann siad an chuid is mo dá gcuid fuinnimh i stóráil bidh. Bíonn an planda adhmadach inlomtha nó síorghlas, agus maireann cuid acu an-fhada.

Gluais/Glossary

acmhainn imghalaithe: evapotranspiration potential—an estimate of probable water loss from the soil
ae: liver
ae-lus: liverwort
aicéin: achene—a dry indehiscent fruit derived from a single carpel (page 30,32)
ailse: cancer
aimrid, seasc: barren, sterile
aincéis: festering sore
aithbhríoch, íocshláinte: tonic, cordial
aithghiniúint fásach: vegetative reproduction—asexual reproduction in which outgrowths from a plant eventually separate and continue a separate existence (rhizomes, stolons, suckers)
aithghiniúint gnéasach: sexual reproduction
anabaíocht: miscarriage
angadh, lasadh: inflammation
aolchloch: limestone
aonair, aonarach: single, solitary
aoncheallach: unicellular
apacarpach: apocarpous—carpels are entirely separate from each other (page 25)
apaimicsis: apomixis—the formation of seed without fertilisation by a male sex cell (pollen)
ardú (geal): uplift
asarlaíocht, draíocht: sorcery
athchúrsáil chothaitheach: recycling of nutrients (**timthriall cothaitheach**)
báite: submerged
bán: lea, uncultivated land
banfhloscadh: menstruation
barra taoide, barra láin: full tide
barraigh (rinneach, stuaiceach): apical, terminal
beangán: graft
beathú: mode of nutrition
beobhreitheach: viviparous—bearing leafy buds instead of flowers
bláth: flower
  bláth aimrid: sterile flower
  bláth apacarpach: apocarpic flower—in which the carpels are separate
  bláth comhchairpealach: syncarpous flower—in which the carpels are wholly or partly fused
  bláth comhphiotalach: sympetalous flower—in which the petals are fused or partly fused
  bláth déghnéasach: hermaphrodite flower—both male and female (page 22)
  bláth eipiginiúil: epigynous flower—in which the other floral parts are attached to the top of the ovary, which is therefore inferior
  bláth hipiginiúil: hypogynous flower—in which the other flower parts are attached to the receptacle below and free from the ovary, which is therefore superior
  bláth ilchodach: composite flower—consists of many *florets* (page 23)
  bláth neamhrialta: irregular, zygomorphic flower—bilateral symmetry (page 24, 25)
  bláth peiriginiúil: perigynous flower—in which the other floral parts are attached to the rim of an urn-shaped receptacle surrounding the ovary
  bláth pistilleach: pistillate flower—female (page 23)
  bláth rialta: regular, actinomorphic flower—with radial symmetry
  bláth staimíneach: staminate flower—male (page 23)
bláthchoisín: pedicel, flowerstalk—stalk of a single flower in an inflorescence
bláthchos: peduncle, flowerstalk—stalk of an inflorescence or of a solitary flower
bláthóg: floret—mainly in daisy family, Compositae
  bláthóg aimrid: sterile floret (page 23)
  bláthóg fheadánach nó dhioscach: tubular or disk floret
  bláthóg ghathach: ligulate or ray floret
bláthra: inflorescence—the arrangement of flowers on a plant
  caitín: catkin (page 27)
  ceann: head (capitulum), a compact, head-shaped cluster of usually sessile flowers (Compositae) (page 27)
  císme: cyme (page 27)
  císme leataobhach: coiled, one-sided cyme (page 28)
  coirim: corymb (page 27)
  comhumbal: compound umbel (page 27)
  dias: spike (page 26)
  panacal: panicle (page 28)
  raicéim: raceme (page 27)
  spáideog: spadix (page 27)
  umbal: umbel (page[; 53)
bleibeog: bulbil
bleibín: bulb—a specialised bud with a short triangular stem surrounded by fleshy leaves, e.g. onion
bliantóg: annual—a plant that completes its life cycle and dies within a single year
bolb, cnuig: larva, caterpillar
bolcán (beo): (active) volcano
bonnstoc: rootstock—the part of the stem of a herbaceous perennial that persists from one year to the next; variable in shape from a tufted mass of stem bases to a long, creeping rhizome
bracht: bract—small leaf-like organ at the base of a flower from whose axil the flower arises; may be solitary or grouped together in an involucre (page 26)
braichtín: bracteole—a small bract at the base of a single flower in an inflorescence
braon: corrupt matter, pus
bratphortach: blanket bog
bricíneach: freckles
bruinn: uterus, womb
bruinn dhearg, mún fola: red murrain, red water
bruth rua: wheat rust (*Puccinia graminis*)
bruthach, grís: fiery skin eruption, rash
bruthcharraig: igneous rock
buac: lye
buinne (buinní pl.): running sores, discharge of pus (corrupt matter)
buinneach: diarrhoea
buinneach dhearg: dysentery
buinneán: sapling—a slender shoot
cailicín: inflammation of the eye
cailleach goile: tapeworm
caitbhrád, easpaí brád, cnuic brád, tinneas ríon: scrofula—a tuberculous condition of the lymph glands characterised by tumours, abscesses,

swellings, etc.
caor: berry—a simple fleshy fruit developed from a syncarpous ovary (page 32)
capsúl (cochall): capsule—a simple, dry dehiscent fruit developed from two or more carpels that opens by pores or slits (page 31)
carcanaigin: carcinogen—a cancer-causing substance
carrach: scabby, mangy
carraig dhríodair: sedimentary rock
ceann buinneáin: arching stem, rooting at tip
ceannasach: dominant (gene)
cearthaigh: nervousness, agitation
ceathrú dhubh: blackleg—an acute infectious, often fatal disease of cattle caused by a bacterium, *Clostridium chauvoei*
ceirí: poultice, cataplasm—a hot medication of crushed herbs or extracts of herbs, mixed with a "binder", applied externally to inflamed but unbroken skin "to ease pains, break sores, cool inflammations, dissolve hardness, dissipate swellings ..." (Culpepper)
ceislíní: tonsils
ciach, ciachán: hoarseness
cíoch: breast
cill: cell—a unit of living matter consisting of a nucleus, cytoplasm, and a cell membrane
ciúis, ciumhais (ciosa, ciumhsa, pl.): edges, borders
claisíneach: channelled
cleiteach: pinnate (page 34)
cloch fuail: gravel—see *galar fuail*
clog: blister
clúmhach: hairy
clúmhnán, clúmhnachán: down, pubescence
clúmhnánach: downy
cnaí: corrosion (geol.); "wasting sickness"
cneá (dhearg): (raw) wound
cneasú, cneasta: healing, vulnerary
cnó: nut—a dry, indehiscent, one-seeded fruit
cnota: rosette (of leaves)
cógas: ingredient, medication
com: corrie
comhairíocht: mutualism—a symbiotic relationship in which both partners benefit
comhcheirtleán: conglomerate
comhthíos: commensalism—a symbiotic relationship in which one partner benefits without harming the other
cormán: corm—a short stem swollen with stored food
corrach (corraigh, corraithe, pl.): marsh
cotaileadon: cotyledon, seed leaf—the first leaf or leaves of an embryo
cothaitheach: nutrient
cothromaíocht na leann: see *leanna*
craosghalar: thrush—any throat disease
cré bhólláin: boulder clay
creach: prey
creachadh: predation
creachóir: predator
creagán, screagán: rocky or stony place
cruimh, cnuig: larva (caterpillar, maggot)
cúlaitheach (géin): recessive (gene)
cumann: community—a group of interdependent organisms that share a particular environment
daitheacha: rheumatism
daorghalar, fíócas: haemorrhoids
dé-éiciach: dioecious—plants with staminate (male) and pistillate (female) flowers on separate plants
débhliantóg: biennial—a plant that completes its life cycle in two years and then dies; usually produces a rosette of leaves the first year and flowers the next year, e.g. foxglove
deir, tine dhia, borrphéist: ringworm
dianscaoilteoir: decomposer—an organism that feeds on dead organisms, mops up the environment, and returns essential nutrients to the soil
díreach in airde: erect
dó imleacáin: colic
dóchúlacht: probability
domhanleithead: latitude
dos: tuft, bush
dosach: bushy
drúp: drupe—a "stone" fruit: simple, fleshy, mostly one-seeded fruit; the exocarp is skin-like, the mesocarp succulent, and the endocarp hard and stony, e.g. cherry (page 32)
duilleagar: phyllotaxy—order of leaf arrangement (page 34)
- **ailtéarnach:** alternate
- **cnúta:** rosette
- **fáinneach:** whorled
- **urchomhaireach:** opposite

duilleog: leaf (page 33)
- **ascaill:** axil
- **eadarnód:** internode
- **lann:** lamina, blade
- **nód:** node
- **stipeog:** stipule
- **crut:** shape (page 34)
  - **ciorcalach:** circular
  - **croíchruthach:** cordate, heart-shaped
  - **lannsach:** lanceolate
  - **muileatach:** diamond-shaped
  - **triantánach:** triangular
  - **ubhchruthach:** oval
  - **uibheach:** ovoid
- **féithreach:** venation (page 33)
  - **comhthreomhar:** parallel
  - **eangach:** netted
- **imeall:** margin (page 34)
  - **cíorach:** serrated, toothed
  - **cuarach:** wavy
  - **maothánach:** lobed
  - **slán:** entire
  - **stuach:** crenate, scalloped
- **sórt:** type (page 34)
  - **simplí:** simple
  - **comhdhuilleog:** compound leaf
  - **bosach:** palmate
  - **cleiteach:** pinnate
  - **déchleiteach:** bipinnate
  - **tríchleiteach:** tripinnate
- **fodhuilleog:** leaflet

eachma: farcy, glanders—a highly contagious glandular disease of horses, asses, and mules
éagumas: incapacity, impotence
éalaitheach (gairdín): (garden) escape
easbaidh brád: scrofula
éiceachóras: ecosystem
éiceolaíocht: ecology

aontas: association
comhairíocht: mutualism
comhthíos: commensalism
creachadh: predation
cumann: community
idirghníomhaíocht: interaction
iomaíocht: competition
naimhdeas: antagonism
seadánachas: parasitism
simbeois: symbiosis
einsím: enzyme—a biological catalyst
fadharcán: lump (in cattle)
faighneog: pod—see *léagúm*
fail: hiccup
faithne: wart
falacail: follicle—a simple dry dehiscent fruit derived from a single carpel and splitting at maturity along one suture, e.g. marsh marigold (page 31)
falrus: chorea—a nervous disease of children
faoiseamh: soothing, ease
fasc: filament
féitheanna borrtha: varicose veins
féithleann: twiner—a specialised climbing stem that twines around its support, e.g. woodbine, morning glory (page 35)
fiailí shaothraithe: weeds of cultivation
fiailnimh roghnach: selective weedkiller
filleadh: fold, folding
filleadh Heircíneach: Hercynian folding
fillshléibhte: fold mountains
fíocas, daorghalar: haemorrhoids—piles
fiolúin: burning ulcers
folúil: pure-bred
forchlúid: integument—part of the ovule that becomes the seed-coat
fosúchán nitrigine: nitrogen fixation—the conversion of atmospheric nitrogen to organic nitrogen compounds by the activities of bacteria in the root nodules of some plants (page 20)
fótaisintéis: photosynthesis—the process by which green plants, using solar energy absorbed by chlorophyll, synthesise carbon dioxide and water to make glucose; oxygen is an important by-product
fraochlach, fraochmhá: heath
fual: urine
fualbhrostach: diuretic—a substances that encourages urination
fuil mhíosta, cúrsaí ban: menstruation
gabhdán: receptacle—the uppermost part of the stem from which the parts of the flower grow
gaineamh shéideáin (síobháin): drifting sand
gaineamhchloch: sandstone
gaiste: trap
galar cam: staggers in sheep
galar carrach, aicíd na ngearb: scurvy
galar cnaoite: "decay"
galar collaí: sexually transmitted disease
galar craosach: diabetes (abnormal appetite)
galar dubhach: melancholia, depression
galar fuail, cloch fuail, loscadh fuail, greadadh fuail, greadadh bléine: "the gravel", kidney-stones—sand-like crystals formed in the kidneys
galar scrathach: scabies
gaothruaige: carminative
gearranáile, saothar: shortness of breath
gnáthóg: habitat—a region of an environment containing its own community of organisms, e.g. marsh, woodland, sand-dune
goirín: pimple
goirín dubh: blackhead
goirte: salinity
gor: pus, inflammation
gor-fá-iongain: whitlow
greallsach: polyp—a growth in the nasal passage
greannaitheach: irritating
greim: stitch
grianlearg: adret—sunny side of a hill or valley
griantairiseach: solar constant
grís: burning blotches on skin, mange
gúta: gout
heitreatróf: heterotroph—an organism that feeds on other organisms; a consumer
hibridiú inchéimnitheach: introgressive hybridisation—the gradual replacement of a pure species by the hybrids it forms with another species
iarpais: dropsy
idirspleáchas: interdependence
ilbhliantóg: perennial—a plant that lives and flowers more than two years, e.g. fuchsia
ilcheallach: multicellular
ilchríoch: continent
imghalú: evapotranspiration—the total water loss from a plant through both transpiration and evaporation
insileadh: infusion made by pouring a boiling water over a fresh or dried herb and allowing it to stand for a few minutes to extract its soluble properties
intuaslagtha: soluble
iodhna: pang
iodhna fáis: growing-pains
iondúisiam: indusium—in ferns, a membrane that covers the sorus (q.v.)
ionghabháil: ingestion
ionla: lotion—a liquid preparation for external cleansing and soothing
ionla súl: eye wash
iontsú: absorption
ioscóid: a boil
láibchloch: mudstone
láisteadh: leaching
lamhnán: bladder
léagúm: legume—a simple, dry dehiscent fruit developed from a single carpel and splitting at maturity, along two sutures, e.g. gorse (page 29)
leanna, giúmars: "humours"; the ancient physicians believed there were four cardinal "humours", i.e. four principal body fluids that, according to their proportions in the body, determined health and temperament: blood, phlegm, choler (yellow bile), and melancholia (black bile)
leonadh: sprain
lí: pigment
lia bhuí: jaundice
liathán: spleen
lioctha, leacaithe: flattened
lionn dubh: melancholia (in bile)
lionn fuar: phlegm
lionn rua: choler (in bile)
lóchtaint, láchaint: dawning
loigíneach: pitted
loscadaí: heartburn
luan: kidneys, breast

luibh: herb—a plant in which the stems are not woody and normally die down in winter
luibh íce: a healing herb
lus: see *luibh*
lusrachán: herbalist
maidhm seicne: rupture, hernia
maoschlár: water-table
maothán: lobe
meacan: tap root, e.g. carrot
meán fhliuchras bliantúil: average annual rainfall
meas: fruit
meathán: sucker—a new shoot that develop from the roots of a plant; a means of vegetative reproduction
meirgre: standard—broad flat petal at the back of a leguminous flower (page 24); the other four petals are
cíle (2): keel—two lower petals
sciathán (2): wing—one at each side
míciríosa: mycorrhiza—a symbiotic relationship between certain fungi and the roots of most plants; the fungus obtains minerals for the plant and gets food in return
minicíocht: frequency
mionghearrtha: chopped
mionpholl: micropyle—a tiny hole through which the pollen tube enters the ovule
mogóir: hip (rosehip)
móin aeráideach: climatic peat (blanket bog)
moinéiciach: monoecious—having staminate and pistillate (male and female) flowers on the same plant
móinteán: peat moor, moorland
mothar: thicket
múchadh: asthma
múta: mulch
neamhbhitheach: abiotic
neamhrialta: irregular—see *siméadracht*
nimhíoc: antidote
oideas: remedy
oighear chreimeadh: glacial erosion
oidhearchaidhp: ice-cap
oighearaois: ice age
oigheardheascadh: glacial drift
oighearshruth: glacier
oiriúnú: adaptation
orgánach: organism
óstach: host
othras (1): ulcer—open sore on internal or external surface of the body secreting pus
othras (2): abscess—a collection of pus in any part of the body, often accompanied by painful inflammation
pailín: pollen
pailniú: pollination—the transfer of pollen from anther to stigma
péacán: plumule (embryonic shoot)
peireacarp: pericarp—the wall of the ripened ovary or fruit (page 29, 30)
peitín: petiole or leaf stalk
picil súl: epiphora—watery eye
píochán: wheeze
poc aosáin: sudden mysterious illness
póma: pome—a simple fleshy accessory fruit, e.g. apple and pear (page 30)
préamhán: radicle (embryonic root)
puchán ae: liverfluke
puchóid: hive
réileán: flat space
réileán láibe: mudflat
rialta: regular, actinomorphic—see *siméadracht*
righin: tough, unyielding, tenacious
rinneach, barraigh: apical, terminal
ríosóm: rhizome—a horizontal underground stem, bearing buds and producing new plants, that persists for more than one year
rith fola: haemorrhage
rith fuail: incontinence; diabetes
rua: shingles
ruaim: dye
sail chnis: dandruff, scruff
saintaise: relative humidity
saolré: life cycle
scagacht: porosity
scaineagán, grean: sand or gravel, shingle
scáinte: sparse
scaipeadh (síol): seed dispersal
scáthlearg: opaco—the shaded side of a hill or valley
sceachóid: haw; hip
scealla: shales
sceallach (scilleach): scree
sciorradh talún: landslide
seadánachas: parasitism—a relationship in which one partner (parasite) benefits and the other (host) is weakened
seanghaineamhchloch rua: old red sandstone
seicin: peritoneum
maidhm seicne: hernia
séileán, sileán: tiny stream
seiliú: expectoration
seordán: asthmatic wheezing
sil-leagan: deposit
simbeois: symbiosis—a relationship between two organisms of different species that live together in direct contact (host and symbiont)
siméadracht déthaobhach: bilateral symmetry—the flower can be cut into two identical halves along only one vertical plane, e.g. foxglove, deadnettle (page 24-25) (irregular, zygomorhphic flowers)
siméadracht gathach: radial symmetry—the flower can be cut in two along many vertical planes to produce identical halves, e.g. buttercup, rose (page 24-25) (regular, actinomorphic flowers)
sine: teat, nipple
síogóit: zygote—a fertilised egg
síolchóta: testa—the outer seed-coat
síonchaitheamh: weathering
slige: shell or shell-like container used in rushlights
smál: blemish
smionagar: debris
sóras: sorus—a compact group of sporangia on a fern frond
spáideóg: spadix (page 27)
spáidín: spathe (page 27)
spearbaill: hallucinations
speiceas: species—a group of similar organisms that can interbreed and produce fertile offspring
spór: spore—a microscopic reproductive body of fungi, mosses, and ferns
spóragán: sporangium—spore case
spucán: hard blister
sraothartach: sneezing

sreabhann: membrane
sreabhnach: membranous
srincín: funicle—seed stalk (page 29)
stipeog: stipule—a pair of small leaf-like structures at the base of the leaf (page 33)
stólan: stolon—a short-lived, often slender, creeping stem, usually above ground, that can produce new plants (runners) at its nodes
streachlánach: straggling, trailing
stuach (1): crenate, scalloped (leaf margin)
stuach (2): arching (stem)
suanach: dormant—a rest period, which can last months or years, during which seeds fail to germinate even under ideal conditions
súil shilteach: watery eye, epiphora
súmhar: fleshy, succulent
suth: embryo
tál: secretion
téachtadh: curdle, congeal
téachtán fola: blood clot
teagasc na gcomharthaí: the doctrine of signatures
téagmhasach: accidental, adventitious—roots (or buds) formed randomly in unusual places, e.g. roots growing from leaves (page 35, 36)
teannóg: tendril—a long slender feeler in climbing plants, often spirally coiled, developed from leaf or stem, e.g. vines and vetches (page 35)
teinníocht: inflammation, soreness
téisclimí: pioneer
tine dhia, borr phéist: ringworm
tinneas ríon: scrofula
tinneas uisce, tinneas fuail: gravel—see *galair fuail*
tiomchla: involucre—a ring of bracts surrounding an inflorescence (page 26)
titimeas: epilepsy
tiúbar: tuber—a short, thick, fleshy underground stem that acts as a storage organ, e.g. potato
tochas: itch, scratch, mange
toirchiú: fertilisation—the fusion of male and female gametes (pollen and ovule) to form a zygote (fertilised egg)
tom, tor: bush, tuft
tomhaltóir: consumer
tor: bush, shrub; clump, tuft
toradh: fruit
  fíorthoradh: true fruit—a ripened ovary
  bréagthoradh: false fruit—a fruit in which a major part has not developed from the ovary
toradh tirim neamhoscailteach: dry indehiscent fruit
toradh tirim oscailteach: dry dehiscent fruit
toradh tirim súmhar: fleshy or succulent fruit
torthúil: fertile
torthúlacht: fertility
trasghalú: transpiration—the evaporation of water from the leaves of the plant through the stomata (pores) and the consequent flow of water from root to shoot
treighead: pleurisy
tréscaoilteacht: permeability
truaill: sheath
truailliú: contamination, pollution
tuaslagadh: dissolve
tuaslagán: solution
uatrófach: autotroph, self-nourishing—an organism capable of making its own food through photosynthesis (all green plants) or chemosynthesis (some microrganisms)
ubhagán: ovary
ubhagán íochtaránach: inferior ovary—an ovary that appears to be situated below the calyx and corulla (page 25)
ubhagán uachtaránach: superior ovary—an ovary situated above and free from the calyx and corolla (page 25)
ubhúlach: ovule
uigeacht: texture (soil)
ungadh: ointment, salve—a greasy, slippery preparation of crushed herbs well beaten in lard or grease and stored in stoneware jars, applied to the skin to heal and soothe
úpa: charm, philtre
úpa seirce: love philtre
úpthacht: sorcery
urbhruith: decoction—the process of boiling a given quantity of herb in a given volume of liquid to extract its soluble properties

Úsáidtear na comharthaí seo a leanas ar gach leathanach freisin i dteannta ainm an phlanda:

* tugtha isteach ag an duine (go cinnte)
§§ tugtha isteach ag an duine is dócha
§ tugtha isteach ag an duine b'fhéidir

Cuiridín

Equisetum arvense L.—Equisitaceae

Coirceog thorthúil / Fertile cone

Luibh ilbhliantúil a fhásann i ndíogacha, i bhfálta, i gcreagáin agus i lantáin taise cois abhann agus cois locha; coiteann, ó leibhéal na farraige go *c.* 250 m.

Gas: Riosóm a chuireann suas buinneáin de dhá shaghas: (*a*) san earrach: torthúil, 250–300 mm, gan ghéaga, le coirceog fhoirceanta; feonn siad go luath; (*b*) níos déanaí: aimrid, 300–600 mm ar airde; folamh, feadánach, le hailt suntasacha; fáinní géag ag gach alt. Fanann siad le linn an tsamhraidh.

Duilleog: Gan duilleoga cearta ach le truaillí fiaclacha duilleog anbhunúsach ag gach alt.

Ball de na Sphenopsida—plandaí gan bhláth—an cuiridín. Deineann sé atáirgeadh le spóir a fhásann ar dhromchla íochtarach gainní heicseagánacha na coirceoige.

Tá an planda seo nimhneach: an einsím tiaimínáis is cúis leis, a mhilleann vitimín B_1 (tiaimín), rud a chuireann galar cam ar ainmhithe; is ar chapaill is mó a ghoilleann sé. Fanann an nimh tar éis triomú an phlanda. Seachnaíonn ainmhithe sa pháirc é, mar nil sé dea-bhlasta, ach d'íosfeadh siad é i bhféar tirim nó in easair. Ní ceart cuiridíní a bheith i bhféar sábháilte.

Tugtar "brobadóin" air leis.

Horsetail

A creeping perennial, growing in ditches, hedge banks and damp, stony places by river banks and lake shores; common, from sea level to *c.* 250 m.

Stem: A rhizome that produces two kinds of shoots: (*a*) in spring: fertile, 250–300 mm, unbranched, with a terminal cone; (*b*) later: sterile, 300–600 mm, hollow, tubular, conspicuously jointed, with a whorl of branches arising from each node.

Leaves: Without true leaves but bearing whorls of rudimentary leaves at the nodes.

The horsetail is a member of the Sphenopsida—primitive non-flowering plants. It reproduces by means of spores, borne on the underside of hexagonal scales on the surface of the terminal cones.

This plant is poisonous, because of the presence of an enzyme that destroys vitamin B_1, resulting in symptoms of vitamin B_1 deficiency (staggers) in animals, mainly horses. The toxicity remains after drying and storage. It is avoided by animals in the field because of its unpalatability, but should not be included in hay or bedding.

Aiteann Muire

Huperzia selago (L.) Bernh.—Lycopodiaceae

Planda beag (50–150 mm) cosúil le caonach téagartha, ach is ball de na Lycopsida é, gaol sínte do na raithnigh. Tá duilleoga beaga simplí mórthimpeall an ghais ghéagaithe, agus bíonn na spóragáin in ascaillí na ngnáthdhuilleog. Tá sé scaipthe ar na sléibhte, suas go dtí na beanna is airde.

"Crúibíní sionnaigh" ainm eile ar an bplanda seo.

Fir clubmoss

A small plant (50–150 mm), in appearance like a robust moss but a member of the Lycopsida, distant relatives of the ferns. The small, simple leaves surround the branched stem, and sporangia are borne in the axils of ordinary leaves. It is scattered throughout the mountains, to the tops of the highest peaks.

Bior raithneach

Osmunda regalis L.—Osmundaceae

Raithneach mhór (0.6–2 m) atá forleathan i ndíogacha, ar bhruacha abhann, i gcoillte taise is ar chiosa portaigh, ó leibhéal na farraige go 300 m. Baill de na Filicopsida—plandaí bunúsacha gan bhláth—na raithnigh. Deineann siad athghiniúint le spóir, a táirgtear i spóragáin ar na froinn. Tá froinn *O. regalis* déchleiteach, agus bíonn na cleitíní uachtaracha clúdaithe le cnuasaigh spóragán ó Mheitheamh go Lúnasa.

Royal fern

A large fern (0.6–2 m), widespread in ditches, river banks, damp woods and bog margins, from sea level to 300 m. The ferns are members of the Filicopsida—primitive non-flowering plants. They reproduce by means of spores, produced in sporangia on the frond. The fronds of *O. regalis* ar bipinnate, and the upper pinnules are covered with clusters of sporangia from June to August.

Dallán sléibhe

Hymenophyllum wilsonii (Hook.)—Hymenophyllaceae

Raithneach bheag (20–60 mm) shíorghlas, le froinn dhúghlasa tréshoilseacha ag éirí ó riosóm dubh tanaí. Bíonn na spóragáin ar imeall na bhfronn. Tá fáil uirthi i bpaistí ag teannadh le crainn agus le carraigeacha in áiteanna taise fothainiúla ó leibhéal na farraige go barr na sléibhte is airde. Fanann *H. tunbrigense,* atá an-chosúil léi, ar an dtalamh íseal, faoi bhun 500 m.

Filmy fern

A small (20–60 mm) evergreen fern, with dark-green translucent fronds rising from a thin black rhizome. The sporangia are on the frond margins. It occurs in patches, clinging to trees and rocks in damp, sheltered places, from sea level to the tops of the highest mountains. The very similar *H. tunbrigense* is confined to lower slopes, below 500 m.

Leadhb gadhair

Phyllitis scolopendrium (L.) Newm.—Aspleniaceae

Raithneach shíorghlas atá coiteann in áiteanna taise scáfara i gcoillte agus i bhfálta agus cois tobair, abhann, is gleann. In áit fheiliúnach is féidir leis an bhfronn (atá iomlán) bheith suas le 1 m ar fad. Bíonn na spóragáin i bpaistí fada ar a dtugtar sórais, i bpéirí ar chúl an lainn. Fásann sé ó leibhéal na farraige go 200 m.

Hart's-tongue

A common evergreen fern of damp, shady places in woods and hedgerows and around wells, rivers, and glens. In a suitable position the frond (which is undivided) can reach 1 m in length. The sporangia are borne in long sori, in pairs on the back of the leaf-blade. It occurs from sea level to 200 m.

Sceamh na gcloch

Polypodium vulgare L. agg.—Polypodiaceae

Raithneach bheag shíorghlas a fhásann i gclathacha, ar fhallaí, ar bhotháin, is ar chrainn; coiteann, ó leibhéal na farraige go barr na mbeann is airde.

Gas: Riosóm téagartha, clúdaithe le gainní donna.

Fronn: Lann aonchleiteach, a fad trí huaire níos sia ná a leithead; leathrach, beag beann ar thriomacht agus ar fhuacht.

Sórais: Tá na spóragáin i gcnuasaigh bheaga, gan chlúdach, ar dhromchla íochtarach na nduilleog. Bíonn na spóir aibí idir Meitheamh agus Meán Fómhair.

D'úsáidtí an riosóm mar luibh leighis. Deintí insileadh chun dathacha a leigheas: cuirtí ag tarrac ar nós an tae é. Thriomaítí agus phúdraítí é agus d'úsáidtí mar shnaois é chun grealsach a leigheas. Thógtaí urbhruith an riosóim brúite, milsithe le mil agus le ruainne ainíse ann, chun feadáin an liatháin a réiteach agus fiabhras a mhaolú.

Spóragáin / Sporangia

Polypody

A small evergreen fern growing on banks, rocks, walls, ruins, and trees; common, from sea level to the tops of the highest mountains.

Stem: A stout rhizome covered with brown scales.

Frond: A simple pinnate blade, about three times as long as broad; leathery, drought-resistant and frost-resistant.

Sori: The sporangia are found in small patches, without covers, on the lower surface of the fronds. The spores ripen from June to September.

The rhizome had several uses in herbal medicine. An infusion, similar to tea, was used for rheumatism. Dried and powdered, it was used as snuff to cure nasal polyps. A decoction of the crushed rhizome, sweetened with honey and taken with a pinch of aniseed, was used to remove obstructions of the spleen and to ease fevers.

The aggregate includes three species and their hybrids.

Raithneach

Pteridium aquilinum (L.) Kuhn—Hypolepidaceae

Luibh ilbhliantúil ard (go 2 m) a fhásann go fairsing in ithir thais nó thirim ná fuil cailcreach; flúirseach ó leibhéal na farraige go 500 m i ngleannta foscúla.

Gas: Riosóm téagartha géagaithe, ag scaipeadh go domhain faoi thalamh; éiríonn na scotháin raithní as ghéaga tanaí gar do bharr na hithreach. Is féidir leis acraí móra talún a choilíniú, agus tá sé an-deacair é a mharú.

Fronn: Lann tréchleiteach a éiríonn i dtosach an earraigh, cuailte mar bhachall easpaig.

Sórais: Ar chúl an fhroinn, i líne in aice le ciumhais na gcleitíní, iad clúdaithe le scannán (an t-iondúisiam), cuid de chiumhais an fhroinn. Siltear na milliúin spór i mí Mheán Fómhair.

Cé go bhfuil an raithneach an-nimhneach, d'úsáidtí é tráth mar luibh leighis. Nós an-dainséarach é ball ar bith den raithneach a ithe nó deoch déanta as a ól. Ar na nimheanna aitheanta ann tá tiaimínáis is cúis le heaspa vitimíne B_1 agus carcanaigin is cúis le hailse i mba agus i gcaoirigh. Fanann na nimheanna sa bplanda triomaithe. I dtíortha ina n-itear na scotháin óga tá ceangailt idir an nós agus ailse an chóras díleá. Tá iompar na gcarcanaiginí tríd an mbiashlabhra, i mbainne, i bhfeoil is in uisce á fhiosrú faoi láthair, agus de réir thaighde nua tá baol ann go ndeineann ionanálú spór na raithní dochar don duine. Tá rabhadh tugtha d'fheirmeoirí an planda do ghearradh sara siltear na spóir.

Toisc go mbíonn "dhá scothán déag i ngach tor raithní" agus na milliúin spór ar gach scothán, ghuítí "rath na raithní" ar lánúin nuaphósta, agus chuirtí scothán raithní faoin dtocht fúthu.

Bracken

A tall (up to 2 m) perennial fern, widespread on non-calcareous soils; common from sea level to 500 m in sheltered valleys.

Stem: A stout, branching rhizome, spreading deep underground; the fronds arise from slender rhizomes close to the soil surface. It often colonises acres of land and is extremely difficult to eradicate.

Frond: A tripinnate blade, emerging above the soil in spring, coiled like a bishop's crosier.

Sori: On the back of the frond in a line along the margin, covered by a membrane (the indusium). Millions of spores are shed in September.

Although bracken is a very poisonous plant, it was formerly used both internally and externally as a herbal remedy. Among the poisonous constituents are an enzyme that causes vitamin B_1 deficiency and a carcinogen responsible for diseases in cattle and sheep. The toxins remain active after drying. Recent research suggests that inhalation of bracken spores is injurious to humans; farmers have been advised to cut bracken before the spores are shed.

Raithneach Mhuire

Athyrium filix-femina (L.) Roth—Athyriaceae

Raithneach mhór théagartha (go 1 m) atá coitianta in áiteanna taise scáfara, ar fhálta, ar bhruacha abhann, ar imill portaigh agus i ngleanntáin sléibhe, ó leibhéal na farraige go 850 m.

Gas: Riosóm téagartha gairid, clúdaithe le gainní tiubha donna.

Fronn: Déchleiteach, lansach, 0.3–1 m ar fad; díreach in airde nó spréite; bog, faon, briosc; glasbhán go donnchorcra; an droimín dúdhearg de ghnáth.

Sórais: Ar chúl na bhfronn; fadaithe, clúdaithe le hiondúisiam atá greamaithe ar thaobh amháin. Táirgítear na spóir i mí Lúnasa agus mí Mheán Fómhair. Seargann na scotháin sa gheimhreadh.

Cosúil le roinnt raithneach eile, d'úsáidtí raithneach Mhuire mar luibh leighis. Thógtaí an riosóm brúite beirithe milsithe ar uisce mar oideas piast, agus d'úsáidtí urbhruith den riosóm ar fhíon chun feadáin an ae agus an liatháin a réiteach.

Timpeall Lá tSin Seåin (24 Meitheamh) fadó dhóití na scotháin agus choimeádtaí an luath chun línéadach a ghealú.

Lady-fern

A large, stout fern, common in damp, shady places, in hedgerows, on river banks, on bog margins and in mountain ravines, from sea level to 850 m.

Stem: A short, stout rhizome, covered with thick brown scales.

Frond: Bipinnate, lanceolate, 0.3–1 m in length; erect or spreading; soft, limp, brittle; pale green to brownish-purple; rachis usually dark red.

Sori: On the backs of the fronds; elongated, covered by an indusium attached along one side; sporangia produced in August and September.

The lady-fern had several medicinal uses. The crushed, boiled and sweetened rhizome was taken with water as a vermifuge, and a decoction of the rhizome in wine was given to remove obstructions of the liver and spleen.

The rhizomes and fronds were burned in midsummer and the ash (rich in potash) was collected for bleaching linen.

Lus an chorráin

Asplenium trichomanes L.—Aspleniaceae

Raithneach bheag shíorghlas atá coitianta ar fhallaí agus i scoilteacha i gcarraigeacha, aolchloch san áireamh, ó leibhéal na farraige go 850 m. Tá fronn cleiteach aici, 50–200 mm ar fad, le droimín (meánfhéith) dubh. Cloíonn *A. viride,* atá an-chosúil leis seo ach le droimín glas, le carraigeacha in airde ar na sléibhte idir 600 agus 900 m amháin. Tá *A. marinum,* atá níos mó ná seo agus le droimín glas-donn, le fáil ar charraig-eacha cois farraige.

Maidenhair spleenwort

A small evergreen fern, common on walls and crevices in rocks, from sea level to 850 m. The fronds are simply pinnate, 50–200 mm long, with a black rachis (midrib).

A. viride, very similar to this except for its green rachis, is found only on mountain rocks between 600 and 900 m elevation. The somewhat larger *A. marinum,* with greenish-brown rachis, is found on rocks by the sea.

Raithneach (an) mhadra

Blechnum spicant (L.) Roth—Blechnaceae

Raithneach an-choiteann a fhásann in ithir shearbh, i bhfálta, i mbruacha scáfara sileáin, i gcoillte, i bportaigh, i móinteáin agus i sleasa sléibhe, ó leibhéal ná farraige go buaic na sléibhte is airde. Tá dhá shaghas froinn aici: (*a*) ceann seasc, le cleití leathfhada, beagáin-ín inchasta, agus (*b*) ceann níos airde atá torthúil, le cleití níos cúnga agus sórais fhada ar a ndrom.

Hard fern

A very common fern of acid soils, in hedgerows, sheltered streamsides, woods, heaths and mountain slopes, from sea level to the tops of the highest mountains. It bears two types of frond: (*a*) sterile, with oblong pinnae, slightly incurved, and (*b*) a taller, fertile frond, with narrower pinnae bearing elongated sori on their backs.

Raithneach na ngainní órga

Dryopteris affinis (Lowe) Fraser-Jenkins—Aspidiaceae

Raithneach mhór láidir théagartha, suas go 1.2 m ar airde, a fhásann go fairsing in áiteanna taise scáfara ná fuil cailcreach, i bhfálta, i gcoillte, i ngleannta doimhne sléibhe agus cois sileán, ó leibhéal na farraige go 950 m.

Gas: Riosóm gairid téagartha ingearach, an chuid is cruinne an-ramhar, toisc go bhfanann bun na scothán ceangailte de.

Fronn: Fada (0.5–1.2 m), leathan, lansach, biorach, déchleiteach, an droimín (meánfhéith) clúdaithe le gainní rua-órga; ag seasamh go dtí an earrach. Bíonn na froinn eagraithe i gciorcal mórthimpeall bharr an riosóim.

Sórais: Leagtha amach go rialta ar chúl gach cleitín, clúdaithe le hiondúisiam duánach. Táirgítear na spóir i mí Lúnasa agus mí Mheán Fómhair.

Luibh leighis an raithneach seo agus a gaol gairid an raithneach mhadra mhaith (*D. filix-mas*). Thógtaí an riosóm brúite beirithe milsithe ar uisce chun piast a ruaigeadh, go mór mór chun an chailleach goile a dhíbirt. D'úsáidtí urbhruith ar fhíon chun bac a ghlanadh as an ae agus an liathán. D'úsáidtí an riosóm freisin tráth chun mairbhití cos a leigheas i leanaí. San gnáthleigheas úsáidtear fós úsc raithneach gaolta leo seo chun an chailleach goile a dhíbirt ón duine, agus tá sé éifeachtach freisin chun an puchán ae a dhíbirt.

Scaly male fern

A large, stout fern, up to 1.2 m tall, widespread in damp, shady places on non-calcareous soils in hedgerows, woods and deep mountain glens, from sea level to 950 m.

Stem: A short, stout, erect rhizome; older portions become bulky because of the bases of old fronds remaining attached to it.

Frond: Long (0.5–1.2 m), broad, lance-shaped, tapering to a sharp point, frond and rachis (midrib) covered with golden scales. The fronds are borne in a circular array around the top of the rhizome.

Sori: Arranged regularly on the backs of the pinnules, covered by a kidney-shaped indusium. Spores are produced in August and September.

This fern and its close relative the male fern (*D. filix-mas*) were used as medicinal herbs. The rhizome was crushed, boiled and sweetened and taken with water. It was used to treat obstructions of the liver and spleen and also to treat rickets in children. It was particularly effective against tapeworm. An extract of similar ferns is still used to treat tapeworm in human patients and has been found to be effective against liver fluke in humans.

Raideog

Myrica gale L.—Myricaceae

Tor beag (0.2–1.2 m) cumhra, i bpaistí in ithir fhliuch shearbh in áiteanna oscailte ar phortaigh, ar bhruacha loch, agus ar mhóinteáin fhliucha feadh an chósta; ag leathadh le meatháin; ó leibhéal na farraige go 300 m.

Gas: Géaga ingearacha donna, le faireoga buí; boladh an-chumhra uaidh, go mór mór má bhrúitear é.

Duilleog: Ubhchruthach nó lansach, beagnach lom, liath-ghlas, le faireoga buí; 20–40 mm ar fad; gan chos; maol-chíorach ag a barr; an-chumhra.

Bláth: Aibreán–Bealtaine; oscailte roimh na duilleoga; dé-éiciach nó uaireanta moinéiciach, gan pheirianta, i gcaitíní gearra gan chos; ceithre staimín dhearga; dhá stíl dhearga; pailniú gaoithe.

Toradh: Beag, sciathánach, roisíneach; cosúil le drúp.

Tá nóidíní le baictéirí ar na préamha a ghlacann nítrigin ón aer. Is buntáiste é seo don bplanda i ngnáthóg le ganntanas níotráite.

Tá an planda go léir an-chumhra; d'úsáidtí na torthaí mar spíosra in anraithí agus i struisíní, agus chuirtí na duilleoga triomaithe i gcurpaid lín-éadaí chun na leamhain a dhíbirt agus chun boladh cumhra a choimeád ann. Bhaintí ruaim bhuí as barr na ngéag agus d'úsáideadh súdairí í.

Anseo agus ansiúd in Éirinn d'úsáidtí craoibhíní mar "shailm" Domhnach na Sailme. Chreidtí gur le craobhacha de a sciúirs-eáladh Ár dTiarna agus go leanfadh mí-ádh, dá réir sin, éinne a d'úsáidfeadh é chun beithígh a bhualadh.

Bog myrtle

A small (0.2–1.2 m) aromatic shrub, growing in patches in wet, acid soil on open bogs, lakeshores and damp heaths near the sea; from sea level to 300 m.

Stem: Brown, erect branches, with scattered yellow glands; very aromatic, especially if crushed.

Leaf: Ovate or lanceolate, nearly glabrous, greyish-green with yellow glands; 20–40 mm long; sessile, bluntly toothed at the tip; very fragrant.

Flower: April–May, appearing before the leaves; dioecious but sometimes monoecious, perianth absent, in short sessile catkins; four red stamens, two red styles; wind-pollinated.

Fruit: Small, winged, resinous; drupe-like.

The roots bear nodules containing nitrogen-fixing bacteria, which is of advantage to the plant in habitats where nitrates are scarce.

The entire plant is highly aromatic; the fruits were used to flavour soups and stews, and the dried leaves were placed in linen presses to scent clothes and to keep moths away. The tips of the branches yielded a yellow dye used for tanning.

Neantóg

Urtica dioica L.—Urticaceae:
Bláth staimíneach / Staminate flower

Luibh ilbhliantúil chlúmhach dhúghlas, 0.3–1.2 m, a fhásann cois bóthair, i mothair, i bhfásaigh, i bhfothraigh, agus ar chairn aoiligh, in ithir shaibhir fhosfáiteach neodrach, úr nó fliuch, in áiteanna oscailte nó faoi scáth meánach, ó leibhéal na farraige go 700 m.

Gas: (*a*) Gas bláfar, díreach in airde, simplí, cearnógach, clúdaithe le ribí cealgacha; (*b*) gais reatha, sínte, a chuireann préamh uathu.

Duilleog: I bpéirí urchomhaireacha; simplí, ubhchruthach, biorach, cíorach, clúdaithe le ribí cealgacha.

Bláth: Meitheamh–Meán Fómhair; i ndiasa dlútha géagacha ascallacha; déeiciach, gan choróinín; ceithre sheipeal, ceithre staimín nó cairpéal amháin; pailniú gaoithe.

Toradh: Aicéin ubhchruthach, faoi cheilt sa mbláth tréigthe.

Deintí éadach as snáithín neantóg ó Ré an Chré-umha anuas go dtí an aois seo, agus bhíodh comhábhair an phlanda in úsáid i ndéantús ruaime, dúigh, agus páipéir.

Sa tseanaimsir bhí anmheas ar "bhrachán neantóg", saghas praisce déanta as neantóga agis min choirce. Tá tóir fós ar anraith neantóg, agus itear na barraíocha óga beirbthe mar ghlasra san earrach.

Ba luibh thábhachtach leighis í; thógtaí í chun an fhuil a ghlanadh, chun bainne máthar a mhéadú, mar leigheas ar ghalair fual agus feadán ae, agus ar ghúta, ar dhathacha, agus ar mhúchadh. Deintí céirí di le cur le fíocais, grís, eachma agus tochas,agus tugtaí d'ainmhithe mar phurgóid í.

Bláth pistileach / Pistillate flower

Nettle

A hairy, dark-green perennial, 0.3–1.2 m tall, found in open or lightly shaded places on roadsides, thickets, waste ground, ruins, and waste heaps, on damp to wet neutral soils rich in nutrients, especially phosphates, from sea level to 700 m.

Stem: (*a*) Flowering stem; simple, erect, square, covered with stinging hairs; (*b*) prostrate creeping and rooting stems.

Leaf: Opposite pairs, simple, oval, pointed, toothed, covered with stinging hairs.

Fruit: An ovoid achene, concealed in the decayed flower.

Flower: June–September; in dense, branched axillary spikes; dioecious, corolla absent; four sepals, four stamens or one carpel; wind-pollinated.

Cloth made from nettle fibres has been in use from the Bronze Age to the present century, and constituents of the plant have been used in the manufacture of dyestuffs, inks, and paper.

Older culinary uses included a gruel made from nettles and oatmeal. Nettle soup is still popular, and the young tops are boiled as spring "greens".

Miontas caisil

Parietaria judaica L.—Urticaceae

Luibh íseal (150–600 mm) chlúmhach ilbhliantúil a fhásann go fairsing i ndeisceart na tíre, in áiteanna oscailte le hithir ná fuil searbh, ar chlathacha agus ar sheanfhallaí, uaireanta ar charraigeacha agus ar chladaigh ghrin, ó leibhéal na farraige go 100 m.

Gas: Scaipthe, géagaithe, dearg, clúmhach, cruinn.

Duilleog: Ailtéarnach, simplí, ubhchruthach, slán.

Bláth: Meitheamh–Meán Fómhair; bídeach, glas, i gcnuasaigh ascallacha beagnach gan chos; a bhformhór déghnéasach, corrcheann aonghnéasach; cailís le ceithre mhaothán a fhanann ar an dtoradh; gan choróinín; ceithre staimín, cairpéal amháin; pailniú gaoithe.

Toradh: Aicéin.

Planda fónta leighis é seo. Bhaintí úsáid as brúite mar cheirí, chun fiabhrais, íoscóidí agus othrais a

Bláth / Flower

leigheas; d'úsáidtí ungadh de chun fíocas a ghlanadh agus a chneasú. Bhí deochanna éagsúla agus cógais eile á úsáid chun galair cléibhe do leigheas, cloch fuail do bhriseadh, fuil mhíosta do spreagadh, agus smáil chraicinn do ghlanadh. Deintí púdar den bplanda tirim, measctha le mil, a leadhbadh de spúnóg, chun piachán, casachtach tirim nó gearranáil do fheabhsú. Théití an planda go léir ar an ngríosach agus chuirtí le drom, cliathán nó bolg é chun pian do leigheas.

Pellitory

A short (150–600 mm) hairy perennial, widespread in the south, in open situations on non-acid soils, on banks and old stone walls, occasionally on rocks or shingle beaches, from sea level to 100 m.

Stem: Branched, spreading, red, downy, round.

Leaf: Alternate, simple, oval, entire.

Flower: June–September; minute, green, in nearly sessile axillary clusters; mainly hermaphrodite, a few unisexual; calyx four-lobed, remaining on fruit; corolla absent; four stamens, a single carpel; wind-pollinated.

Fruit: An achene.

The plant had many medicinal uses. It was crushed and applied as a poultice to treat fevers and boils, while an ointment was prepared to cleanse and heal piles. Various types of preparation were taken internally for the relief of chest and urinary ailments, menstrual disorders, and skin blemishes. A powder of the dried plant mixed with honey was used to relieve wheezing, dry cough, and shortness of breath. The whole plant was heated on the cinders and applied to the back, side or stomach to relieve pain.

Glúineach the

Polygonum hydropiper L.—Polygonaceae

Luibh ghearr nó ard (250–750 mm), beagnach lom, bliantúil, go flúirseach in áiteanna gan scáth, searbh nó cailcreach, i ndíogacha taise, ar chiosa abhann agus lochán agus i bhfíoruisce éadomhain, ó leibhéal na farraige go 300 m.

Gas: Leathdhíreach, lag, tanaí, géagach.

Duilleog: Lansach, cuarach, ag cúngú go cos ghearr, an chuid íochtarach den chos ina thruaill timpeall an ghais; blas an-te uirthi.

Bláth: Lúnasa–Meán Fómhair; beag, glas nó bándearg, i ndiasa fada tanaí silteacha, go leor dias ar gach gas; cúig sheipeal le faireoga buí; piotail in easnamh; déghnéasach; sé staimín, níos giorra ná na seipil; ubhagán uachtarach; dhá stíl, saor beagnach go bun; féinphailniú.

Toradh: Cnó beag dubh gan loinnir; tríchúinneach nó lionsach, clúdaithe ag na seipil.

Baineadh feidhm as an bplanda mar luibh leighis, agus bhí sé úsáideach i slite eile freisin. D'óltaí insileadh fuar des na bláthanna agus na préamha triomaithe chun cloch fuail, buinneach dhearg, casachtach, scornach thinn, slaghdán agus gúta do leigheas. Thriomaítí na síolta agus dheintí púdar dóibh a húsáidtí in ionad piobair; chuirtí an planda glas i leapacha chun dreancaidí a ruagairt. Bhí sé de thuairim ag daoine áirithe dá gcuirfí an planda faoi iallait capaill go raghadh an capall níos sia gan ocras gan tart a theacht air.

Water pepper

A short or tall (250–750 mm), almost glabrous annual, widespread in open, acid or calcareous situations, in damp ditches, ponds and river banks and shallow freshwater, from sea level to 300 m.

Stem: Semi-erect, weak, slender, branched.

Leaf: Lanceolate, wavy, tapering to a very short stalk, the bottom of the leaf-stalk sheathing the stem; hot, peppery taste.

Flower: August–September; green or pinkish, in long, slender, drooping spikes—several spikes on each stem; five sepals with conspicuous brownish-yellow glands; petals absent; hermaphrodite; six stamens, shorter than the sepals; superior ovary; two styles, free nearly to base; self-pollination.

Fruit: A small, dull black nut, three-angled or lens-shaped, enclosed by the sepals.

The plant had a number of medicinal and other uses. A cold infusion of the dried flower and roots was used to relieve kidney stones, dysentery, coughs, colds, and gout. The seeds were dried and powdered and used instead of pepper, and the green plant was put into beds to repel fleas.

Glúineach dhearg

Polygonum persicaria L.—Polygonaceae

Luibh bhliantúil 250–500 mm ar airde a fhásann go flúirseach in áiteanna lámh le huisce, ar thalamh lom gan scáth, in ithir shearbh nó chailcreach, ó leibhéal na farraige go 400 m.

Gas: Lag, ingearach, le fo-ghéag.

Duilleog: Ubhchruthach nó lansach, 70–100 mm ar fad, ag cúngú go coisín an-ghearr; clúmhach laistíos, paistí dubha in uachtar.

Bláth: Meitheamh–Meán Fómhair; bándearg de ghnáth, uaireanta bán; an-chuid bláthanna i ndias dhlúth ingearach; cúig sheipeal, seipeal agus coisín gan fhaireog; coróinín in easnamh; déghnéasach; idir sé agus ocht staimín, níos giorra ná na seipil; ubhagán uachtarach; dhá nó trí stíl, aontaithe ag a mbun; féin-phailniú.

Toradh: Cnó beag trí-chúinneach nó ar chruth lionsa; donn nó dubh, gléasta; clúdaithe ag na seipil.

Luibh leighis a bhí sa bplanda seo. D'úsáidtí súlach na nduilleog chun fiolúin nó angadh a fhuaradh, chun fuil théachta a thuaslagadh, chun créacht lofa a ghlanadh, mar leigheas ar thinneas cluaise, agus mar oideas piast. Chuirtí an duilleog bhrúite mar cheirí ar ghor faoi ionga.

D'úsáidtí deoch den luibh ar fad chun fuascailt fháil ar thinneas uisce. "Luibh an tinneas uisce" ainm áitiúil uirthi. "Tharraigítí an luibh as an dtalamh agus bheirítí i. Thugtaí an t-uisce a bhaintí di le n-ól den nduine nó den ainmhí tinn" (Dún Chaoin, 1965).

Redshank

An annual herb, 250–500 mm tall, abundant in open, damp situations, on bare ground, in acid or calcareous soil, often by water, from sea level to 400 m.

Stem: Weak, upright, sparingly branched.

Leaf: Ovate or lanceolate, 70–100 mm long, tapered to a very short stalk; downy underneath, upper side with a dark blotch.

Flower: June–September, in a dense, upright spike; pink, occasionally white; five sepals, sepals and flower-stalks without glands; corolla absent; bisexual; six to eight stamens, shorter than the sepals; superior ovary; two or three styles, united below; self-pollinated.

Fruit: A small three-angled or lens-shaped nut; dark brown or black, shiny, enclosed by the sepals.

This plant had a number of medicinal uses. Juice from the leaves was used to cool ulcers and inflammations, to dissolve congealed blood, to cleanse putrid wounds, to relieve earaches, and as a vermifuge. A poultice of crushed leaves was applied to whitlows, and a decoction of the plant was given to people or animals with kidney stones or urinary infections.

Glúineach bheag

Knotgrass

A low, spreading annual, abundant on bare open ground such as paths, in acid or calcareous, damp or dry conditions, from sea level to 400 m. The minute sessile flowers are borne in clusters in the leaf axils.

Polygonium aviculare L.—Polygonaceae

Luibh bhliantúil íseal a fhásann go flúirseach ar chosáin agus a leithéid de thalamh lom gan scáth, in ithir shearbh nó chailcreach, tais nó tirim, ó leibhéal na farraige go 400 m. Bíonn na bláthanna bídeacha gan chos i gcnuasaigh in ascaillí na nduilleog.

Glúineach uisce

Amphibious bistort

A handsome aquatic perennial of lakes, ponds, slow streams, marshes and roadside ditches, in open non-acid conditions, from sea level to 200 m; flowering June–September.

Polygonum amphibium L.—Polygonaceae

Luibh ghleoite ilbhliantúil a fhásann ar dhromchla an uisce i locha, i locháin, i sileáin mhalla, i gcorraithe agus i ndíogacha cois bóthair in áiteanna oscailte ná fuil searbh, ó leibhéal na farraige go 200 m; faoi bhláth Meitheamh– Meán Fómhair.

Glúineach dhubh

Fallopia convolvulus (L.) A. Löve—
Polygonaceae

Dreapadóir bliantúil a fhásann i dtalamh rómhartha nó ghainmheach gan scáth nó faoi scáth éadrom, ó leibhéal na farraige go 300 m. Dreapann sé suas 1.2 m nó níos mó, ag casadh ar deiseal timpeall plandaí eile.

Black bindweed

A glabrous, climbing annual of tilled ground and sandy soils, in open or lightly shaded sites, common from sea level to 300 m. It climbs to a height of 1.2 m or more, twining clockwise around neighbouring plants for support.

Glúineach bhiorach / "Hudsons"

**Reynoutria Japonica* Houtt.—
Polygonaceae

Luibh mhór (1–2 m) ilbhliantúil luathfháis. Tugadh an planda seo ón Mór-roinn sa bhliain 1825, agus scaip sé ó ghairdíní go talamh rómhartha, ciosa bóthar agus bruacha abhann ar fud na tíre, ó leibhéal na farraige go 200 m. Tá sé anois ar liosta na bhfiailí díobhálacha, ach tá sé andeacair deireadh a chur leis toisc riosóm téagartha a bheith faoi. Scaip sé ar fud Chorca Dhuibhne ó ghairdín a bhí ag Dr Hudson áirithe, a deirtear, agus is as sin an ainm atá air sa cheantar.

Japanese knotweed

A very tall (1–2 m), fast-growing perennial; a native of Japan introduced in 1825, it has spread from gardens to tilled soil, roadsides and riversides all over the country from sea level to 200 m. It is designated a noxious weed but is difficult to eradicate because of its stout, fast-growing rhizome. It is known as "Hudsons" in Corca Dhuibhne because it is believed to have spread throughout the district from the garden of a Dr Hudson.

Samhadh sléibhe

Oxyria digyna (L.)—Hill

Luibh bheag lom ilbhliantúil, 100–130 mm ar airde; ní fhásann sé ach ar fhaillte thaise sléibhe, san iarthar don chuid is mó; go hannamh, ó *c.* 200 go 950 m. Duilleoga i gcnota bunach, cruinn nó duánach, le himill chuartha agus cosa fada; blas searbh orthu; bláthanna: glas, i bpanacail; sciatháin scannánacha dearga mórthimpeall an toraidh.

Mountain sorrel

A small, glabrous perennial herb, 100–130 mm tall, growing only on damp mountain cliffs, mainly in the west, from *c.* 200 to 950 m. Leaves mainly in a basal rosette, round or kidney-shaped, with wavy margins and long stalks; acid to taste; flowers: greenish, in a panicle; fruit surrounded by a membranous wing, tinged with red.

Samhadh caorach

Rumex acetosella L.—Polygonaceae

Luibh bheag (70–300 mm) lom ilbhliantúil, go flúirseach ar mhóinteáin is ar chreagáin sléibhe, in áiteanna loma taise le hithir shearbh, ó leibhéal na farraige go 1,040 m. Duilleoga cúnga saighdeacha, dhá chluaisín triantánacha casta amach ingearach leis an bpríomhfhéith; cos fúthu; scáil dhearg iontu go minic; blas searbh orthu. D'óltaí deoch de chun feadáin an ae, an lamhnáin agus na nduán a réiteach.

Sheep's sorrel

A small (70–300 mm) glabrous perennial of open heaths and stony mountain places, in damp acid soil, abundant from sea level to 1,040 m. Leaves narrow, sagittate, with two triangular auricles turned sharply outwards at right angles to the midrib; stalked; often tinged with red; sour-tasting. A drink made from the plant was said to free the tubules of the liver, bladder and kidneys of obstructions.

Samhadh

Rumex acetosa L.—Polygonaceae

Luibh cuibheasach ard (350–800 mm), lom, ilbhliantúil; i móinte agus áiteanna oscailte; go flúirseach ó leibhéal na farraige go 1,040 m.

Gas: Le fíorbheagán géag.

Duilleog: Cuibheasach ramhar, saighdeach, cluaisíní bioracha comhthreomhara leis an bpríomhfhéith; na cinn uachtaracha ag greamú an ghais, na cinn íochtaracha ar chosa fada.

Bláth: Bealtaine–Lúnasa; dééiciach, i bpanacail fhada éadlútha; bíonn sé sheipeal ar an mbláthóg bhaineann; pailniú gaoithe.

Toradh: Cnó dúdhonn gléasta, á cheilt ag seipil ubhchruthacha slána dearga. Deargaíonn an planda go léir faoi dheireadh an tsamhraidh.

Glasra tábhachtach i Sasana sa séú haois déag ba ea an planda seo; d'úsáidtí mar anlann é le gach sórt feola. Tá cáil air fós ar an Mór-roinn, go mór mór sa bhFrainc. Tá blas searbhach ar na duilleoga; géaraíonn an súlach bainne, agus úsáidtear na duilleoga amha i sailéid agus mar ghlasra, beirbthe ar chuma spionáiste. Deintear anraith iomráiteach astu freisin.

D'úsáidtí na síolta, an duilleog nó an phréamh triomaithe agus púdraithe mar luibh leighis. Bhí sé go maith chun beirbhthean fiabhrais agus chun cloch fuail agus an lia bhuí do leigheas. D'úsáidtí é chun piast a ruaigeadh agus chun faobhar a chur ar an ngoile. Bhí sé éifeachtach in aghaidh an ghalair charraigh.

Ní ceart bheith á shíorithe, mar tá beagán aigéid ocsalaigh ann, atá nimhneach. Ní ceart uirlisí miotail a úsáid á chócáil ach oiread, mar oibríonn súlaigh an phlanda ar an miotal.

"Dheintí an samhadh dhearg a bheirbhiú agus an t-uisce a thabhairt le n-ól don té a bheadh cruaidh ina bholg" (Dún Chaoin, 1965).

Sorrel

A fairly tall (350–800 mm), glabrous perennial of meadows and open places, common from sea level to 1,040 m.

Stem: Scarcely branched.

Leaf: More or less thick, sagittate, with pointed auricles parallel to the midrib; upper leaves sessile and clasping the stem, lower leaves long-stalked.

Flower: May–August; dioecious, in long, lax, leafless panicles; female flowers have six sepals; wind-pollinated.

Fruit: A dark-brown shiny nut, surrounded by broadly oval, entire, reddish sepals. The whole plant gradually turns red by the end of summer.

This was an important vegetable of the sixteenth century, used in making a sauce for most meats; it is still sought after on the Continent. The leaves have an acid taste; the juice sours milk, and the leaves are used raw in salads or boiled like spinach. They are also used to make soup.

The plant was regarded as effective in lowering feverish temperatures, in dispelling kidney stones, and in treating jaundice. It was used as a vermifuge, and it was effective in preventing scurvy.

Copóg mhór uisce

Rumex hydrolapathum Hudson—Polygonaceae

Luibh an-ard (1–1.8 m), an-ghéagach, lom, ilbhliantúil, a fhásann in áiteanna oscailte i ndíogacha, i gcorraithe agus in uisce éadomhain nó i bhfliuchán ná fuil searbh, anseo is ansiúd in aice leis an bhfarraige. Duilleoga móra, suas le 500 mm ar fad; lansach, caol, ag cúngú ag bun agus barr; imeall réidh nó beagáinín cuarach. D'úsáidtí é mar leigheas ar an ngalar carrach, a thagann d'easpa vitimíne C.

Great water dock

A very tall, much-branched, glabrous perennial growing in open situations in ditches, marshes and shallow water in non-acid conditions near sea level. Leaves: large, up to 500 mm in length; lanceolate, narrow, tapered at both ends, margins flat or slightly wavy. It was one of a number of plants used to treat scurvy, caused by a lack of vitamin C.

Copóg chatach

Rumex crispus L.—Polygonaceae

Luibh ard (0.5–1 m) il-bhliantúil lom, a fhásann in áiteanna gan scáth nó le scáth measartha trom, in ithir fhliuch nó thirim, searbh nó cailcreach, cois bóthair, i dtalamh suaite cois farraige nó ar thránna grin; flúirseach ó leibhéal na farraige go 300 m. Duilleoga lansacha, cearnógach ag a mbun, timpeall 150 mm ar fad, an-chuarach. D'úsáidtí an chopóg seo mar luibh leighis sa tslí chéanna leis an gcopóg shráide.

Curled dock

A tall (0.5–1 m), glabrous perennial growing in open to heavily shaded situations, in wet or dry acid or calcareous soils, on roadsides, disturbed ground or shingle beaches; very common, from sea level to 300 m. Leaves: lanceolate, square-cut at the base, about 150 mm in length, curled. This plant had similar medicinal uses to the broad-leaved dock.

Copóg sráide

Rumex obtusifolius L.—Polygonaceae

Luibh ard (0.6–1.2 m) lom ilbhliantúil, flúirseach cois bóthair, i móinéir agus i bhfásaigh, i dtalamh suaite, in ithir thais nó thirim, searbh nó cailcreach, ó leibhéal na farraige go 350 m.

Gas: Téagartha, ard, géagach, na géaga díreach in airde.

Duilleog: Mór, leathan, croíchruthach nó cearnógach as a mbonn, an barr ag cúngú isteach; maol, ciumhais beagán stuach, mionchíorach.

Bláth: Iúil–Meán Fómhair; panacail dhlútha gan duilleog ach le géaga, díreach in airde, crua; déghnéasach; sé sheipeal, sé staimín, trí stiogma chleiteacha; pailniú gaoithe.

Toradh: Cnó beag buídhonn clúdaithe ag trí sheipeal triantánacha le himeall cíorach.

Bhí cáil ar an gcopóg mar luibh leighis; deirtear fós go leigheasann sé dó neantóige ach an duilleog a chuimilt dos na cloig agus "Neantóg a dhóigh me, copóg a leigheas me" a rá leat. Beirbhítí an phréamh i bhfínéagar agus d'úsáidtí an lacht chun tochas, gearba nó craiceann briste a ní; d'úsáidtí súlach an phlanda chun an craiceann a ghlanadh ó shmáil, ó bhricineach, nó ó ghoiríní. Beirbhítí na duilleoga le feoil chun an ae agus an fhuil do neartú: chreidtí go raibh anchuid iarainn iontu. Thugtaí mar athbhríoch d'easláin nó dóibh siúd a bheadh in ísle brí nó ar bheagán fola iad.

Broad-leaved dock

A tall (0.6–1.2 m) glabrous perennial, abundant in open situations, on roadsides, in meadows and waste places and on disturbed ground, in damp or dry acid or calcareous soil, from sea level to 350 m.

Stem: Stout, tall, with erect branches.

Leaf: Large, broad, cut off square or heart-shaped at base, upper end tapered, blunt, slightly crenate, finely toothed.

Flower: July–September; in dense, leafless panicles with erect, stiff branches; hermaphrodite; six sepals, six stamens, three feathery stigmas; wind-pollinated.

Fruit: A small yellowish-brown nut enclosed by triangular sepals with toothed margins.

The plant had a number of medicinal uses. The leaf rubbed on a nettle sting is believed to ease the pain; the root boiled in vinegar was used to wash scabs or broken or itching skin, while the juice of the plant was used to clear skin blemishes. The leaves cooked with meat were believed to be high in iron and to strengthen the blood and liver; they were given as a tonic to convalescents and were believed to relieve debility or anaemia.

Laíon na trá

Beta vulgaris subsp. *maritima*—Chenopodiaceae

Luibh lom ilbhliantúil, le gais láidre ag leathnú amach 1 m ar fad; fásann sí go forleathan feadh an chósta ar charraigeacha, ar fhaillte nó ar ghrean, in ithir ghoirt, úr nó tirim, ar imeall bharra taoide.

Duilleoga: Mór, slán, simplí, le cosa, ar chuma leathair, ubhchruthach, le scáil dhearg iontu.

Bláth: Iúil–Meán Fómhair; glas, gan chos; i gcnuasaigh de dhá cheann nó trí cinn i ndias fhoirceanta; dé-ghnéasach; cúig sheipeal shúmhara faoi thoradh; gan phiotail; cairpéal amháin; cúig staimín; ubhagán leath-íochtarach; pailniú gaoithe.

Toradh: Capsúl beag, i bhfolach sna seipil ata.

Chuirtí an planda seo mar bhiaphlanda in iardheisceart na hÁise chomh fada siar is dhá mhíle bliain ó shin. Forbraíodh an-chuid de bharraí an lae inniu as, trí cruth, méid, dath agus milseacht préimhe agus duilleoige a thoghadh. Barraí saothraithe den speiceas céanna leis an mbiatas fiáin is ea biatas, biatas siúcra, meangalsaí, biatas spionáiste, agus spionáiste. Itheann daoine thar lear duilleoga an phlanda fiain beirbhthe fós mar "spionáiste mara".

Bláthanna / Flowers

Sea beet

A spreading, glabrous perennial, with stems up to 1 m long; widespread on rocky and gravelly seashores and cliffs, in moist or dry saline conditions along the drift line.

Leaf: Large, simple, stalked, entire, leathery, oval, red-tinged.

Flower: July–September; green, sessile, in clusters of two to three in terminal spikes; hermaphrodite; five sepals, fleshy in fruit; petals absent; one carpel; five stamens; ovary semi-inferior; wind-pollinated.

Fruit: A small capsule enclosed by the fleshy sepals.

This plant was cultivated as a food plant in south-western Asia as long as two thousand years ago. Several modern crop plants have been developed from it by selection of different shapes, sizes and colours and the sugar content of root and leaf. Beetroot, sugar beet, mangels, chard and spinach have all been developed from wild sea-beet and are cultivars of the same species. The wild plant, "sea spinach", is still eaten as a vegetable.

Praiseach fhiáin

§*Chenopodium album* L.—Chenopodiaceae

Luibh ghearr nó ard (0.25–1 m), clúmhach, bliantúil; flúirseach in áiteanna oscailte i dtalamh faoi chur, i bhfásaigh is ar sheanchairn aoiligh, ó leibhéal na farraige go 300 m.

Gas: Díreach in airde, beagán eitreach, le stríocaí bána nó bándearga.

Duilleog: Ailtéarnach, gan stípeog; cruth athraitheach, lansach-muileatach, cíorach de ghnáth; le clúmh de ribí miona ata, a thugann dath na mine air; cos níos giorra ná an lann.

Bláth: Iúil–Meán Fómhair; bláthanna rialta glasa, gan chos, i ndiasa dlútha ascallacha; cúig sheipeal, gan phiotail; déghnéasach; cúig staimín; ubhagán uachtarach, aoncheallach; stíl ghabhlánach, le dhá stiogma; pailniú gaoithe.

Toradh: Cnó iata isteach ag na seipil; síol amháin dubh.

Tá an planda seo á úsáid mar ghlasra agus mar ghrán ón gClochaois i leith. Nuair a thángthas ar chorp fir i bportach i nGrauballe na Danmhairge bhí síolta *Chenopodium* ina ghoile, i measc síolta eile a bhí sa phraiseach dheireanach a d'ith sé; áirítear gur maraíodh é timpeall na bliana 300 AD. Dheineadh pobal dúchais Mheiriceá praiseach agus císte praisce as na síolta seo; itear mar ghlasra sa Rúis agus in oirthear na hEorpa é, agus bhí sé á úsáid in iarthar na hEorpa le linn an Dara Cogaidh Domhanda. Tá iarann, cailciam agus próitéin ann. Úsáidtear an planda ar fad, gas agus duilleog, má bhíonn sé óg, beirbhthe mar a dhéanfaí spionáiste. Ní mór é a bhaint i ngnáthóg ná fuil truaillithe le luaidh.

Fat hen

A short or tall (0.25–1 m) hairy annual, abundant in open situations, in tilled fields and waste places and on old dung-heaps, from sea level to 300 m.

Stem: Erect, slightly grooved, with white or pink stripes.

Leaf: Alternate, without stipules; shape variable, lanceolate-diamond, usually toothed; covered with small swollen hairs, giving it a mealy look; leaf-stalk shorter than blade.

Flower: July–September; regular, green, stalkless, in dense axillary spikes; hermaphrodite; five sepals; no petals; superior ovary, one-celled; forked style, with two stigmas; wind-pollinated.

Fruit: A nut enclosed by sepals; one black, shiny seed.

This plant has been used as a vegetable and grain since the Stone Age. The stomach of Grauballe Man, found in a bog in Denmark, contained *Chenopodium* seeds among other grain, the remains of his last meal; it is estimated that he died about AD 300. It is rich in iron, calcium, and protein. Plants should only be collected from areas unaffected by lead pollution.

Praiseach mhín

Spear-leaved orache

Atriplex prostrata (L.) Boucher ex DC.—Chenopodiaceae

Luibh bhliantúil streachlánach, beagán miniúil, a fhásann ar chladaigh, in áiteanna gan tairbhe, ar ithir shuaite feadh an chósta agus in áiteanna oscailte, in ithir thais nó thirim ná fuil searbh, ar leibhéal na farraige.

Gas: Streachlánach, go hannamh díreach; go minic le stríocaí glas agus bán nó glas agus dearg.

Duilleog: Triantánach nó sleách, ar choisín fada; gan aon chúngú ag a mbun.

Bláth: Iúil–Meán Fómhair; beag, glas, i bpanacal fada éadlúth; duilleogach go minic; moinéiciach; bláthanna pistileacha gan pheirianta ach le dhá bhraichtín triantánacha táite ag a mbun, ag clúdach an ubhagáin agus an toraidh; dhá stíl; ubhagán uachtarach aoncheallach; bláth staimíneach le peirianta cúigmhaothánach; cúig staimín; pailniú feithide agus féinphailniú.

Bláthanna / Flowers

Toradh: Cnó bídeach; faithní ar bhraichtín an toraidh.

D'úsáidtí an planda seo mar ghlasra: is féidir é a ithe beirithe cosúil le *Chenopodium album.* Tá a lán vitimíne C ann, ach toisc gur purgóid lag é is fearr gan an iomarca a ithe in éinfeacht.

Tá planda cosúil leis seo, *A. glabriuscula* (eilifleog chladaigh), coitianta i gCorca Dhuibhne freisin.

A spreading, slightly mealy annual, found on seashores, in waste places, on disturbed ground in coastal areas and in open situations on moist or dry, not acid, soil, at sea level.

Stem: Spreading, rarely erect; often striped green and white or red and white.

Leaf: Triangular or hastate, long-stalked; not tapered at the base.

Flower: July–September; small, green, in a long loose panicle; monoecious; perianth absent in female (pistillate) flowers; two triangular bracteoles, fused at the base, enclosing ovary and fruit; two styles; superior ovary, one-celled; male (staminate) flowers have five perianth segments, five stamens; insect or self-pollinated.

Fruit: A small nut enclosed by warty bracteoles.

The plant has a history of use as "greens": it can be eaten boiled in the same way as *Chenopodium album.* It has a high vitamin C content, but as it is also a mild laxative it is best not to eat too much of it at one time.

A. glabriuscula, Babington's orache, also occurs.

Blide mara

Suaeda maritima (L.) Dumort—Chenopodiaceae

Luibh bheag bhliantúil, díreach nó sínte, glas le scáil dhearg, a fhásann go flúirseach ar chladaigh ghainmheacha nó scaineagáin agus ar riasca sáile, in ithir ghoirt dhea-thaoscaithe, ar leibhéal na farraige, de ghnáth síos ó leibhéal bharra taoide.

Gas: Sínte nó díreach, anghéagach.

Duilleoga: An-chuid duilleog beag ailtéarnach; simplí, maol, gan stípeog; líneach, leathshorcóireach, feolmhar; glasghorm, le scáil ghlasbhán nó dhearg.

Bláth: Iúil–Lúnasa; bídeach, glas, gan chos, i gcnuasaigh ascallacha; déghnéasach agus aonghnéasach, baineann; cúig sheipeal fheolmhara; gan phiotail; ubhagán uachtarach le dhá stíl; cúig staimín; pailniú gaoithe agus féinphailniú.

Toradh: Cnó beag clúdaithe go hiomlán ag an gcailís.

Is fíorhailifít an planda seo: clúdaíonn an taoide dhá uair so ló é, agus is cosúil go dteastaíonn an sáile uaidh. Tá duilleoga feolmhara aige mar sheift chun uisce a choimeád; dá bhrí sin is féidir leis cur suas le goirteamas na gnáthóige, leis an dtriomacht agus leis an dteas nuair a bhíonn an taoide amuigh. Ceann de na plandaí cladaigh é a dhóití chun luaithreach a dhéanamh ina raibh foirm eisíon de charbónáit sóidiam (sóid níocháin) ar a dtugtar luaith shóide. D'úsáidtí seo i ndéantús gallúnaí agus i ndéantús saghas gloine garbh tráth.

Sea blite

A small erect or prostrate annual, green tinged with red, common on sandy and shingly seashores and salt marshes, in well-drained, saline soil, at sea level, usually below the high water mark.

Stem: Prostrate or erect, numerous branches

Leaf: Many small, alternate leaves; simple, blunt, without stipules; linear, half-cylindrical, fleshy; glaucous with a pale green or reddish tinge.

Flower: July–August, minute, green, sessile, in axillary clusters; hermaphrodite and unisexual, female; five sepals, fleshy; petals absent; superior ovary, with two styles; wind or self-pollinated.

Fruit: A small nut completely enclosed in the calyx.

This plant is a true halophyte (salt-lover), which is covered by the tide twice a day. The fleshy leaves enable it to combat conditions of dryness and salinity, by conserving water. It used to be burned to produce an ash containing an impure form of sodium carbonate (washing soda) called soda ash. This was used to make soap and also at one time to make a crude form of glass.

Lus an tsalainn

Salsola kali L.—Chenopodiaceae

Luibh íseal bhliantúil, sínte, deilgneach, glasghorm; anseo is ansiúd ar ghaineamh bhéal toinne ar imeall bharra taoide.

Gas: Sínte, an-ghéagach, uaireanta le clúmh, go minic le stríocaí bándearga.

Duilleog: Beag, feolmhar, glasghorm, biorach le dealg ghéar; na cinn is ísle leathshorcóireach, na cinn is uachtaraí níos giorra, lioctha, triantánach.

Bláth: Iúil–Lúnasa; bídeach, glas, gan chos, i gcnuasaigh ascallacha; déghnéasach; cúig sheipeal, beagáinín feolmhar; gan phiotail; ubhagán uachtarach le dhá stíl; cúig staimín; pailniú gaoithe.

Toradh: Cnó beag clúdaithe leis an gcailís, a dheineann sciathán scannánach.

Seo planda eile acu siúd a dhóití chun luaith shóide a dhéanamh le húsáid i ndéantús gallúnaí. Bhíodh an bhuac a dheintí as loiscneach agus d'ardódh sé an craiceann d'aon pháirt den gcolainn. Mheasctaí le cógaisí eile é chun seanghearba agus lobhra a bhaint agus an craiceann a ghlanadh.

Deirtear go scaipfeadh deoch den súlach duairceas, go spreagfadh sé fual (go maith ar thinneas uisce), agus go ruaigfeadh sé an mharbhghin.

Bláthanna / Flowers

Saltwort

A low, prostrate, prickly, glaucous annual, occasional on sandy shores along the drift line.

Stem: Prostrate, much-branched, sometimes hairy, often pink-striped.

Leaf: Small, fleshy, glaucous, ending in a sharp prickle; lower leaves semi-cylindrical, upper ones shorter, flattened, triangular.

Flower: July–August; minute, green, sessile, in axillary clusters; hermaphrodite; five sepals, somewhat fleshy; petals absent; superior ovary, with two styles; wind-pollinated.

Fruit: A small nut enclosed in the calyx, which develops a membranous wing.

This was another of the plants burned to make soda ash, used in the manufacture of soap. It was very caustic and would lift the skin from any part of the body. Mixed with other ingredients it was used to remove old scabs and leprosy lesions and to cleanse the skin.

A drink made from the juice was taken to lift depression, to provoke urine, or to expel the stillborn.

Lus na gainimhe

Honkenya peploides (L.) Ehrh.—Caryophyllaceae

Luibh an-íseal (10–150 mm), sínte, reatha, ilbhliantúil; deineann sé ceanndumhaigh bhídeacha i ngaineamh nó i ngrean ar thránna agus ar chladaigh, feadh an chósta in áiteanna oscailte goirte ná fuil searbh, ar leibhéal na farraige, báite sa tsáile ó am go chéile.

Gas: Stólain.

Duilleoga: Feolmhar, biorach, ubhchruthach, *c.* 12 mm ar fad, buíghlas; i gceithre rang.

Bláth: Bealtaine–Iúil; glas éadrom nó bán, 8–10 mm trastomhas, rialta, i gcímí; corrcheann déghnéasach, a bhformhór dé-éiciach; fireann: cúig sheipeal, cúig phiotal ar comhfhad leis na seipil; deich staimín; baineann: cúig sheipeal, gan phiotail, ubhagán uachtarach aoncheallach; pailniú gaoithe, gaineamh shéidte, feithide, nó féinphailniú.

Toradh: Capsúl mór suntasach cruinneogach a osclaíonn le sé fhiacail; cúpla síol mór.

Bláthanna / Flowers

Tá duilleoga súmhara ag an bplanda seo chun uisce a chur i dtaisce, d'fhonn an planda a choimeád fionnuar ar an ngainimh nó ar an ngrean te i rith an tsamhraidh. Tá sainteas ard ag uisce: téann sé go mall, agus tógann sé a lán fuinnimh chun é a ghalú. Ní féidir leis an bplanda coimeád fionnuar trí thrasghalú uisce (mar a dheineann an gnáthphlanda) toisc go bhfuil sé an-deacair uisce a sholáthar in ithir ghoirt in aghaidh osmóise.

Sea sandwort

A very low (10–150 mm), prostrate, creeping perennial, forming tiny fore-dunes in sand and shingle on sandy and gravelly seashores, in open, non-acid saline conditions, at sea level, often totally submerged in seawater.

Stem: Stolons.

Leaf: Fleshy, pointed, oval, *c.* 12 mm long, yellowish-green, four-ranked.

Flower: May–July; pale green or white, 8–10 mm diameter, regular, in cymes; a few hermaphrodite, mostly dioecious; male: five sepals, five petals, as long as the sepals; ten stamens; female: five sepals, petals absent, superior ovary, one-celled, three to five short styles; wind, windblown sand, insect and self-pollination.

Fruit: A large, conspicuous globular capsule, opening by six teeth; a few large seeds.

The plant's leaves store water to prevent it from overheating in the summer. Water heats slowly and requires a large amount of energy for evaporation, but the plant cannot afford to cool its leaves by losing water vapour, as it is very difficult to obtain water in a saline environment because of the effect of osmosis.

Fuilig

Stellaria media (L.) Vill.—Caryophyllaceae

Luibh íseal streachlánach lom bhliantúil, flúirseach in áiteanna oscailte, i dtalamh rómhartha, i bhfásaigh agus ar imeall coille, in ithir shuaite úr, searbh nó cailcreach, ó leibhéal na farraige go 950 m.

Gas: Streachlánach, lom, ach dhá líne ingearacha clúimh ag rith le fad an ghais.

Duilleog: Ubhchruthach, glas éadrom, ciúis garbh, i bpéirí urchomhaireacha; cosa ar na duilleoga íochtair.

Bláth: Eanáir–Nollaig (.i. ar feadh na bliana); bídeach (go 5 mm), le bracht; cúig sheipeal; cúig phiotal, eagaithe go bun, bán, níos giorra ná na seipil; déghnéasach; idir trí agus cúig staimín; trí stíl; ubhagán uachtarach aoncheallach; pailniú feithide nó féinphailniú.

Toradh: Capsúl ubhchruthach a scoilteann i sé chuid; 5–6 mm ar fad; an-chuid síolta duánacha garbha.

Fanann an síol suanach ar feadh na mblianta nó go nochtar don solas é. Líonann ithir shuaite d'fhuilig.

D'ití fuilig tráth mar ghlasra, agus itheann daoine a bhíonn ar thóir glasraí fiáine fós í, amh nó beirbhthe san uisce a fhanann uirthi tar éis í a ní agus blúire ime léi.

Is mar luibh leighis is mó a d'úsáidtí in Éirinn í. D'úsáidtí mar cheirí í chun faoiseamh a thabhairt do at, athlasadh agus leonadh: "Beirbhítí an fuilig agus é bhriseadh go mion agus é mheascadh le huachtar ina chéirí nó phlástar agus é chur isteach leis an áit thinn" (SCC, lch 80). Deirtear go bhfuil salainn photaisiam inti, a úsáidtear mar leigheas ar dhaitheacha. Thugtaí freisin do chearca agus d'éanlaith cáis a bheadh sa chleitigh í.

Chickweed

A low, glabrous, straggling annual, abundant in open sites in tilled ground, waste places and woodland edges in moist, disturbed, acid or calcareous soil, from sea level to 950 m.

Stem: Straggling, glabrous except for two vertical lines of fine hairs on the stem.

Leaf: Oval, pale green, rough margins, in opposite pairs; lower leaves stalked.

Flower: All year; tiny (up to 5 mm), with bracts; five sepals; five petals, notched to base, white, shorter than sepals; hermaphrodite; three to five stamens; three styles, superior ovary, one-celled; insect or self-pollinated.

Fruit: An egg-shaped capsule that splits into six portions, 5–6 mm long; numerous rough, kidney-shaped seeds.

Chickweed was eaten at one time as a vegetable and is still highly esteemed by those who search out wild greens. It can be eaten raw or boiled.

It is as a medicinal plant that it is best known. It was used as a poultice to relieve inflammation and sprains; it is said to contain potassium salts, used to treat rheumatism. It was also given to moulting fowl and cage birds.

Tursainín mhór

Stellaria holostea L.—Caryophyllaceae

Luibh lag ach díreach in airde, lom, liathghlas, il-bhliantúil; anseo is ansiúd i bhfálta agus i mothair, ó leibhéal na farraige go 230 m. Duilleoga suas le 50 mm ar fad; brachtanna móra, na cinn in íochtar cosúil le duilleoga; bláth: Bealtaine–Meitheamh; 15–20 mm tras-tomhas; piotail i bhfad níos mó ná na seipil, eagaí leath-bhealaigh, maotháin leathana. Chreidtí go raibh leigheas ar an ngreim ann agus go raibh sé go maith chun daitheacha.

Greater stitchwort

A weak but upright perennial herb, glabrous and glaucous; occasional in hedges and thickets, from sea level to 230 m. Leaves up to 50 mm long, bracts large, the lower ones leaflike; flower: May–June; 15–20 mm diameter; petals much longer than sepals, divided half way, lobes broad.

Tursainín

Stellaria graminea L.—Caryophyllaceae

Luibh lag streachlánach lom ilbhliantúil, flúirseach i bhféaraigh, i gcoillte agus i mothair, ó leibhéal na farraige go 400 m. Gas agus duilleoga gan a bheith liath-ghorm; formhór na mbracht-anna sreabhnach; bláth: Meitheamh–Lúnasa, iliomad, 12 mm trastomhas; na piotail beagán níos mó ná na seipil, scoilte beagnach go dtí a mbun, na maotháin caol.

Lesser stitchwort

A weak, straggling, glabrous perennial, abundant in grass-land, woodland and scrubland, from sea level to 400 m. Stem and leaves not glauc-ous, bracts mainly membranous; flower: June–August, numer-ous, 12 mm diameter; petals little longer than sepals, divided nearly to the base; lobes narrow.

Cluas liath

Cerastium fontanum Baumg

Luibh íseal ilbhliantúil, clúmhach gan bheith greamaitheach; go flúirseach i bhféaraigh agus i bhfásaigh, in áiteanna oscailte, ó leibhéal na farraige go 953 m. Duilleoga ubhchruthacha gan chos; bláth: Aibreán–Deireadh Fómhair; 8–10 mm trastomhas; piotail scoilte, níos mó ná na seipil; toradh níos mó ná na seipil.

Common mouse-ear chickweed

Low perennial, hairy but not sticky, abundant in pastures and waste places, in open positions, from sea level to 953 m. Leaves: ovate, sessile; flower: April–October; 8–10 mm diameter; petals notched, longer than the sepals; fruit longer than the sepals.

Mongán sínte

Sagina procumbens L.—Caryophyllaceae

Luibh an-íseal, sínte, lom, ilbhliantúil; flúirseach ar chosáin, ar pháilí, ar chlathacha idir chlocha agus in áiteanna gan scáth, ó leibhéal na farraige go 950 m. Duilleoga beaga caola le bior géar; bláth: Meitheamh–Meán Fómhair; bídeach, le ceithre sheipeal agus ceithre phiotal, nó gan phiotail; toradh: capsúl.

Procumbent pearlwort

A prostrate, trailing, glabrous perennial, widespread on paths and flagstones, between stones and in open situations, from sea level to 950 m. Leaves: small, narrow, sharp-pointed; flower: May–September; tiny, with four sepals and petals, or without petals; fruit: a capsule.

Corrán lín

§§*Spergula arvensis* L.—Caryophyllaceae

Luibh bhliantúil, streachlánach, an-ghéagach, 150–350 mm ar airde; lom nó clúmhach, faireogach; go forleathan in áiteanna suaite gan scáth, i mbéal bearnan agus i dtalamh rómhartha, ó leibhéal na farraige go 300 m. Duilleog chúng súmhar, in dhá chnuasach ag gach nód, uaireanta cosúil le fáinne d'ocht; bláth: Bealtaine– Lúnasa; bán, 10 mm trastomhas, oscailte ar maidin amháin.

Corn spurrey

A straggling, much-branched annual, 150–350 mm, glabrous or downy and glandular, widespread in disturbed open areas, muddy gaps and tilled fields, from sea level to 300 m. Leaf: narrow and fleshy, arranged in two clusters at each node to form an apparent whorl of about eight; flower: May–August; white, 10 mm diameter, open morning only.

Corrán mara

Spergularia rupicola Lebel ex Le Jolis—Caryophyllaceae

Luibh íseal chlúmhach cheangailteach ilbhliantúil, go forleathan ar charraigeacha cois farraige in áiteanna gan scáth, ar leibhéal na farraige feadh an chósta. Duilleoga gearra caola ramhra, i bhfáinní; bláth: Meitheamh–Meán Fómhair; bándearg go corcra, 12–15 mm trastomhas; síolta gan sciathán sreabhnach.

Rock sea spurrey

A low, stickily hairy perennial, widespread on maritime rocks in open situations; leaves: short, fleshy, in whorls; flower: June–September; pinkish to mauve, 12–15 mm diameter; seeds without membranous wing.

Corrán mara mór

Spergularia media (L.) C. Presl.—
Caryophyllaceae

Luibh íseal, leata amach, lom, ilbhliantúil; coitianta feadh an chósta, ar riasca sáile agus ar thránna pludaigh nó gainimhe, in ithir thais ghoirt. Duilleoga caola maola súmhara, i bhfáinní ag na nóid; bláth: Meitheamh–Meán Fómhair; bándearg le lár bán, 8–12 mm trastomhas; síolta le sciathán sreabhnach.

Greater sea spurrey

A low, spreading, glabrous perennial, frequent on the coast, in salt marshes and on muddy and sandy shores, in damp, salty conditions. Leaves: narrow, blunt, fleshy, in whorls at the nodes; flower: June–September; pink with white centre, 8–12 mm diameter; seeds with membranous wing.

Luibh na duimhche

Arenaria serphyllifolia L.—
Caryophyllaceae

Luibh íseal thomach bhliantúil, lom nó clúmhach, go flúirseach ar dhumhcha agus ar fhéaraigh gainimhe, i gcreagaigh, i bhfallaí agus i bhfálta, ó leibhéal na farraige go 200 m. Deineann sé coilíniú ar thalamh lom sna dumhcha; ní maith le coiníní ná le caoirigh an blas, agus fágann siad ina ndiaidh é. Duilleog bheag ubhchruthach, gan chos, i bpéirí urchomhaireacha; bláth: Bealtaine–Lúnasa; bán, 5–6 mm trastomhas; piotail slán, níos giorra ná na seipil; toradh: capsúl ubhchruthach le han-chuid síol dubh garbh duánach.

Thyme-leaved sandwort

A low, bushy annual, glabrous or downy, common on sand-dunes, sandy and stony places, walls and cliffs, from sea level to 200 m. It colonises bare ground and is not palatable to sheep or rabbits, which avoid it. Leaves: small, oval, sessile, in opposite pairs; flower: May–August; white, 5–6 mm diameter; petals entire, shorter than sepals; fruit: a capsule; many rough black seeds.

Plúr na cuaiche

Lychnis flos-cuculi L.—Caryophyllaceae

Luibh cuibheasach ard (0.3–1 m), clúmhach, ilbhliantúil, go flúirseach i gcorraithe agus i mbánta taise, in áiteanna gan scáth nó faoi scáth leath-throm, in ithir fhliuch ná fuil searbh, ó leibhéal na farraige go 450 m.

Gas: Simplí, díreach in airde, lag.

Duilleog: Líneach-lansach, i bpéirí urchomhaireacha; cos faoi na cinn íochtaracha.

Bláth: Bealtaine–Iúil; bán-dearg trom, rialta, ceann faoi; i gcímí éadlútha; cailís fheadánach, ata faoi thoradh; cúig phiotal ghiobalacha; déghnéasach; deich staimín; idir trí agus cúig stíl; ubhagán uachtarach aoncheallach; pailniú feithide.

Toradh: Capsúl cúig-fhiaclach; lúbann na fiacla siar chun na síolta a chaitheamh amach.

Bláth / Flower

Maireann leamhain an choireáin go hiomlán ar phlúr na cuaiche agus ar an bpúr faille. Faigheann siad bia iontu, beirid a gcuid ubh iontu, agus maireann na cruimheanna ar na síolta.

Deirtear gur bronnadh an gnáthainm air toisc é bheith faoi bhláth tráth a bhíonn an chuach ag cantain. Chreidtí go leanfadh mí-ádh é a bhaint agus a thabhairt isteach i dtigh.

"Lus síoda" ainm eile air.

Ragged robin

A medium-tall (0.3–1 m), slightly hairy perennial, common in marshes and wet meadows and wet scrub, in the open or in light shade, in wet non-acid soil, from sea level to 450 m.

Stem: Simple, erect, weak.

Leaf: Linear-lanceolate, in opposite pairs; lower leaves stalked.

Flower: May–July; regular, deep pink, drooping; in loose cymes; calyx tubular, swollen in fruit; five petals, ragged; hermaphrodite; ten stamens; three to five styles; superior ovary, one-celled; insect-pollinated.

Fruit: A five-toothed capsule; the teeth curl back to eject the seeds.

The campion moths are wholly dependent on the seeds of campions and ragged robins as a source of food for both adults and larvae.

It is said to get its other common name of cuckoo flower because it is in flower when the cuckoo is calling. It was considered unlucky to pick the flowers and take them indoors: thunder might follow.

Púr faille

Silene vulgaris subsp. *maritima* (With.) A. & D. Löve.—Caryophyllaceae

Luibh ilbhliantúil íseal (50–300 mm); glasghorm, uaireanta clúmhach, go flúirseach ar ghrean, ar fhaillte feadh an chósta agus ar ghairbhéal sléibhe, in áiteanna oscailte, in ithir úr nó thirim, ó leibhéal na farraige go 100 m agus arís ó 250 go 1,000 m.

Gas: Díreach in airde; géagach, lag.

Duilleog: I bpéirí urchomhaireacha; fada, caol, gormghlas.

Bláth: Meitheamh–Lúnasa; i gcímí le dhá nó trí bhláth bhána, 15–20 mm ar trastomhas; brachtanna duilleogacha; cailís fheadánach chúigfhiaclach, scannánach, lom, séidte, le féitheanna dearga; cúig phiotal le heangaí doimhne; de ghnáth déghnéasach; deich staimín; stíl amháin; ubhagán uachtarach aoncheallach; pailniú feithide. Éiríonn an bhláth cumhra le titim na hoíche, rud a mheallann

Bláth / Flower

leamhain agus feithidí chuige agus a chinntíonn crosphailniú.

Toradh: Capsúl sorcóireach cúigfhiaclach i bhfolach sa chailís.

D'úsáidtí urbhruith den luibh chun rith fola agus galair fhuail do leigheas agus chun seanchneácha agus othrais a ghlanadh agus a chneasú. Dheintí deoch den síol ar fhíon chun cealg nó snap nimhe do leigheas, agus chun ciotrúntacht agus drochghiúmar a scaipeadh.

Sea campion

A low-growing (50–300 mm) perennial, glaucous, sometimes downy, frequent on coastal cliffs and shingle, also on gravelly mountain soils, in open, moist or dry positions, from sea level to 100 m and again from 250 to 1,000 m.

Stem: Erect, highly branched, weak.

Leaf: In opposite pairs; linear, narrow, glaucous.

Flower: June–August; in two to three-flowered cymes; regular, white, 15–20 mm diameter; leafy bracts; calyx tubular, five-toothed, membranous, glabrous, inflated, red-veined; five petals, deeply notched; usually hermaphrodite; ten stamens; one style; superior ovary, one-celled; insect-pollinated. The flowers become scented at dusk and attract night-flying moths and insects, ensuring cross-pollination.

Fruit: A cylindrical five-toothed capsule hidden in the calyx.

A decoction of the plant in wine was used to stop bleeding, to treat urinary infections and kidney stones, and to heal sores and ulcers. A drink made of the seed in wine was used as an antidote against stings, bites, and bad humour.

Garbhán creagach

*Saponaria officinalis L.—Caryophyllaceae

Luibh lom leath-ard (400–700 mm) ilbhliantúil, éalaithe ó shaothrú, forleathan cois bóthair, cois abhann agus bailte, i bhfálta agus ar imeall coillte, in áiteanna gan scáth nó faoi bheagán scátha, in ithir thais nó úr ná fuil searbh, ó leibhéal na farraige go 100 m.

Gas: Gas bláfar ag fás in airde ó riosóm ramhar; bíonn stólain aige freisin.

Duilleoga: I bpéirí urchomhaireacha; ubhchruthach, slán, 50–100 mm ar fad; le trí fhéith shuntasacha.

Bláth: Lúnasa–Meán Fómhair; bláthanna dúbailte, bándearg, an-chumhra; cailís fheadánach, cúigfhiaclach; cúig phiotal slán; déghnéasach; deich staimín; dhá stíl; ubhagán uachtarach, aoncheallach; pailniú feithide.

Toradh: Capsúl aoncheallach cúigfhiaclach.

De bharr gallúinin a bheith ann, is féidir saghas gallúnaí a fháil as an bplanda. Brúitear na duilleoga agus suaitear in uisce te iad, agus tugaid an-shobal go furaist. Bogann seo gach saghas salachair, gréis agus íle san áireamh, agus glanann go maith.

D'úsáidtí mar luibh leighis é ar ghalair chléibhe: spreagann sé tál na bhfaireog sa chóras análaithe, brostaíonn sé seiliú (ainm eile air is ea an "lus uchta"), agus bogann an scailp. Ní mór bheith cúramach, áfach, mar nimh is ea an gallúinin atá ann. Chuirfeadh an iomad de duine ag urlacan. D'úsáidtí an súlach ramhraithe (trí bheiriú) in aghaidh galair collaí.

Soapwort

A medium-tall (400–700 mm), glabrous perennial, an escape from cultivation, widespread on banks and riversides, in hedges and woodland edges in open or lightly shaded sites, on damp or moist non-acid soil, from sea level to 100 m.

Stem: Flowering stem erect from a thick rhizome; also produces stolons.

Leaf: In opposite pairs; oval, entire, 50–100 mm long; with three conspicuous veins.

Flower: August–September; double pink, very fragrant flowers; calyx tubular, five-toothed; five petals, entire; hermaphrodite; ten stamens; two styles; superior ovary, one-celled; insect-pollinated.

Fruit: A one-celled capsule, opening by five teeth.

Because the plant contains saponin, a type of soap can be produced from it. The leaves are bruised (crushed) and agitated in hot water to form a lather.

It had medicinal use for chest illnesses, and acted as an expectorant. Saponin is poisonous, however, and large doses can cause vomiting.

Duilleog bháite bhán

Nymphaea alba L.—Nymphaceae

Luibh ilbhliantúil uisce, le duilleoga agus bláthanna ar snámh, a fhásann i bhfíoruisce, na préamha sa láib ar ghrinneall loch, lochán agus abhann mall, in áiteanna gan scáth ó leibhéal na farraige go 220 m.

Gas: Riosóm téagartha faoin ngrinneall; fásann préamha feolmhara agus duilleoga fadchosacha as.

Duilleog: Mór, cruinn, 100–300 mm trastomhas, le cos an-fhada, iad go léir ar snámh ar dhromchla an uisce; dúghlas, gléasta in uachtar, scáil dhearg in íochtar go minic.

Bláth: Bealtaine–Iúil; bán, cumhra, 100–120 mm ar trastomhas, ar snámh; peirianta le hiliomad deighleog (15–25); deighleoga seachtaracha glasdonn ar a n-íochtar; déghnéasach: iliomad staimíní; iliomad cairpéal múchta sa ghabhdán; ubhagán íochtarach, ilcheallach; pailniú feithide agus féinphailniú.

Toradh: Cochall múscánta ubhchruthach, 16–40 mm trastomhas, le hiliomad síol; atann gumalacht chun é a scoilteadh faoi uisce; sraith aeir teanntaithe sa síolchóta chun na síolta a choimeád ar snámh. Osclaíonn an bhláth le lóchtaint an lae agus dúnann arís um thráthnóna. Tumann fé loch ar dhul fé na gréine, agus fanann amhlaidh go maidin.

D'ití na riosóim mar shócamais tráth, agus itear fós iad in áiteanna i dtuaisceart na hEorpa. D'úllmhaítí íle agus urbhruith den bplanda chun máchail craicinn, dó gréine agus breoiteacht mná do leigheas. D'úsáidtí na duilleoga ar chneá nó ghearradh, angadh agus ioscóidí. Dheintí urbhruith den bpréamh chun mianta nó taomanna drúise (an teidhe) a mhaolú.

Bláth / Flower

White water-lily

An aquatic perennial with floating leaves and flowers, rooted in mud at the bottom of lakes, ponds and slow rivers, in unshaded positions, common in the west, from sea level to 220 m.

Stem: A stout rhizome anchored at the bottom, from which fleshy roots and long-stalked leaves arise.

Leaf: Large, round, 100–300 mm diameter, very long-stalked; all floating; upper surface dark green, glossy lower surface often tinged with red.

Flower: May–July; white, scented, 100–120 mm diameter, floating; perianth contains numerous segments (15–25); outer segments with greenish-brown undersurface; hermaphrodite; numerous stamens; numerous carpels, sunk in receptacle; ovary partially inferior, many-celled; insect or self-pollinated.

Fruit: A spongy capsule, 16–40 mm diameter; egg-shaped, many-seeded; swelling mucilage causes it to split under water; the seeds are kept afloat by a layer of air in the seed-coat.

The fleshy rhizome was eaten as a delicacy and is still eaten in parts of northern Europe.

Lus buí Bealtaine

Caltha palustris L.—Ranunculaceae

Luibh ilbhliantúil lom leathard (150–500 mm), coitianta i móinte fliucha, i gcorraithe, ar bhruacha abhann, agus i gcoillte fliucha, in ithir thais nó fhliuch, gan a bheith searbh, in áiteanna oscailte, ó leibhéal na farraige go 180 m.

Gas: Gas bláfar folamh, suas go 500 mm ar airde, ag éirí in airde ó riosóm.

Duilleog: Cruinn, triantánach nó duánach, cíorach, le cos fhada; dúghlas, gléasta, feolmhar; a bhformhór i dtortóg bhunaidh.

Bláth: Márta–Meitheamh; glébhuí, 50 mm trastomhas; cúig sheipeal mhóra buí, cosúil le piotail; gan phiotail; déghnéasach; iliomad staimíní; iliomad cairpéal; pailniú feithide.

Toradh: Idir cúig agus deich bhfalacail, *c.* 10 mm ar fad, le han-chuid síolta.

Deirtí go raibh leigheas ar fhaithní ann, ach gabhann an ghreadadh leis. Tá an nimh ranúncailin ann: is beag leigheas eile a bhaintí as. Bhaintí ruaim bhuí as an mbláth.

D'úsáidtí Lá Bealtaine é chun daoine, ainmhithe, tithe agus toradh na feirme a chosaint ar dhroch-spioraideanna agus droch-rath.

Falacail / Follicle

Marsh marigold

A medium-tall, glabrous perennial, common on wet pastures, marshes, riverbanks and in damp woods, in open areas on damp to wet non-acid soil, from sea level to 180 m.

Stem: Flowering stem, erect, thick, hollow, up to 500 mm tall, arising from a rhizome.

Leaf: Round, triangular or kidney-shaped, toothed, long-stalked; dark green, shiny, fleshy; mostly in a basal tuft.

Flower: March–May; bright yellow, 50 mm diameter; five petaloid sepals; petals absent; hermaphrodite; numerous stamens; numerous carpels; insect-pollination.

Fruit: Five to ten follicles, 10 mm long, many-seeded.

The plant is a supposed cure for warts but is highly irritant. It contains the poison ranunculin, making medicinal use inadvisable. A yellow dye was produced from the flower.

It was used on May Day to protect houses, people, cattle and farm produce from evil and evil spirits.

Fearbán reatha

Ranunculus repens L.—Ranunculaceae

Luibh ilbhliantúil, lom nó giobach, 200–400 mm ar airde, flúirseach i bpáirceanna taise, ar chiumhais an bhóthair, i ndíogacha, i gcoillte agus i gcré lom, in áiteanna oscailte in ithir throm, tais nó fliuch, ná fuil searbh, ó leibhéal na farraige go 800 m.

Gais: Gais reatha fada a fhásann an-tapaidh, ag cur síos préamha snáithíneacha; gas bláfar ag seasamh in airde.

Duilleog: Imlíne triantánach le trí mhaothán gharbha fhiaclacha, cos faoi gach maothán.

Bláth: Bealtaine–Lúnasa; glébhuí, 20–30 mm trastomhas; bláthchoisín min nó le riastaí; cúig sheipeal buailte suas leis na piotail; cúig phiotal; iliomad staimíní; iliomad cairpéal; pailniú feithide.

Toradh: Cnuasach aicéiní.

Péacann an síol trí ráithe den mbliain: earrach, samhradh, agus fómhar. Mar sin, scaipeann an planda antapaidh. Scaipeann sé go mear freisin trí fhás na ngas reatha. Seachnaíonn stoc é toisc nimh a bheith ann, ach itheann siad gach aon rud eile timpeall air. Fágann sin ná bíonn aon rud i gcomórtas leis chun solais, uisce, ná mianraí, rud a chuireann go mór lena ráta fáis. Nuair a threabhtar an talamh deintear píosaí beaga de na gais reatha, rud a dheineann na céadta plandaí nua as gach seancheann. Mar sin, seo ceann des na fiaile is deacra a ruaigeadh.

Creeping buttercup

A glabrous or hairy perennial, 200–400 mm tall, abundant in wet meadows, roadsides, ditches and woods and on bare ground, in open areas, on damp to wet nonacid soil, from sea level to 800 m.

Stem: Long, fast-growing, creeping and rooting, sending up erect flowering stems.

Leaf: Triangular in outline, with three stalked, coarsely toothed lobes.

Flower: May–August; bright yellow, 20–30 mm diameter; flower-stalks smooth or furrowed; five sepals pressed against the petals; five petals; hermaphrodite; numerous stamens; numerous carpels; insect-pollination.

Fruit: A cluster of achenes.

The plant spreads rapidly by seeds, which germinate most of the year, and also by means of fast-growing, rooting stolons. Cattle find it unpalatable and avoid it; they crop the grass and other plants around it, leaving it with no competitors for light, water, and minerals. It grows rapidly under such conditions. Digging breaks the stolons into pieces, each capable of developing into a new plant.

Fearbán feoir

Ranunculus acris L.—Ranunculaceae

Luibh chlúmhach ilbhliantúil, suas le 700 mm ar airde, flúirseach i mbánta, idir charraigeacha agus cois abhann in ithir thais nó úr in áiteanna oscailte nó ar bheagán scátha, ó leibhéal na farraige go 900 m.

Gas: Gas ard díreach, folamh ina bhonn.

Duilleog: Imlíne chiorcalach, deighilte go domhain i gcúig go seacht maothán chíoracha, gan chosa; duilleoga uachtaracha le cúpla maothán slán caol.

Bláth: Bealtaine–Lúnasa; glébhuí, 15–25 mm trastomhas, ar bhláthchoisín mhín; cúig sheipeal ghlasbhuí, clúmhach, sáite suas leis na piotail; cúig phiotal bhuí; déghnéasach; iliomad staimíní; iliomad cairpéal; pailniú feithide.

Toradh: Cnuasach aicéiní

Bláth / Flower

míne le crúca beag ina mbarr.

Tá súlach searbh ins gach aon chuid den bplanda seo a chuirfeadh cloig ar an gcraiceann. Chuirtí céirí de na duilleoga brúite le gríos, gearba, nó faithní. Chuirtí na préamha brúite faoin srón chun duine a chur ag sraothartaigh—chun uisce a ghlanadh den gceann. Ceapadh go gcuirfeadh boladh na mbláth neamhmheabhaire ar dhuine.

Meadow buttercup

A tall, hairy perennial (up to 700 mm), abundant in pastures, meadows, rocky places and streamsides, in open or lightly shaded positions in moist soil, from sea level to 900 m.

Stem: Erect, with hollow base.

Leaf: Circular in outline; deeply divided into five to seven sessile, toothed lobes; upper leaves with narrow, entire lobes.

Flower: May–August; bright yellow, 15–25 mm diameter, on a hairy flower-stalk; five sepals, greenish-yellow, hairy, pressed against the petals; five petals; hermaphrodite; numerous stamens; numerous carpels; insect-pollinated.

Fruit: A cluster of achenes in a globular head, smooth, beaked.

All parts of the plant contain a highly irritant juice. This was used as a rubifacient, placed on the skin to raise blisters and draw out disease. A poultice made from crushed leaves was applied to rashes, scabs, and warts, and the crushed roots were held under the nose to induce sneezing and clear the head. It was believed that the scent of the flower could cause madness.

Tuille talún

Ranunculus bulbosus L.—Ranunculaceae

Luibh íseal (200–400 mm) ilbhliantúil chlúmhach, coitianta i ndumhcha, ar bhainc gairbhéil agus i bpáirceanna tirime, in áiteanna oscailte ar ithir thirim ná fuil searbh, ó leibhéal na farraige go 100 m.

Gas: clúmhach, le bonn ata. Níl aon ghais reatha ann.

Duilleog: Imlíne triantánach; trí mhaothán an-chosúil le *R. repens* ach iad bheith níos míne agus níos deighilte, le cos fén maothán sa lár; dreonn siad níos túisce.

Bláth: Aibreán–Meitheamh; glébhuí, 20–25 mm trastomhas, ar bhláthchoisín le riastaí; cúig sheipeal ghlasbhuí, iompaithe síos; cúig phiotal; déghnéasach; iliomad staimíní; iliomad cairpéal; pailniú feithide.

Toradh: Cnuasach aicéiní míne.

Maireann an bonnstoc ata sa gheimhreadh; chítear préacháin dubha ag tochailt mórthimpeall orthu, mar bhíonn cruimheanna (cnathacha) ag maireachtaint ar na préamha. Cosúil le baill eile an ghéinis, tá súlach nimhneach greannaitheach i ngach cuid den bplanda seo. Is annamh a tharlaíonn nimhiú sa duine dá bharr, ach uaireanta itheann páistí na bonnstoic ata tré dhearmad. Tá baol ann go n-íosfadh stoc é dá gcuirtí fiailnimh roghnach áirithe air mar go milsíonn siad so an luibh sara maraíonn siad é.

Bulbous buttercup

A short (200–400 mm), downy perennial, frequent in sand dunes, gravel banks and dry fields, in open positions on dry, non-acid soils, from sea level to 100 m.

Stem: Downy; swollen at the base; without stolons.

Leaf: Triangular in outline; three-lobed as in *R. repens* but more finely divided and withering early.

Flower: April–June; bright yellow, 20–25 mm diameter, on a furrowed flower-stalk; five greenish-yellow sepals, turned sharply downwards; hermaphrodite; numerous stamens; numerous carpels; insect-pollinated.

Fruit: A cluster of smooth achenes.

The plant overwinters by means of the swollen stem-base, which remains below ground. It is not unusual to see crows rooting these up, in order to get the grubs that feed on the roots. In common with other members of the genus, all parts of this plant contain a poisonous, irritant juice. It is rarely likely to cause human poisoning, but children occasionally eat the swollen stem-bases, mistaking them for edible plant parts.

Na searraigh

Ranunculus ficaria L.—Ranunculaceae

Luibh íseal (100–150 mm) ilbhliantúil lom, flúirseach in áiteanna thaise faoi scáth, in ithir ná fuil searbh, ó leibhéal na farraige go 750 m.

Gas: An-ghairid, ag éirí as bonnstoc snáithíneach le tiúbair bheaga bhána.

Duilleog: Croíchruthach, slán, dúghlas, gléasta, le féitheanna bána agus cos fhada; i gcnota bunaidh.

Bláth: Márta–Bealtaine; glébhuí, gléasta, 20–30 mm trastomhas; trí nó ceithre sheipeal; ocht bpiotal chaola ghéara; déghnéasach; iliomad staimíní; iliomad cairpéal; pailniú feithide.

Toradh: Cnuasach aicéiní i gcruth comhchruinneáin.

Clúdaíonn na bláthanna seo clathacha, dígeacha agus urlár na coille san earrach. Dúnann siad in aimsir scamallach nó san doircheacht.

Tá vitimín C agus tainniní sa bplanda. D'úsáidtí an phréamh brúite measctha le fíon nó le fual chun fíocas (an daorghalar) a leigheas. Bheirítí an phréamh agus na duilleoga agus nítí fíocas leis; d'úsáidtí an urbhruith chéanna chun cnapáin sna cluasa nó sa scórnach a thrá. Thugtaí "lus na gcnapán" air in áiteanna. Chuirtí an phréamh brúite fén srón chun duine a chur ag sraothartaigh agus an ceann a ghlanadh.

Lesser celandine

A low (100–150 mm) glabrous perennial, abundant in damp, shady places—woods, ditches, hedges—in non-acid soils, from sea level to 750 m.

Stem: Very short, arising from a fibrous rootstock with a cluster of white tubers.

Leaf: Heart-shaped, entire, dark green, glossy, white-veined, long-stalked; in a basal rosette.

Flower: March–May; bright yellow, glossy, 20–30 mm diameter; three to four sepals; eight petals, narrow, pointed; numerous stamens; numerous carpels; insect-pollinated.

Fruit: A cluster of achenes in a globular head.

The flowers may be seen covering banks and woodland floors in spring. They close in overcast weather and in darkness.

The plant, which contains vitamin C and tannins, had a number of medicinal uses as an astringent. The crushed root mixed with wine or urine was applied to piles to heal them. Piles were also washed with a decoction of the root and leaves, and the same decoction was used to treat "wens and tumours", especially in the ear or throat.

Lasair léana

Ranunculus flammula L.—Ranunculaceae

Luibh ilbhliantúil lom, 150–500 mm ar airde, flúirseach i ndíogacha, i riasca, ar bhruach locha agus abhann, i bhfliuch//háin oscailte, searbh nó cailcreach, ó leibhéal na farraige go 670 m.

Gas: Gas reatha a leathnaíonn ar fud na háite, ag cur préamha snáithíneacha síos anseo agus ansiúd, agus gas bláfar ag fás anáirde díreach; lom, scáil dhearg ann.

Duilleog: Fada (10–50 mm), lansach, slán; cos faoi na cinn íochtaracha agus iad níos leithne; bíseach ar an ngas.

Bláth: Meitheamh–Lúnasa; glébhuí, 10–20 mm trastomhas; aonarach nó cúpla ceann i gcíme; cúig sheipeal ghlasbhuí; cúig phiotal bhuí; déghnéasach; iliomad staimíní; iliomad cairpéil, apacarpach; pailniú feithide nó féinphailniú.

Toradh: Cnuasach idir fiche agus daichead aicéin i bhfoirm comhchruinneáin.

Chuirfeadh céirí den bpréamh brúite measctha le salann cloig ar an gcraiceann. Chreidtí go dtarraingeodh an clog an drochní as an gcolainn; d'úsáidtí é le linn na plá búbónaí sa séú haois déag agus chun gearba agus buinní a leigheas. Chreidtí freisin go dtarraingeodh sé picil de na súile nó uisce den inchinn ach plástar a chur le cúl an mhuiníl.

"Lasar léan—an luibh a chrapann na lúthacha. Bhí an táilliúir ó Bharra na Croise agus nuair a bhí sé ag éirí suas ní raibh aon bhacaí ann. Ach tháinig glúin thinn aige agus chuaigh a mháthair amach ag lorg luibh éigin le cur leis. Ní raibh an aithne cheart acu orthu agus ní hé an luibh cheart a thug sí léi. Chuir sí 'na cheirí é leis an nglúin. An lasar léan a bhí aici, agus is amhlaidh a chrap na lúthacha ag an mbuachaill. B'shin é fé ndeara bacaí an táilliúra. Ina diaidh san a chuaigh sé leis an dtáilliúracht" (SCC, lch 88).

Lesser spearwort

A glabrous perennial, 150–500 mm tall, abundant in ditches, marshes, lakesides and riversides, in wet, open, acid or calcareous sites, from sea level to 670 m.

Stem: Creeping and rooting; flowering stem, arising at intervals; erect, glabrous, red-tinged.

Leaf: Long (10–50 mm), lanceolate, entire; lower leaves stalked, upper sessile, spirally arranged on stem.

Flower: June–August; bright yellow, 10–20 mm diameter; solitary or in few-flowered cymes; five sepals, greenish-yellow; five petals, yellow; numerous stamens; numerous carpels, apocarpic; insect or self-pollination.

Fruit: A cluster of twenty to forty achenes in a globular head.

A poultice made from crushed root and salt was used as a rubifacient—a medicine for producing irritation of the skin: it was believed that disease would be drawn out of the body to the surface in the blisters. It was used extensively for this purpose during the bubonic plague in the sixteenth century, and was also used to heal scabs and running sores.

Néal uisce cruinn

Round-leaved water-crowfoot

Ranunculus omiophyllus Ten.—Ranunculaceae

A spreading aquatic perennial on wet mud or shallow water, frequent from sea level to 580 m. Leaf: simple, three to five round, deep lobes; lobes widest above the base; all leaves on the surface of the mud or water; flower: May–August; white, 10–13 mm diameter.

Luibh ilbhliantúil uisce, leata amach ar phluda fliuch nó ar uisce éadomhain, coitianta ó leibhéal na farraige go 580 m. Duilleog shimplí, idir trí agus cúig mhaothán chruinne dhoimhne, na maotháin níos leithne ina mbarr ná ina mbun; go léir ar bharr na lathaí nó an uisce; bláth: Bealtaine–Lúnasa; bán, 10–13 mm trastomhas.

Néal uisce sáile

Brackish water-crowfoot

Ranunculus baudotii Godron

Luibh ilbhliantúil uisce ar snámh ar uisce mall nó socair; áitiúil, i locháin agus i ndíogacha in aice na farraige. Duilleog: íochtair báite, tanaí, snáithíneach, liobarnach; uachtair ar snámh, cruinn, idir trí agus cúig mhaothán ar chruth dinge; uaireanta bíonn siad seo in easnamh; bláth: Bealtaine–Meitheamh; bán, 12–17 mm trastomhas; toradh: cnuasach aicéin bheaga sciathánacha.

An aquatic perennial, floating on still or slow-moving fresh-water; local, in pools and ditches near the sea. Leaf: lower leaves submerged, limp, thread-like; upper leaves floating, circular, with three to five wedge-shaped lobes; this type of leaf is sometimes absent; flower: May–June; white, 12–17 mm diameter.

Líon na habhann

Ranunculus trichophyllus Chaix—
Ranunculaceae

Luibh ilbhliantúil uisce a fhásann i bhfíoruisce socair nó i bpluda, anseo is ansiúd, ó leibhéal na farraige go 100 m. Duilleog: miondeighilte i snáithíní beaga caola crua; duilleagar bíseach; duilleoga go léir báite; bláth: Bealtaine–Meitheamh; bán, 7–12 mm trastomhas.

Thread-leaved water-crowfoot

An aquatic perennial, growing on wet mud or in still freshwater, occasional, from sea level to 100 m. Leaf: very finely divided with shortish, firm segments, spirally arranged; all leaves submerged; flower: May–June; white, 7–12 mm in diameter.

Néalta uisce

Lion na h-abhann

Tá timpeall deich gcinn de na fearbáin uisce seo le bláthanna bána ag fás in Éirinn, iad go léir ag fás san tsaghas céanna gnáthóige: sruth※áin, locháin, lathaigh, agus fíoruisce socair nó reatha. Tá sé an-deacair go minic iad a aithint ó chéile; is iad cruth na nduilleog agus trastomhas na mbláth na pointí difríochta is mó eatarthu, ach athraíonn cruth na bplandaí le doimhneacht an uisce agus a ráta gluaiseachta.

Water-crowfoot

There are about ten species of white-flowered water-crowfoot in Ireland, all growing in similar situations: streams, ponds, mud, and still or slow-moving freshwater. It is often very difficult to distinguish between them; leaf shape and flower size are among the criteria used, but the plants may vary greatly with the depth of water and its rate of movement.

Cailleach fhada

§§*Papaver dubium* L.—Papaveraceae—Papaveroideae

Lus giobach bliantúil, 150–600 mm ar airde, forleathan i dtalamh shuaite agus in áiteanna rómhartha gan tairbhe, in áiteanna oscailte, i ngach saghas ithreach, ó leibhéal na farraige go 30 m.

Gas: In airde díreach; súlach bán nimhneach; giobach, na ribí luite.

Duilleog: Ailtéarnach, gan chos; roinnte i maotháin; garbhchíorach.

Bláth: Meitheamh–Lúnasa; cródhearg, 30–60 mm trastomhas, ar choisín giobach; dhá sheipeal a thiteann nuair a osclaíonn an bláth; ceithre phiotal, péire seachtrach níos mó ná an péire inmheánach; déghnéasach; iliomad staimíní dubha nó dúghorma; 8–12 cairpéal táite; ubhagán uachtarach; stiogma, gan stíl, ar bharr an ubhagáin i bhfoirm réiltín; pailniú feithide nó féinphailniú.

Cochall / Capsule

Toradh: Cochall fada lom a chúngaíonn i dtreo an bhoinn; a lán síolta; scaipeann na síolta trí phoill faoi chlúid an chochaill.

Chroití an síol ar arán, ar bhrioscaí, agus ar chístí. D'úsáidtí an íle leis i gcócaireacht. Dheintí deoch suain, fritaomach nó deoch chun allas a spreagadh as bláthanna *Papaver dubium* nó *P. rhoeas*. D'úsáidtí é mar chógas leighis do shuaitheadh aigne, dó imleacáin, céislíní tinne, píopaí, nó casachtach thirim.

Long-headed poppy

A stiffly hairy annual, 150–600 mm tall, frequent in tilled fields and disturbed ground in waste places, in open situations in all soil types, from sea level to 30 m.

Stem: Erect, with white, poisonous latex; hairy, hairs lying flat.

Leaf: Alternate, sessile, divided into coarsely toothed lobes.

Flower: June–August; scarlet, 30–60 mm diameter on a hairy peduncle; two sepals, falling when the flower opens; four petals, the outer pair larger than the inner pair; hermaphrodite; numerous black or blue-black stamens; eight to twelve carpels, syncarpous; superior ovary, style absent; sessile stigma, star-shaped; insect-pollinated.

Fruit: Elongated glabrous capsule, which tapers gradually from top to base; many-seeded; seeds are dispersed through a ring of pores at the top of the capsule.

The seed was sprinkled on bread or cakes, and its oil was used in cooking. A drink made from the flowers of *P. dubium* or *P. rhoeas* was used as a sedative, antispasmodic, or diaphoretic. It was given in cases of anxiety, colic, tonsilitis, or bronchitis.

Codlaidín

*Papaver somniferum L.—
Papaveraceae—Papaveroideae

Lus ard bliantúil liathghorm, beagnach lom, a fhásann anseo is ansiúd in áiteanna oscailte gan tairbhe; duilleoga ag fáscadh an ghais; cíorach ach gan a bheith maothánach; bláth bán nó liathchorcra, le súil chorcra; capsúl mór cruinneogach. Éalaitheoir ó ghairdíní é. Táirgeann foirmeacha den luibh bunábhar opiam agus hearóine san Áis.

Opium poppy

A tall, glaucous, almost glabrous annual herb; leaves clasping the stem, toothed but not divided; flowers white or mauve with a purple eye; capsule large and globular; occasional in open waste places.

Deatach talún

§*Fumaria capreolata* L.—Papaveraceae—
Fumarioideae

Luibh lom leochaileach bhliantúil, a leathann amach go borb ar fud na háite agus a dhreapann thar constaicí agus thar phlandaí eile le cosa féithleanta; fásann sé i bhfálta, i lantáin agus i dtalamh rómhartha, in ithir thais nó thirim ná fuil searbh, in áiteanna gan scáth nó ar bheagán scátha, in aice an chósta, ó leibhéal na farraige go 30 m.

Is é an duine a thug isteach na *Papaver* go léir agus formhór na *Fumaria* atá in Éirinn. Ní foláir gur tháinig an chuid is mó mar fhialí, measctha le harbhar, ach is dócha gur tugadh cuid acu isteach mar luibheanna leighis nó tís.

Ramping fumitory

A delicate, glabrous, spreading annual, scrambling over plants and obstacles by means of twining leaf-stalks; growing in hedges, grassy banks and disturbed ground in non-acid soil, in the open or in light shade, near the coast, from sea level to 30 m.

All the species of *Papaver* and most of the species of *Fumaria* found in Ireland were probably introduced by humans. While the majority probably entered the country as weed seeds mixed with grain, a few may have been imported as medicinal or household herbs.

Lus an óir

Sisymbrium officinale (L.) Scop.—Cruciferae

Luibh cuibheasach ard (0.3–1 m), bliantúil, garbh-ghiobach, flúirseach i dtalamh suaite nó rómhartha, cois bóthair agus i bhfásaigh gan tairbhe, in áiteanna oscailte i ngach saghas ithreach, ó leibhéal na farraige go 150 m.

Gas: Díreach in airde, géag-ach, le ribí garbha iompaithe síos.

Duilleog: Duilleoga íochtar-acha: cleiteach, le maothán foirceanta an-mhór, clúmh-ach; duilleoga uachtaracha: sleách, slán.

Bláth: Bealtaine–Meán Fómhair; bídeach (3–4 mm trastomhas), buí, ar dtús i gcoirím ach a shíneann amach i raicéim de réir mar a fhorbraíonn na torthaí; ceithre sheipeal; ceithre phiotal, níos faide ná na seipil; déghnéasach; sé staimín, dhá cheann níos giorra ná na cinn eile; ubhagán uachtarach, dé-cheallach; féinphailniú.

Toradh: Sileac 10–20 mm ar fad, ag cúngú i dtreo an bhairr; clúmhach; buailte suas le hais na raicéime; síolta i sraith amháin.

D'úsáidtí an planda seo sa chistin chun anlann a dhéan-amh d'iasc leasaithe, go mór mór d'iasc saillte.

Chreidtí go raibh triomú agus gabháilt sa tsíol, agus d'úsáidtí é chun rith fola agus rith fuail a leigheas. D'úsáidtí freisin é chun piastaí do mharú i leanaí, mar nimhíoc, chun faoiseamh do thabhairt do phianta cnámha, agus chun at cíoch nó magairle do leigheas. D'úsáidtí súlach an phlanda ar mhil nó ar shiúcra chun faoiseamh do thabhairt ar ghalair scornaí agus chléibhe mar chiach, phiachán, ghearranáil, agus chasachtach.

Hedge mustard

A medium-tall (0.3–1 m), roughly hairy annual, abundant in tilled fields, roadsides and waste places, in open situations in all soil types, from sea level to 150 m.

Stem: Erect, branched; bristles pointing downwards.

Leaf: Hairy; lower leaves pinnatifid with a large terminal lobe; upper leaves hastate and nearly entire.

Flower: May–September; tiny (3–4 mm diameter), yellow, at first in a corymb but elongating to a raceme as the fruits develop; four sepals, four petals, longer than the sepals; hermaphrodite; six stamens, two shorter than the rest; superior ovary, two-celled; self-pollination.

Fruit: A siliqua 10–20 mm long, tapering towards the top; hairy; closely pressed to the axis of the raceme; seeds in a single row.

The plant was used as a kitchen herb in preparing a sauce served with salt fish. It also had medicinal uses: the seed was used to treat bleeding and incontinence and was given to children as a vermifuge. It was also believed to be useful as an antidote to poison, as a treatment for sciatica, and for the relief of swellings of the breast or testicles.

Biolar

Nasturtium officinale R. Br.—Cruciferae

Luibh ilbhliantúil lom, le fáil i srutháin fíoruisce nó in uisce éadomhain ná fuil searbh, ó leibhéal na farraige go 250 m.

Gas: Gas reatha ar ghrinneall; gas lag géagaithe, 100–600 mm, ar bharr an uisce.

Duilleog: Comhdhuilleoga cleiteacha, i bpéirí urchomhaireacha; fodhuilleoga ubhchruthacha; lom, síorghlas, le blas géar.

Bláth: Meitheamh–Lúnasa; bán, 4–6 mm trastomhas, i raicéim ghairid; déghnéasach; ceithre sheipeal agus ceithre phiotal; ceithre staimín fhada, dhá cheann gearra; ubhagán uachtarach, décheallach; pailniú feithide agus féinphailniú.

Toradh: Sileac, 12–18 mm; dhá shraith síolta.

Ceann de naoi luibh bheannaithe na Meánaoise é seo; d'úsáidtí é i gcoinne galair cléibhe agus duán, rith fola agus galar carrach, chun tuirse, duairceas agus tinneas cinn do scaipeadh, agus mar oideas piast. "Bhaintí san abhainn i nDún Chaoin é, thugtaí díreach abhaile é, chastaí ar a chéile é, agus chuirtí i mbun droma mná a bheadh i mbreoiteacht rud beag chun *relief* a thabhairt di" (Dún Chaoin, 1965).

Ní ceart é a bhaint as uisce ná fuil ag gluaiseacht nó in aon áit a mbíonn caoire, mar bheadh puchán ae ar bord aige. Fástar i gcomhair bidh é i bhfeirmeacha speisialta uisce.

"Thagadh geilteanna ó chian agus ó chóngar go Gleann na nGealt, áit ina mairidís, lomnochtaithe, sna crainn agus sna pluaiseanna nó go leigheastaí iad. Chreidtí go raibh leigheas ar an ngealtachas sna mianraí a bhí in uisce an tobair [Tobar na nGealt] agus san bhiolar a fhásadh go flúirseach ann. D'ithidís an biolar [biolar ite], d'ólaidís an t-uisce, agus thumaidís iad féin sa tobar. D'ólaidís bainne leis a fhágadh muintir na háite dóibh i mBollán na nGealt. Is anseo a tháinig Bolcán, Rí na Fraince, agus é ar mire leis an scanradh a fuair sé ós na Fianna i gCath Fionntrá; chaith Suibhne Gealt tamall ann leis, más fíor, agus bhí daoine ag teacht ann go tús an chéid seo" (Seán Ó Dubhda, Caisleán Ghriaire).

Watercress

A glabrous perennial, abundant in freshwater streams and non-acidic shallow water, from sea level to 250 m.

Stem: Creeping on the bottom, floating at the surface; weak, branched, 100–600 mm long.

Leaf: Pinnate, in opposite pairs; glabrous, evergreen, oval leaflets, with a burning taste.

Flower: June–August; white, 4–6 mm diameter, in short racemes; four sepals and four petals; hermaphrodite: four long, two short stamens: superior ovary, two-celled; insect and self-pollinated.

Fruit: A siliqua, 12–18 mm; seeds in two rows.

An important medicinal herb of the Middle Ages, it was used for diseases of the chest and urinary tract, for bleeding and scurvy, to overcome melancholia and headache and to banish worms and blackheads. It was also believed to be effective for women's ailments, and in Dún Chaoin it was used as a poultice to ease labour pains.

It should not be collected from polluted areas, from slow-moving water, or from areas used by sheep, as it may be infected with liver fluke.

Biolar gréagáin

Cardamine pratensis L.—Cruciferae

Luibh dhíreach lom ilbhliantúil, suas le 500 mm ar airde, flúirseach i ndíogacha, ar bhruacha abhann, i riasca, i gcoillte agus i mbánta fliucha nó taise, in ithir ná fuil searbh, ó leibhéal na farraige go 950 m.

Gas: Díreach, gan géagadh de ghnáth, le stólain.

Duilleog: Cnota duilleog cleiteach, le fodhuilleoga leathana, slán nó maolchíorach; fodhuilleoga caola ar an ngas.

Bláth: Aibreán–Bealtaine; liathchorcra nó beagnach bán, 12–20 mm trastomhas, i raicéim; ceithre sheipeal agus ceithre phiotal; déghnéasach; sé staimín, ceithre cinn fhada, dhá cheann gearra; ubhagán uachtarach décheallach; pailniú feithide.

Toradh: Sileac 25–40 mm; síolta in aon sraith amháin.

D'úsáidtí an planda seo mar leigheas ar ghalar carrach, de bharr an méid vitimíne C atá ann; d'úsáidtí freisin é chun faoiseamh a thabhairt ó chlocha fuail, ó thitimeas agus ó dhrochfhiolúin. Deirtí go gcuirfeadh sé faobhar ar an ngoile agus go gcabhródh sé le díleá.

"Léine Muire" ainm anchoitianta eile.

Cuckoo flower

An erect, glabrous perennial, up to 500 mm tall, abundant in ditches, river banks, marshes, woods and wet or damp meadows on non-acid soils, from sea level to 950 m.

Stem: Erect, unbranched; stolons.

Leaf: Rosette of pinnate leaves: leaflets broad, entire or bluntly toothed; stem leaves: leaflets narrow.

Flower: April–May; 12–20 mm diameter; mauve or lilac or almost white, in racemes; four sepals and four petals; hermaphrodite; six stamens, four long and two short; superior ovary, two-celled; insect-pollinated.

Fruit: A siliqua, 25–40 mm long; seeds in one row, numerous.

Medicinal uses for this plant included the treatment of scurvy (it is rich in vitamin C), kidney stones, epilepsy, and bad ulcers. It was also believed to whet the appetite and to aid digestion.

Biolar searbh casta

Cardamine flexuosa With. —Cruciferae

Luibh bheag lom, débhliantúil nó ilbhliantúil, a fhásann in áiteanna loma nó suaite gan scáth, i ngach sórt ithreach, ó leibhéal na farraige go 700 m. Gas cuarach duilleogach, cuid de na duilleoga i gcnota bunaidh; bláth: Márta–Lúnasa; bán, trastomhas níos lú na 5 mm; ceithre sheipeal agus ceithre phiotal, na piotail uair go leith níos sia ná na seipil; ceithre staimín fhada agus dhá cheann ghearra. Ní fhásann na silic níos airde ná na bláthanna barraigh.

Tá na difríochta seo a leanas idir an planda seo agus biolar searbh (*C. hirsuta*): bliantúil, beagán clúmhach, formhór na nduilleog i gcnota bunaidh, ceithre staimín i bhformhór na mbláthanna, na piotail dhá uair níos sia ná na seipil; fásann na silic níos airde ná na bláthanna barraigh.

Wavy bittercress

Small, glabrous herb, biennial or perennial, growing in bare or disturbed ground, in open situations in all soil types, from sea level to 700 m. Stem: zigzag, leafy, some leaves in a basal rosette; flower: March–August; white, diameter less than 5 mm; six stamens, two shorter than the others; four sepals and four petals, the petals one-and-a-half times the length of the sepals; siliquas not extending above the topmost flowers.

Hairy bittercress (*C. hirsuta*) is an annual, slightly hairy, most of the leaves in a basal rosette, four stamens in most flowers, petals twice as long as sepals, siliquas extending above the topmost flowers.

Lus an sparáin

Capsella bursa-pastoris (L.) Medicus—Cruciferae

Luibh thanaí ghéagach chlúmhach bhliantúil, 150–600 mm ar airde, go flúirseach ar thalamh churadóireachta agus ar fhásaigh gan tairbhe, ó leibhéal na farraige go 300 m. Bíonn sé faoi bhláth ar feadh na bliana, le bláthanna beaga bána agus toradh i bhfoirm sileaicín croíchruthaigh. Bhíodh sé in úsáid mar luibh leighis chun buinneach, buinneach dhearg, fuil mhíosta throm, seilí nó mún fola, rith fola nó aimbhreith do stopadh: "Stopann sé an fhuil faic ach breith id' lámh air."

Shepherd's purse

A slender, branched, hairy annual, 150–600 mm tall, common on tilled ground and waste places, from sea level to 300 m. Flowering all the year round, with small white flowers followed by fruit in the form of a heart-shaped silicula. It was prescribed for the control of diarrhoea, dysentery, excessive menstrual flow, spitting of blood, blood in urine, haemorrhages, and miscarriage.

Biolar trá

Cochlearia officinalis L.—Cruciferae

Luibh íseal théagartha lom; débhliantúil nó ilbhliantúil; flúirseach ar phluda cois trá agus i riasca sáile, i bhfálta agus ar charraigeacha sléibhe feadh an chósta, ó leibhéal na farraige go 950 m.

Gas: Spréite, iompaithe in airde.

Duilleog: Súmhar; cnota bunach de dhuilleoga leathana slána, 15 mm ar fad, le cosa fada; duilleoga uachtaracha gan chos, cíorach agus i ngreim ar an ngas.

Bláth: Márta–Iúil; bán, 8–10 mm trastomhas, i raicéim dhlúth; ceithre sheipeal agus ceithre phiotal; déghnéasach; ceithre staimín fhada, dhá cheann ghearra; ubhagán uachtarach décheallach; pailniú feithide nó féin-phailniú.

Toradh: Sileaicín cruinneog-ach.

Bhíodh seanchlú ar an mbiolar trá mar luibh leighis; d'óltaí súlach nó tae den bplanda chun an fhuil do ghlanadh, agus d'úsáidtí an planda brúite i bhfínéagar chun faoiseamh a fháil ó othrais béil agus ó mháchail chraicinn. Ach is mar leigheas nó cosc ar an ngalar carrach is mó atá clú ar an bplanda. Easpa vitimíne C is cúis leis an aicíd seo; thagadh sí ar mhairnéalaigh a chaith tréimhsí fada ar bord loinge, nuair a bhí a stór torthaí agus glasraí úra ídithe. Ábhar maith do vitimín C is ea an biolar trá; d'itheadh mairnéalaigh é chomh minic agus ab fhéidir, chun an galar carrach a ghlanadh nó a choimeád uathu. D'úsáid an Capt. James Cook (1728– 1779), an seoltóir agus fionnachtóir Sasanach, biolar trá triomaithe nó driogtha ar a thurasanna fada farraige.

Scurvy grass

A low, robust, glabrous biennial or perennial, abundant on muddy or rocky sea shores, salt marshes, cliffs and mountain rocks in coastal areas, from sea level to 950 m.

Stem: Spreading, angled upwards.

Leaf: Basal rosette of broad leaves, 15 mm long, entire, long-stalked; upper leaves toothed, sessile, clasping the stem.

Flower: March–July; white flowers, scented, 8–10 mm diameter, in a dense raceme; four sepals and four petals; hermaphrodite; four long and two short stamens; superior ovary, two-celled; insect-pollinated.

Fruit: A globose silicula.

The plant was a well-known medicinal herb; the juice or an infusion was taken to purify the blood, while the whole plant was macerated in vinegar to produce a healing lotion for mouth ulcers and skin ailments. However, it was best known as a cure or preventive for scurvy. Sailors on long voyages were prone to it once their supplies of fresh fruit and vegetables were exhausted. Scurvy grass, rich in vitamin C, was collected and eaten when possible as a cure.

Cladhthach mhín

§§*Coronopus didymus* (L.) Sm.—Cruciferae

Luibh íseal bhliantúil shínte, forleathan cois bóthair agus i bhfásaigh gan tairbhe in aice an chósta sa deisceart, ó leibhéal na farraige go 50 m. Tá gas beagán clúmhach aige, agus duilleoga cleiteacha le boladh láidir; bláthanna bídeacha ó Iúil go Meán Fómhair. Tugadh an speiceas seo isteach sa tír, b'fhéidir, le bia ainmhithe. Toradh: tirim neamhoscailte, rocach nó gráiníneach. "Fochla" ainm eile air.

Lesser swine-cress

A low, prostrate annual, frequent on roadsides and waste places in the south, especially near the coast, from sea level to 50 m. Stem: slightly hairy, with pinnate, strong-smelling leaves; minute flowers are carried from July to September. This species was introduced possibly with animal feed.

Tornapa fiáin

§§*Brassica rapa* L.—Cruciferae

Luibh bliantúil nó débhliantúil, 300–700 mm ar airde, ag fás go flúirseach in áiteanna oscailte, in ithir shuaite. Bláth: Iúil– Lúnasa; buí, 8–12 mm trastomhas; duilleoga íochtaracha maothánach, giobach; duilleoga uachtaracha slán, neamhghiobach, liathghorm, gan chos. Cuirtear an planda seo mar bharra; tá sé coitianta mar éalaitheoir ar fud na tíre.

Wild turnip

Annual or biennial herb, 300–700 mm tall; common in waste places, in disturbed ground in open situations. Flower: July–August; yellow, 8–12 mm diameter; lower leaves lobed, hairy; upper leaves entire, glabrous, glaucous, sessile. This plant is sown as a commercial crop and has become common as an escape in many parts of the country.

Praiseach bhuí

§*Sinapis arvensis* L.

Luibh bhliantúil le guairí fánacha, 300–700 mm ar airde, coitianta i dtalamh suaite, ó leibhéal na farraige go 300 m. Duilleoga simplí, na cinn in uachtar gan chos, cleiteach nó le maotháin dhoimhne; bláth: glébhuí, 12–18 mm trastomhas, Bealtaine–Lúnasa; sileac lom mar thoradh, le gob fada coirceogach agus síolta i sraith amháin. Maireann na síolta caoga bliain ar a laghad sa chré. Bheirítí na síolta agus d'ití iad, cé go bhfuil siad nimhneach nuair atá siad amh.

Charlock

An annual with sparse stiff hairs, 300–700 mm high, common on disturbed ground, from sea level to 300 m. Leaves: simple, upper leaves sessile, pinnatifid or deeply lobed; flower: bright yellow, 12–18 mm diameter, May to August; fruit: a siliqua, glabrous, with a long conical beak; seeds in a single row. The seeds live up to fifty years or more in the ground; they were boiled and eaten, although they are toxic when raw.

Cearrbhacán mara

Cakile maritima Scop.—Cruciferae

Tor géagach lom bliantúil, anseo is ansiúd feadh an chósta ar thránna gainimhe ar bharra taoide i mbéal toinne; beagán duilleog feolmhar cleiteach, 30–60 mm ar fad. Bláth: liath-chorcra nó bán, 12–15 mm trastomhas, Meitheamh–Lúnasa; toradh tirim neamh-oscailte ar chruth fearsaide, fallaí coirc air a choimeád-ann ar snámh é go n-ardaíonn an taoide go trá éigin eile é.

Sea rocket

A glabrous, bushy annual, occasional on sandy shores, on the drift line. Leaves: few, fleshy, pinnatifid, 30–60 mm long; flower: pale mauve or white, 12–15 mm diameter, from June to August; fruit: dry, indehiscent, spindle-shaped, cork-walled, so that it can keep the seeds afloat while it drifts with the tidal currents.

Drúichtín na móna

Drosera rotundifolia L.—Droseraceae

Luibh bheag (50–100 mm) ilbhliantúil fheithiditeach, coitianta ar bharr tulán i bportaigh, in éineacht leis an olann dhearg, in áiteanna taise searbha gan scáth, ó leibhéal na farraige go 650 m.

Gas: Tanaí, gan duilleog, ag fás as croí chnota bhunaidh.

Duilleoga: I gcnota bunaidh ar dhéanamh spúnóige; cruinn, 10 mm trastomhas, le cos fhada (20–35 mm) fúthu; ribí faireogacha dearga ag fás ar uachtar gach duilleoige.

Bláth: Meitheamh–Lúnasa; bán, 6–7 mm trastomhas, i raicéim; cailís le idir ceithre agus ocht maothán (cúig de ghnáth); piotail ar comhuimhir leis an gcailís, saor; déghnéasach; staimíní ar comhuimhir leis na piotail; ubhagán uachtarach, aoncheallach; féinphailniú—is minic ná hosclaíonn an bláth in aon chor.

Toradh: Capsúl beag, clúdaithe le hiarsmaí an bhlátha.

Tálann faireoga ar uachtar na duilleoige lacht glan greamaitheach dena gceanglaíonn feithidí beaga agus iadhann an duileog timpeall orthu. Ansin tálann an duilleog einsímí a dhíleánn na feithidí, agus ionsúnn sí cothaithigh astu. Bíonn ábhar cothaithe áirithe an-ghann sa tsaghas gnáthóige ina maireann an drúichtín móna, go mór mór fosfáití agus níotráití. Seift í an fheithiditeacht chun teacht ar na hábhair sin.

D'úsáidtí an planda go forleathan mar luibh leighis, cé go gcreidtí in áiteanna áirithe gur thóg uain galar as. Bhaintí na duilleoga sa Mheitheamh agus an planda faoi bhláth; chuirtí na duilleoga brúite leis an gcraiceann chun angadh a tharraingt. D'úsáidtí an súlach chun deireadh a chur le faithní nó le fadharcáin.

Round-leaved sundew

A small (50–100 mm) insectivorous perennial, common on bog hummocks, often with sphagnum mosses, in open, damp, acid conditions, from sea level to 650 m.

Stem: Slender, leafless, growing from the centre of a basal rosette.

Leaf: In a basal rosette; spoon-shaped, round (10 mm diameter), with long stalk (20–35 mm), the upper surface covered in red glandular hairs.

Flower: June–August; white, 6–7 mm diameter, in a raceme; calyx of four to eight (usually five) lobes; petals as many as calyx lobes, free; hermaphrodite; stamens as many as petals; superior one-celled ovary; self-pollinated—often the flower does not open

Fruit: A small capsule enclosed in the remains of the flower.

The glands on the leaf produce a sticky fluid to which insects landing on the leaf adhere. Other glands exude digestive juices, and the leaf assimilates nutrients from the insect's body. Certain nutrients, particularly phosphates and nitrates, are in very short supply in the typical sundew habitat; the insectivorous habit is a strategy to obtain them.

Carnán caisil

Umbilicus rupestris (Salisb.) Dandy—Crassulaceae

Luibh dhébhliantúil nó ilbhliantúil, 150–400 mm ar airde, coitianta ar fhallaí agus ar chlathacha cloch, in áiteanna tirime gan scáth nó faoi bheagán scátha, ó leibhéal na farraige go 300 m.

Duilleog: Cruinn, cíorach, súmhar; cos fhada ó lár na duilleoige.

Bláth: Meitheamh–Lúnasa; beag (8–10 mm trastomhas), glasbhán, i bhfoirm chloigín, ar raicéim fhada; cailís agus coróinín cúigmhaothánach; deich staimín; cúig chairpéal apacarpacha; pailniú feithide agus féinphailniú.

Toradh: Cnuasach falacailí.

D'ití na duilleoga súmhara i sailéid agus i gceapairí; "an t-arán glas" gnáthainm na nduilleog. Téann stair an phlanda mar luibh leighis siar go haimsir na

Duilleoga / Leaves

Rómhánach—ach tá amhras ann nárbh é an planda céanna a bhí i gceist i gcónaí. Mholtaí an súlach chun cóir leighis a chur ar angadh, fhiabhrais teo, fhíocas, fhuachtáin agus aicídí ae; d'úsáidtí freisin é mar fhualbhrostach, agus mar fhuascailt ar loscadh fuail.

D'úsáidtí urbhruith den bplanda chun salachar a bheadh coimeádta ag bó a ghlanadh amach (Dún Chaoin, 1965)

Wall pennywort

A short (150–400 mm) biennial or perennial, common on stone walls and banks, in dry, open or lightly shaded positions, from sea level to 300 m.

Leaf: Round, toothed, fleshy, the long stalk attached to the leaf-centre (peltate).

Flower: June–August; small (8–10 mm diameter), greenish-white, bell-shaped, in a long raceme; five-lobed calyx and corolla; hermaphrodite; ten stamens; five carpels, apocarpic; insect and self-pollinated.

Fruit: A cluster of follicles.

The fleshy leaves were used in salads and sandwiches. The medicinal history of the plant in western Europe appears to go back to Roman times, but there is some doubt whether the plant involved was always the same one. The juice was prescribed for the treatment of inflammation, hot fevers, piles, chilblains, liver complaints, and kidney stones. It was also used as a diuretic.

A decoction of the plant was given to cows after calving to expel the afterbirth (Dún Chaoin, 1965).

Púiríní seangán

Sedum anglicum Hudson—Crassulaceae

Luibh íseal reatha shúmhar, suas le 50 mm ar airde, il-bhliantúil, go forleathan ar chlathacha, ar charraigeacha agus in áiteanna loma tirime feadh an chósta, ó leibhéal na farraige go 800 m. Duilleoga bídeacha le scáil dhearg iontu, gan chos, go dlúth le chéile; ubh-chruthach nó cruinn, 3–4 mm ar fad, le spor beag soiléir ag a mbun; bláth: bándearg, Meitheamh–Lúnasa, 10–12 mm trasna, i gcíme beag gan níos mó ná trí ghéag; toradh: cnuasach falacail.

English stonecrop

A low, creeping, succulent perennial, up to 50 mm tall, widespread on dry walls, rocks and sparsely grassy banks, near the coast, from sea level to 800 m. Leaves: tiny, sessile, crowded; ovoid or globular, with a small, distinct spur at the base; flowers: June–August; pale pink, 10–12 mm across, in small cymes of not more than three branches; fruit: follicles.

Grafán bán na gcloch

Sedum album L.—Crassulaceae

Luibh íseal (50–150 mm) shúmhar ilbhliantúil, go forleathan ar fhallaí cloch, uaireanta ar charraigeacha, ó leibhéal na farraige go 150 m. Duilleoga sorcóireacha, 12 mm ar fad; spás maith idir dhuilleoga, gan spor; bláth: Meitheamh–Lúnasa, bán, 6–9 mm i dtrastomhas, i gcímí géagacha; toradh: falacail.

Is planda dúchais é *Sedum anglicum*; planda coimhthíoch is ea *S. album,* a d'éalaigh ó ghairdíní sa naoú haois déag.

White stonecrop

A low (50–150 mm), succulent perennial, widespread on stone walls and sometimes rocks, from sea level to 150 m. Leaves: cylindrical, 12 mm long, widely spaced on stem, without spur; flower: June–August, white, 6–9 mm across, in branching cymes; fruit: follicles.

Sedum anglicum is a native species, while *S. album* escaped from gardens in the nineteenth century.

Grafán na gcloch

Sedum acre L.—Crassulaceae

Luibh íseal shúmhar ilbhliantúil, suas go 30 mm ar airde, go forleathan ar fhallaí cloch, ar dhumhcha agus ar charraigeacha, in aice leis an gcósta. Duilleoga beaga ubhchruthacha, 5 mm ar fad, go dlúth le chéile le spor an-bheag; bláth: Meitheamh–Iúil; glébhuí, 15 mm i dtrastomhas, i gcímí beaga; toradh: cnuasach falacail.

Biting stonecrop

A low, creeping, succulent perennial, up to 30 mm tall, widespread on stone walls, sand dunes and rocky places near the coast. Leaves: small, crowded, ovoid, with a very slight spur at the base; flower: June–July; bright yellow, 15 mm diameter, in small cymes; fruit: a collection of follicles.

Lus na laoch

Rhodiola rosea L.—Crassulaceae

Luibh íseal (100–250 mm) lom ilbhliantúil, forleathan ar fhaillte sléibhe, gann ar fhaillte farraige, in áiteanna gan scáth, ó leibhéal na farraige go 960 m. Gais: simplí, díreach, ag éirí ó bhonnstoc adhmaid; duilleoga: glasghorm, réidh, feolmhar, gan chos, cíorach ag a mbarr; bláth: Bealtaine–Lúnasa; ceithre-chodach, i gcíme dlúth; dé-éiciach, buí (pistileach) nó corcra (staimíneach); pailniú feithide; toradh: cnuasach falacail.

Bíonn boladh róis ón mbonnstoc má gearrtar é.

Roseroot

A low (100–250 mm), glabrous perennial, widespread on mountain cliffs, scarce on sea cliffs, in open situations from sea level to 960 m. Stems: simple, arising from a woody stock; leaves: blue-green, flat, fleshy, sessile, toothed at the apex; flower: May–August, four-part, in a compact cyme; dioecious, yellow (pistillate) or purple (staminate); insect-pollinated; fruit a cluster of follicles.

Cabáiste an mhada rua

Saxifraga spathularis Brot.—
Saxifragaceae

Luibh ilbhliantúil shíorghlas, 150–400 mm ar airde, in áiteanna taise carraigeacha i measc na sléibhte nó in aice an chósta; flúirseach i gceantair áirithe san iarthar agus san iardheisceart, gann sa chuid eile den tír; ó leibhéal na farraige go dtí na beanna is airde.

Gas: Sínte, géagach, ag cur amach préamha teagmhasacha ag barr na ngéag gach bliain; deineann na plandaí paistí móra mar seo.

Duilleog: Cnota le préamha teagmhasacha faoi, ar fhoirceann géag sínte; ubhchruthach nó beagnach cruinn; lom, garbhchíorach, súmhar, righin; cos leathan réidh, le fíorbheagán clúimh.

Bláth: Bealtaine–Iúil, bán nó bándearg, 7–9 mm, i bpanacailí móra ar bhláthchoisín chlúmhach, 150–400 mm; cúig sheipeal, iompaithe síos; cúig phiotal shaora, le spotaí dearga agus trí spota bhuí ag a mbun; déghnéasach; deich staimín; ubhagán de dhá chairpéal táite ag a mbun, uachtarach; pailniú feithide agus féinphailniú.

Bláth / Flower

Toradh: Capsúl.

Is baill iad *Saxifraga spathularis* agus an chéad phlanda eile, *S. hirsuta,* den "bhflóra Lúsatánach"—plandaí dúchais in Éirinn ach go bhfuil a gceannáras geografach sa chuid thiarthuaidh de Leithinis na hIbéire. Tugtar "London pride" go minic ar *S. spathularis,* ach is hibrid "London pride" na ngairdíní idir *S. spathularis* agus *S. umbrosa* ó na Piréiní.

Fox's cabbage

An evergreen perennial, 150–400 mm high, found in damp, rocky places in mountains or near the coast; abundant in some places in the west and south-west, rare elsewhere; from sea level to 1,040 m.

Stem: Prostrate, branched, forming adventitious roots at the branch-tips every year; the plant can form large patches in this way.

Leaf: In a rosette with adventitious roots at its base, formed at the tip of a prostrate branch; oval to almost round; glabrous, leathery, coarsely toothed; leaf-stalk broad, flat, with very few hairs.

Flower: May–July, white or pale pink, 7–9 mm diameter, in large panicles borne on hairy peduncles 150–400 mm high; five sepals, turned downwards; five petals, free, with red spots and three yellow spots at the base; hermaphrodite; ten stamens; ovary of two carpels fused at the base, superior; insect and self-pollinated.

Fruit: A capsule.

This species and *S. hirsuta* are members of the "Lusitanian flora"—plants native to Ireland but whose geographical headquarters is in the north-western part of the Iberian Peninsula.

Mórán giobach

Saxifraga hirsuta L.—Saxifragaceae

Luibh ilbhliantúil shíorghlas, 120–300 mm ar airde in áiteanna taise scáfara carraigeacha, ar bhruacha srutháin sléibhe, go flúirseach anseo is ansiúd i sléibhte Chiarraí agus Chorcaí amháin, ó leibhéal na farraige go 900 m.

Gas: Sínte, géagach, ag cur amach préamha teagmhasacha ag barr na ngéag gach bliain; deineann na plandaí paistí scaoilte ar charraigeacha mar seo.

Duilleog: Cnota scaoilte le fréamha teagmhasacha faoi, ar fhoirceann géag sínte; cruinn nó duánach, cruinnchíorach, cuibheasach tanaí, le ribí fada ar an dá thaobh; cos fhada thanaí shorcóireach chlúmhach.

Bláth: Bealtaine–Iúil; bán nó bándearg éadrom, 7–9 mm trastomhas, i bpanacailí móra ar bhláthchoisín chlúmhach, 120–300 mm; cúig sheipeal, iompaithe síos; cúig phiotal shaora, le spota buí amháin ag bun gach piotail; déghnéasach; deich staimín; ubhagán de dhá chairpéal táite ag a mbun, uachtarach; pailniú feithide agus féinphailniú.

Toradh: Capsúl a osclaíonn sa lár.

Nuair a fhásann *S. spathularis* agus *S. hirsuta* i dteannta a chéile deinid cros-shíolrú gan stró. Bíonn gnéithe an dá thuismitheoir ag an sliocht hibride. Ach is baolach go múchfar *S. hirsuta* folúil diaidh ar ndiaidh, mar is minic gur mó agus gur bríomhaire na hibridí ná é féin. Sampla de hibridiú inchéimnitheach é seo, agus meastar gur thit sé amach cheana féin i gCo. na Gaillimhe agus i gCo. Mhaigh Eo, mar tá na hibridí le fáil sna contaetha sin, cé ná fásann *S. hirsuta* féin iontu a thuilleadh.

Kidney saxifrage

An evergreen perennial, 120–300 mm high, found in damp, shaded, rocky places, on mountain stream banks; abundant where it occurs, in the mountains of Kerry and Cork only, from sea level to 900 m.

Stem: Prostrate, branched, forming adventitious roots at the branch-tips every year; the plant forms loose patches on rocks in this way.

Leaf: In a rosette with adventitious roots at its base, formed at the tip of a prostrate branch; round or kidney-shaped, with rounded teeth, long hairs on both surfaces; leaf-stalk long, slender, cylindrical, hairy.

Flower: May–July; white or very pale pink, 7–9 mm diameter, in large panicles borne on hairy peduncles 120–300 mm high; five sepals, turned downwards; five petals, free, with a single yellow spot at the base of each; hermaphrodite; ten stamens; ovary of two carpels fused at base, superior; insect and self-pollinated.

Fruit: A capsule.

Where *S. spathularis* and *S. hirsuta* grow close together they produce swarms of hybrids, often more numerous and vigorous than *S. hirsuta*.

Mórán réaltach

Saxifraga stellaris L.—Saxifragaceae

Luibh bheag (80–200 mm) ilbhliantúil, lom nó beagán giobach, forleathan ar charraigeacha fliucha nó ar thaobh srutháin sléibhe, ina aonar nó i scataí beaga, ó 125 go 1,030 m. Duilleoga i gcnota bunaidh; tanaí, dronuilleogach nó triantánach, garbhchíorach, ag cúngú ag a mbun, gan chos; bláth: Meitheamh–Lúnasa; 8 mm trastomhas, i bpanacail bheag; seipil tiontaithe síos; piotail bhána, le dhá spota bhuí; toradh: capsúl, a scoilteann ina dhá leath nuair a bhíonn sé aibí.

Starry saxifrage

A small (80–200 mm) perennial herb, glabrous or sparsely hairy, widespread on wet rocks or by mountain streams, singly or in small groups, from 125 to 1,030 m. Leaves in a basal rosette; thin, oblong or triangular, coarsely toothed, tapering towards the base, sessile; flower: June–August; 8 mm diameter, in a small panicle; sepals turned downwards; white petals, with two yellow spots; fruit: a capsule that splits in two at maturity.

Mórán Gaelach

Saxifraga rosaceae Moench—Saxifragaceae

Luibh íseal shíorghlas ilbhliantúil le héagsúlacht cruta, ó streachlánach go dlúth-thomach agus ó lom go clúmhach; in áiteanna taise carraigeacha i sléibhte an iarthair amháin, go flúirseach anseo is ansiúd i gCiarraí, gann sa chuid eile dá réimse, ó 450 go 960 m. Duilleoga bosacha, idir trí agus naoi maothán; bláth: bán, 15–20 mm trastomhas, i gcíme ingearach scaoilte; seipil ina seasamh díreach.

Irish saxifrage

A low-growing evergreen perennial, varying from straggling to densely tufted and from glabrous to covered with woolly hairs; in damp, rocky places in the western mountains, abundant here and there in Kerry, rare elsewhere in its range, from 450 to 960 m. Leaves: palmate, three to nine-lobed; flower: white, 15–20 mm across, in a loose upright cyme; sepals erect.

Glóiris

Chrysosplenium oppositifolium L.—Saxifragaceae

Planda íseal (50–150 mm) ilbhliantúil síorghlas, go flúirseach in áiteanna taise mar choillte, charraigeacha fliucha agus bhruacha sruthán agus tobar, ó leibhéal na farraige go 950 m.

Gas: Duilleogach, ag leathnú amach chun paistí leathana a dhéanamh.

Duilleog: Cruinn, 15 mm trastomhas, i bpéirí urchomhaireacha; cíorach, ar bheagán clúimh, ar chos ghearr.

Bláth: Márta–Iúil; buí nó buíghlas, 4 mm trastomhas, i gcíme réidhe ag fás amach as chnota duilleog; ceithre sheipeal mhaola ag leathnú amach; gan phiotail; dé-ghnéasach; ocht staimín; ubhagán de dhá chairpéal táite, beagnach íochtarach; pailniú feithide agus féin-phailniú.

Toradh: Capsúl a scoilteann ina lár.

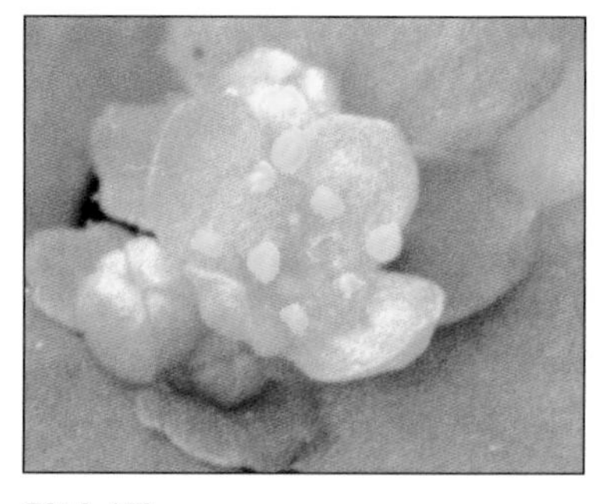

Bláth / Flower

Dheintí deoch den phlanda seo chun feadáin an duáin agus an lamhnáin do réiteach. D'úsáidtí an phréamh bhrúite ar shiúcra nó ar mhil chun faoiseamh a fháil ar ghaoth nó ar dhó imleacáin. D'ití na duilleoga mar bhia i Sléibhte na Vosges in oirthuaisceart na Fraince.

Golden saxifrage

A low (50–150 mm), evergreen perennial, abundant in woods, on wet rocks, streamsides, and springs, from sea level to 950 m.

Stem: Spreading, leafy, forming extensive patches.

Leaf: Round, 15 mm diameter, in opposite pairs; toothed, slightly hairy, short-stalked.

Flower: March–July; yellow or yellowish-green, 4 mm diameter, in flattened cymes arising from the centre of a rosette of leaves; four sepals, blunt, spreading; petals absent; hermaphrodite; eight stamens; ovary of two fused carpels, almost inferior; insect and self-pollinated.

Fruit: A capsule, which splits in two in its centre.

A decoction of the plant was used to free the ducts of the kidney and urinary tract of obstruction; the crushed root, sweetened with honey or sugar, was used to ease flatulence or colic. The leaves were eaten as a cress in the Vosges mountains of north-eastern France.

Airgead luachra

Filipendula ulmaria (L.) Maxim.—Rosaceae

Luibh ard (0.6–1.2 m) chumhra ilbhliantúil, flúirseach i móinéir fhliucha, cois sileáin, i ndíogacha agus i gcorraithe, ó leibhéal na farraige go 850 m.

Gas: Ag éirí in airde ó riosóm; ar éigean géagach, eitreach, scáil dhearg; ag déanamh paistí móra.

Duilleog: Comhdhuilleog chleiteach mhór, geal taobh thíos; fodhuilleoga míchothroma cíoracha, ceann foirceanta le trí mhaothán.

Bláth: Meitheamh–Lúnasa; bán, 5–10 mm trastomhas; iliomad i gcímí coirímeacha; cúig sheipeal; cúig phiotal; déghnéasach nó aonghnéasach fireann; iliomad staimíní; idir cúig sheipeal agus dhá sheipeal déag, apacarpach, uachtarach; pailniú feithide.

Toradh: Cnuasach aicéin cornánacha.

Planda tís é seo fadó. Mhilsítí deoch leis na bláthanna, agus dheintí ionla cnis astu in uisce báistí nó drúchta. Chroití iad ar urláir chun boladh breá a scaipeadh—cé gur chreid daoine eile go dtarraingeodh an boladh trom shuan buan ar dhaoine agus mar sin go leanódh drochrath é a thabhairt isteach sa tigh. Scriostaí cuigeanacha leis an bplanda, agus bhaintí ruaim dhubh as an bpréamh (Dún Chaoin, 1965).

Dheintí tae as na bláthanna chun na fola a ghlanadh agus chun fiabhras, buinneach, buinneach dhearg, dó imleacáin, slaghdán, dathacha, pianta cnámh agus gúta a leigheas. D'úsáidtí urbhruith den bpréamh chun buinneach nó aon scaoilteacht míchuí a thriomú agus chun goin, creacht agus othras a ní.

Baineadh aigéad salaicileach as na haicéin den gcéad uair sa bhliain 1839. Is as seo a deineadh aspairín níos déanaí.

Toradh / Fruit

Meadowsweet

A tall (0.6–1.2 m), aromatic perennial, abundant in wet meadows, by streamsides and in marshes, from sea level to 850 m.

Stem: Arising from a rhizome, scarcely branched, grooved, red-tinged; forming large patches.

Leaf: Pinnate, large, silver underneath; leaflets uneven, toothed; terminal leaflet three-lobed.

Flower: June–August; white, 5–10 mm diameter, numerous, in corymbose cymes; five sepals, five petals; hermaphrodite or unisexual male; numerous stamens; five to twelve carpels, apocarpous, superior; insect-pollinated.

Fruit: A cluster of spiral achenes.

The plant was used in housekeeping in former times. Drinks were sweetened with the flowers, and a skin lotion was made by steeping them in rainwater or dew. They were also strewn on floors to give a pleasant odour—though others would not allow them into the house at all lest the scent should induce a sleep from which they might not awake. The plant was used to scrub milk churns, and the root yielded a black dye (Dún Chaoin, 1965).

Sceach / Dris

Rubus fruticosus L. sensu latu—Rosaceae

Tor gearr nó ard (0.2–1.2+ m), ilbhliantúil, flúirseach i gclathacha, i bhfálta agus i scrobarnach, ó leibhéal na farraige go 350 m.

Gas: Fada, stuach nó sínte, adhmadach ina bhun, ceann buinneáin air, le deilgne láidre.

Duilleog: Comhdhuilleog le idir trí agus cúig fhodhuilleog; síorghlas; stípeoga beaga caola táite leis an gcoisín.

Bláth: Bealtaine–Deireadh Fómhair; bán nó bándearg, 20–30 mm trastomhas, i gcoirím nó címe gairid; cúig sheipeal agus cúig phiotal; iliomad staimíní; iliomad cairpéal ar ghabhdán coirceogach; apacarpach; de ghnáth tarlaíonn athghiniúint gan phailniú.

Toradh: Cnuasach drúpaí aonsíolacha.

Rubus fruticosus ainm ghinearálta ar timpeall ochtó speiceas éagsúla sceach in

Torthaí ("mogaill") / Fruit

Éirinn. De ghnáth deintear an síol gan phailniú, ach tarlaíonn crosphailniú ó am go ham. Fágann sin i mórán áiteanna meascán de mhionspeicis agus hibridí a théann dian ar na saineolaithe fiú idirdhealú a dhéanamh idir chuid acu.

Bhíodh gach cuid den phlanda á úsáid chun leighis. Chreidtí go raibh triomú, fualbhrostú agus athbhríocht ann. Dheintí ruaim fhlannbhuí as an bpréamh agus ruaim dhubh as na duilleoga agus gais chun gruaig a dhúchaint. Sóláiste breá na "mogaill".

Bramble

A short or tall (0.2–1.2+ m) bushy perennial, abundant on banks and hedges, in woods and thickets, from sea level to 350 m.

Stem: Long, arching or trailing, woody at base, rooting at the tip, with strong thorns.

Leaf: Compound, three to five leaflets; evergreen; small, narrow stipules fused with leaf-stalk.

Flower: May–October; white or pink, 20–30 mm diameter, in corymbs or short cymes; five sepals and five petals; numerous stamens; numerous carpels on a conical receptacle; apocarpic. Reproduction usually occurs by apomixis (without pollination).

Fruit: A collection of small, one-seeded drupes.

Rubus fruticosus is a general name given to about eighty different Irish bramble species. Seed is usually produced without pollination, but cross-fertilisation can occur. This results in most districts in a collection of micro-species and hybrids, some of which defy resolution even by specialists.

Blackberries have always been part of human diet; all parts of the plant had medicinal use. An orange dye was prepared from the root and a black hair dye from stems and leaves.

Gormdhearc / Eithreog

Rubus caesius L.—Rosaceae

Tor ilbhliantúil, leata amach ar an dtalamh, coitianta go leor in áiteanna gainimhe nó creagacha san iarthar agus sa deisceart, in ithir ná fuil searbh, in áiteanna gan scáth nó faoi leathscáth, ó leibhéal na farraige go 50 m.

Gas: Stuach, céireach, liathghorm, gan mórán dealg; ceann buinneáin air.

Duilleog: Comhdhuilleog trídhuilleach, cíorachdúbailte, uaireanta maothánach; beagnach lom nó clúmhnánach ar an dtaobh thíos; stípeoga lansacha, leathan ar na duilleoga íochtaracha, caol ar na cinn uachtaracha.

Bláth: Meitheamh–Meán Fómhair; bán, 20–25 mm trastomhas, i gcoirím nó címe beag; cúig sheipeal, liathghlas le himeall bán, le bior fada; cúig phiotal; déghnéasach; iliomad staimíní; idir dhá agus cúig chairpéal, apacarpach; pailniú feithide.

Torthaí / Fruit

Toradh: Cnuasach drúp gormghlas leis na seipil mórthimpeall orthu; níos mó drúp ar an rinntoradh ná ar na taobhthorthaí; loigíní sna clocha.

Is féidir an toradh d'ithe, ach toisc ná raibh sé chomh flúirseach ní raibh sé riamh chomh tábhachtach leis an sméar dubh.

Dewberry

A spreading perennial shrub, frequent in some parts of the south and west, in sandy and stony places, in open situations in non-acid soils, from sea level to 50 m.

Stem: Arching, waxy, glaucous, rooting at the tips; prickles few, slender, scattered.

Leaf: Compound; three leaflets, doubly toothed or sometimes lobed; almost glabrous to pubescent underneath; stipules lanceolate, broad on lower leaves, narrow on upper leaves.

Flower: June–September; white, diameter 20–25 mm, in small corymbs or cymes; five sepals, grey-green with a white margin, long-pointed; hermaphrodite; many stamens; two to five carpels, apocarpic; insect-pollinated.

Fruit: A group of glaucous drupes surrounded by the sepals, the terminal fruit with more drupes than the lateral, with pitted stones.

The fruit is edible but lacks the significance of the blackberry, because of its scarcity.

Briúlán

Rosa pimpinellifolia L.—Rosaceae

Tor ilbhliantúil, 250–800 mm ar airde, an-deilgneach, flúirseach ar charraigeacha is ar chlathacha, in ithir thirim chailcreach gan scáth, níos coitianta in aice na farraige, ó leibhéal na farraige go 500 m. Gas: díreach in airde, clúdaithe le dealga díreacha, an-dlúth; leathnaíonn sé amach trí meatháin a chur uaidh. Duilleog: comhdhuilleog le trí nó cúig fhodhuilleog bheaga loma; stípeoga táite leis an gcos; bláth: Bealtaine –Iúil; ina aonar, beag, bán nó bándearg, 25–40 mm trastomhas; seipil chúig-mhaothánacha; cúig phiotal; déghnéasach; iliomad staimíní, eipiginiúil; iliomad cairpéal, apacarpach; pailniú feithide; toradh: mogóir lom chuinneogach, cíorchorcra nó dubh, dearg go hannamh; na seipil dhreoite mar choróin air.

D'úsáidtí an planda iomlán mar leigheas d'ainmhithe i nDún Chaoin, áit a nglaotar "an sceach gheal" air. Thugtaí idir phréamh agus uile ón gcré agus í a chur ag beiriú agus an t-uisce a thabhairt le n-ól d'ainmhí ar a mbeadh an bhruinn dhearg (1965).

Burnet rose

An erect shrub, 250–800 mm high, very prickly, on sandhills and rocky heaths, in open places on dry calcareous soils, commonest by the sea, from sea level to 500 m.

Stem: Upright, densely covered with straight, slender prickles, forming thickets by suckering.

Leaf: Compound, with three to five small glabrous leaflets; stipules fused to the leaf-stalk.

Flower: May–July; solitary, small (25–40 mm diameter), white or pink; five sepals and five petals; hermaphrodite; numerous stamens, epigynous; numerous carpels, apocarpous; insect-pollinated.

Fruit: A hip, glabrous, globular, dark purple or black (rarely red), crowned by persistent sepals.

Rós Bhaile an Chalaidh

**Rosa rugosa* Thunb.

Rós cumhra deargchorcra a tugadh go hÉirinn timpeall 1880 mar rós gairdín. An tSeapáin agus na tíortha in aice léi a áit dúchais, mar a bhfásann sé go forleathan ar dhumhcha; glaotar "hamanashi" (piorra cladaigh) air sa tSeapáin. Tá sé ag fás sa chill i mBaile an Chalaidh i bparóiste an Fheirtéaraigh, agus an-urraim ag daoine dó.

Japanese rose

A purplish fragrant rose introduced into cultivation in Ireland around 1880. It is found near old houses and graveyards as a garden escape and is naturalised in some areas.

Feirdhris

Rosa canina

Tor ard, níos mó ná 2 m, ilbhliantúil, flúirseach i gcoillte agus i bhfálta agus in áiteanna oscailte, i ngach saghas ithreach ach amháin portach fliuch, ó leibhéal na farraige go 300 m.

Gas: Scaipithe, streachlánach, stuach; dealga iompaithe siar, leathan as a mbonn.

Duilleog: Comhdhuilleog chleiteach le stípeoga táite leis an gcos; seacht bhfodhuilleog, 14–40 mm ar fad; cíorach, lom, gan ghléas.

Bláth: Meitheamh–Iúil; ina aonar nó i gcnuasaigh bheaga; bán nó bándearg, cumhra, 40–50 mm trastomhas; seipil chúigmhaothánacha; cúig phiotal; déghnéasach; iliomad staimíní, eipiginiúil; iliomad cairpéal, apacarpach; pailniú feithide nó féinphailniú; tarlaíonn apaimiscis freisin (síol á dhéanamh den ubhúlach gan phailniú).

Toradh: Mogóir dearg; titeann na seipil sara n-aibíonn sé.

Tá stair fhada ag baint le saothrú an róis seo mar phlanda gairdín agus mar luibh leighis. Deirtí go raibh buanna triomaithe, ceangailte agus fuaraithe aige. D'úsáidtí é i gcoinne galar cléibhe, tinneas cinn, fiabhras, laigíocht nó crith croí, chun an goile a neartú agus chun suaimhneas agus codladh a mhealladh. Tá na mogóirí saibhir i vitimín C; bhailítí iad le linn an Dara Cogaidh Domhanda chun an vitimín seo a sholáthar le linn ganntanas torthaí eile.

Úsáidtear bonnstoc an phlanda seo mar phréamh do na róis gairdín; hibrid nádúrtha idir *Rosa pimpinellifolia* agus *R. canina* is ea an rós gairdín *Rosa × hibernica* Templeton.

Dog rose

A tall (over 2 m) perennial shrub, abundant in woods, hedgerows and open areas, in all soil types except wet bog, from sea level to 300 m.

Stem: Spreading, straggling, arching; prickles strong, hooked, broad-based.

Leaf: Compound pinnate with stipules fused to the leaf-stalk; seven leaflets, each 14–40 mm long; toothed, glabrous, dull.

Flower: June–July; solitary or in little clusters; white or pink, scented, 40–50 mm diameter; five-lobed sepals; five petals; hermaphrodite; numerous stamens, epigynous; numerous carpels, apocarpic; insect or self-pollination, also apomixis (seed development without pollination).

Fruit: Rose hip, red; sepals fall before fruit is mature.

The plant is used by nurseries as a rootstock for garden roses: the garden rose *Rosa × hibernica* Templeton is a natural hybrid between *R. pimpinellifolia* and *R. canina*.

The dog rose has a long history of cultivation as a garden plant and as a medicinal herb. The hips are rich in vitamin C and were collected during the Second World War when other fruit was in short supply.

Méiríní na Maighe

Agrimonia eupatoria L.—Rosaceae

Luibh leath-ard (300–600 mm) ilbhliantúil, forleathan ar lantáin ghlasa ar chiumhaiseanna bóthar, fál, nó gort, in áiteanna oscailte ná fuil searbh, ó leibhéal na farraige go 150 m.

Gas: Ag éirí ó riosóm; díreach, fíorbheagán géag; clúdaithe le clúmh ina bhfuil ribí simplí fada agus gearra agus ribí gearra faireogacha.

Duilleog: Comhdhuilleog chleiteach chlúmhach; fo-dhuilleoga cíoracha, ar mhéid éagsúla; stípeoga duilleogach, cíorach.

Bláth: Meitheamh–Lúnasa; buí, 5–7 mm trastomhas, i ndias an-fhada; cailís fheadánach chúigfhiaclach; cúig phiotal; déghnéasach; idir seacht agus fiche staimín, eipiginiúil; cairpéal amháin nó dhá cheann, apa-carpach; pailniú feithide agus féinphailniú.

Toradh: Aicéin nó dhó iniata i gcailís fheadánach go bhfuil leadáin ar a béal.

Torthaí / Fruit

Bhí clú ar an bplanda seo mar luibh leighis sa tsean-aimsir. Ag brath ar an ur-bhruith a dhéanfaí, bhí glan-adh agus gearradh ann. Ghlanfadh sé an fual, an chíoch, agus na scamhóga; réiteodh agus neartódh sé an ae; dheintí deoch des na bláthanna i gcomhair slagh-dáin, agus tae fionnuartha as na duilleoga. D'úsáidtí na duilleoga agus na síolta brúite measctha le méathras muiceola chun scolb nó dealg a tharraingt; neartódh seo alt leonta freisin.

Agrimony

A medium-sized (300–600 mm) perennial, frequent on grassy banks, hedge banks, field and road verges, in open situations on non-acid soils, from sea level to 150 m.

Stem: Arising from a rhizome; erect, almost unbranched; covered with hairs, including short and long simple hairs and short glandular hairs.

Leaf: Pinnate, hairy, with toothed leaflets of varying sizes; stipules leafy and toothed.

Flower: June–August; yellow, 5–7 mm diameter, in a very long spike; tubular calyx, five-toothed; five petals; hermaphrodite; seven to twenty stamens, epigynous; one or two carpels, apocarpous; insect or self-pollinated.

Fruit: One or two achenes, enclosed in a persistent calyx tube that bears hooked bristles at the mouth.

This plant was highly regarded in ancient times for its medicinal properties of cleansing and purging. A drink made of the flowers was prescribed for the common cold, and a refreshing tea was made from the leaves. The seed and leaves, crushed and mixed with hog's lard, were applied to the skin to draw out splinters.

Machall coille

Geum urbanum L.—Rosaceae

Luibh leath-ard (300–600 mm) ilbhliantúil; coitianta i bpaistí scáfara, i gcoillte agus i bhfálta, in ithir thais shaibhir, searbh nó cailc-reach, ó leibhéal na farraige go 500 m.

Gas: Ag éirí ó riosóm; díreach, briosc, beagán giobach.

Duilleog: Cleiteach, beagán giobach, le maothán mór foirceanta agus cúpla ceann eile ar mhéid éagsúla ach níos lú; cuid de na duilleoga uachtarach simplí; stípeoga leathana duilleogacha, maothánach nó cíorach.

Bláth: Meitheamh–Iúil; buí, 12–20 mm trastomhas; aonaránach nó i gcímí beaga; cailís fheadánach chúig-fhiaclach le heipeacailís de chúig bhracht; cúig phiotal, leata amach; déghnéasach; iliomad staiminí, eipiginiúil; iliomad cairpéal, apacarpach; pailniú feithide agus féin-phailniú.

Toradh: Cnuasach aicéin le stíl fhada chruaidh leadánach.

Chreidtí gur chosaint an planda seo ar dhiabhail agus ar dheamhain, ar dhroch-spioraideanna agus ar ainmhithe allta. Sheas na trí fhodhuilleog don dTríonóid agus na cúig phiotal do chúig chneá Chríost. D'úsáid ailtirí an bláth seo in ornáidí ar fhoirgnimh sa Mheánaois.

Chreidtí go raibh leigheas sa phréamh ar ghalair cléibhe agus cíche, ar ghreim cliatháin, ar dhó imleacáin, ar chreathaí fuachta agus chun fuil chailcthe laistigh den cholainn de bharr gortaithe a leigheas. Thógtaí an phréamh i bhfíon gach maidin ar céalacan chun an croí agus an ae do neartú, chun cabhrú le díleá, agus mar chosaint ar an bplá. Deirtí gurb é Lá Fhéile Muire san Earrach (25 Márta) an lá ab fhearr chun na bpréamh a bhaint: is cumhra an uair sin iad.

Herb bennet

A medium-sized (300–600 mm) perennial, common in shady places in woods and hedgerows, in damp, rich acid or calcareous soil, from sea level to 500 m.

Stem: Arising from a rhizome, erect, brittle, slightly hairy.

Leaf: Pinnate, slightly hairy, with a large terminal leaflet and a few lateral leaflets of variable but smaller size; some of the upper leaves simple; stipules broad, leafy, lobed or toothed.

Flower: June–July; yellow, 12–20 mm diameter; single or in small cymes; tubular calyx, five-toothed, with an epicalyx of five bracts; five petals, spreading; herm-aphrodite; numerous stamens; numerous carpels, apocarpic; insect or self-pollination.

Fruit: A cluster of achenes, each with a long, stiff, hooked style.

The English name is a corruption of the Latin *herba benedicta*—"blessed herb"—so named because it was believed to protect people and animals from demons, mon-sters, and evil spirits. The trifoliate leaves symbolised the Trinity, and the five petals the five wounds of Christ.

Briosclán

Potentilla anserina L.—Rosaceae

Luibh íseal (*c.* 100 mm) chlumhach ilbhliantúil, flúirseach cois bóthair agus ina leithéid eile d'áit thais shuaite, gan scáth, ó leibhéal na farraige go 300 m.

Gas: Fada, caol, dearg, reatha.

Duilleog: Comhdhuilleog chleiteach, fodhuilleog chíorach, clúdaithe le fionnadh geal.

Bláth: Bealtaine-Lúnasa; glébhuí, 20–25 mm trastomhas, ina aonar ar bhláthchoisín fhada; cúig phiotal, cúig sheipeal; déghnéasach; iliomad staimíní; iliomad cairpéal, apacarpach; pailniú feithide nó féinphailniú.

Toradh: Cnuasach aicéin ar ghabhdán tirim.

Bhí seanaithne ar an bplanda seo mar luibh leighis agus mar ábhar bidh. Chuirtí na duilleoga ar bogadh in uisce, agus d'úsáidtí an t-uisce seo chun buinneach, fíocas nó rith fola a thriomú, nó chun scornach thinn a leigheas. Chuirtí duilleoga i mbróga ar shiúl fada chun na cosa a choimeád tirim compordach. D'úsáidtí na préamha mar ábhar bidh sara n-aimsíodh an práta, agus i bhfad ina dhiaidh sin in aimsir ganntanais.

"Dheinidís a phréamha seo a róstadh ar an ngríosaigh agus é a ithe ansan. Mhuise, is minic a dheineamar é a róstadh agus é a ithe agus sinn inár leanaí. Chonac cuid des na seandaoine á ghearradh mion agus á mheascadh leis an dtobac a chur sa phíp aimsir an chogaidh, nuair a bhí gannchúis ar an dtobac" (SCC, lch 91).

Bláth / Flower

Silverweed

A short (c. 100 mm) hairy perennial, found on roadsides and in other damp, open habitats, from sea level to 300 m.

Stem: Long, slender, red, creeping, and rooting.

Leaf: Silvery, silky-haied, pinnate, with oval, toothed leaflets.

Flower: May–August; 20–25 mm diameter, bright yellow, solitary on a long peduncle; five petals, five sepals; hermaphrodite; numerous stamens; numerous carpels, apocarpous; insect or self-pollination.

Fruit: A cluster of achenes on a dry receptacle.

The plant has a long history of use as a food crop and medicinal herb. The roots were widely collected before the introduction of the potato and continued to be eaten long afterwards in times of scarcity. An infusion of the leaves was believed to relieve ulcers, bleeding, and sore throat, and travellers used the fresh leaves as a soothing lining for their boots.

Mianfhartach

Potentilla erecta (L.) Räuscel—Rosaceae

Luibh íseal (50–300 mm) mhionchlúmhach ilbhliantúil, flúirseach i móinteáin, ar chlathacha agus i bpáirceanna sléibhe, ó leibhéal na farraige go 1,040 m.

Gas: Dreaptha nó reatha, gan phréamh do chur uaidh.

Duilleog: Comhdhuilleoga, a bhformhór trímhaothánach; duilleoga uachtaracha gan chos, le fodhuilleoga ubhchruthacha domhainchíoracha agus stípeoga bosacha cosúil le fodhuilleoga breise.

Bláth: Meitheamh–Meán Fómhair; glébhuí 12–15 mm trastomhas, i gcímí; ceithre sheipeal agus ceithre phiotal; déghnéasach; idir cúig staimín déag agus fiche ceann; idir ceithre chairpéal agus dhá cheann déag, apacarpach; pailniú feithide.

Toradh: Cnuasach aicéin ar ghabhdán tirim.

Chreidtí go raibh tréithe triomaithe, fuilchoisc, íce agus frithangacha san luibh seo agus go raibh sí oiriúnach chun an ainmhí agus an duine araon do leigheas. D'úsáidtí urbhruith di mar leigheas ar chrúibíneach, mar chraosfholcadh chun béal, drandal nó scornach thinn do leigheas, nó chun fiacla bogtha a dhaingniú. Dheintí urbhruith láidir chun faoiseamh ar thóin, sine nó lúidíní tine.

"Bhí dhá mhuic 'riúnach don margadh ag mo dheartháir, Seán. Do choimeádadh sé muca maithe i gcónaí. Bhíodh bean mo dhearthár go maith dóibh. Ní fhágadh sí aon cheal orthu. Is mó ciseán maith den mianartach do bhain sí thiar i bPáirc Mhór an Lóndraigh. Agus do bheiríodh sí iad féin is barr an fhraoigh ghlais, is pé craitheadh mine do chuireadh sí air. Dheineadh sé anmhess dos na muca" (*Beatha Pheig Sayers*).

Thugtaí mianartach measctha le barra an fhraoigh do ghamhna nuair ná bíodh a ndóthain bainne le fáil acu. Chuireadh sé gléas ina gcraiceann (Mike Pheig Sayers, 1965).

Bhaintí ruaim dhearg as an bpréamh lena ndathaítí leathar.

Is breá le broic an rúta.

Tormentil

A low (50–300 mm), minutely hairy perennial, abundant in heaths, hedge banks and upland pastures, from sea level to 1,040 m.

Stem: Climbing and trailing; not rooting at the tips.

Leaf: Compound, mostly with three leaflets; upper leaves sessile, with deeply toothed ovate leaflets and palmate stipules, which look like extra leaflets.

Flower: June–September; bright yellow, 12–15 mm diameter, in cymes; four sepals and petals; hermaphrodite; fifteen to twenty stamens; four to twelve carpels, apocarpous; insect-pollinated.

Fruit: A cluster of achenes on a dry receptacle.

The plant was credited with astringent, haemostatic, vulnerary and anti-inflamatory properties and was used to treat both human and animal ills. Decoctions of the plant were used to cure footrot in sheep and as a gargle or mouthwash to treat sore mouth, gums or throat and to fasten loose teeth. A strong decoction was used to soothe piles or cracked anus or nipples.

Cúig mhéar Mhuire

Potentilla reptans L.—Rosaceae

Luibh íseal (50–300 mm) reatha ilbhliantúil, flúirseach cois bóthair, i gclathacha agus i bhfásaigh, in áiteanna oscailte, ó leibhéal na farraige go 300 m. Gas reatha, ag préamhú os na nóid. Comhdhuilleog le cúig fhodhuilleog chíoracha, a bhformhór bunach, ar chos fhada, le stípeoga slána; bláth: Meitheamh–Meán Fómhair, glébhuí, 20–25 mm trastomhas; cailís chúigfhiaclach; cúig phiotal, iliomad staimíní is cairpéal; toradh: bailiúchán aicéin ar ghabhdán tirim.

Creeping cinquefoil

A low (50–300 mm) creeping perennial, abundant on roadsides, banks and open places from sea level to 300 m. Stem: creeping, rooting at the nodes; leaves: compound, with five-toothed leaflets, mainly basal, long-stalked, with entire stipules; flower: June–September, bright yellow, 20–25 mm diameter; five-toothed calyx, five petals; numerous stamens and carpels. Fruit: a collection of achenes on a dry receptacle.

Cnó léana / Cnámh léana

Potentilla palustris (L.) Scop.—Rosaceae

Luibh reatha ilbhliantúil, 150–600 mm ar airde, forleathan in imill portaigh, i riasca agus i ndíogacha, ó leibhéal na farraige go 300 m. Comhdhuilleog bosach, 30–50 mm ar fad, cíorach, bán laistíos, le cúig fhodhuilleog; bláth: Bealtaine–Iúil, 20–30 mm trastomhas, le cúig sheipeal mhóra chorcra, cúig phiotal bheaga chorcra, iliomad staimíní agus cairpéal; bailiúchán aicéin ar ghabhdán tirim mar thoradh. Bíonn scáil chorcra sa phlanda ar fad go minic.

Marsh cinquefoil

A creeping perennial, 150–600 mm tall, widespread in bog margins, marshes and drains, from sea level to 300 m. Leaf: palmately compound, toothed, 30–50 mm long, white underneath, with five leaflets; flower: May–July, 20–30 mm diameter, with five large purple sepals, five small purple petals, numerous stamens and carpels; fruit: a collection of achenes on a dry receptacle. The whole plant is often tinged with purple.

Sú talún bréige

Potentilla sterilis (L.) Garcke—Rosaceae

Luibh bheag (50–150 mm) ilbhliantúil mhínchlúmhach, forleathan ar fhallaí, i gclathacha agus i gcoillte, ó leibhéal na farraige go 300 m. Gas reatha ná cuireann préamh uaidh; comhdhuilleog, trí fhodhuilleog chíoracha, an fhiacail barraigh i bhfad níos lú ná na cinn taobh léi; liathghlas le clúmh mín lastuas, níos báine le clúmh níos dlúithe laistíos, na ribí ina gcolgsheasamh; bláth: Márta–Meitheamh, bán; toradh: bailiúchán aicéin ar ghabhdán tirim.

Barren strawberry

A small (50–150 mm) perennial herb, softly hairy, widespread on walls, banks and in woods, from sea level to 300 m. Stem: creeping but not rooting; leaf: compound, with three toothed leaflets, the apical tooth much shorter than those on either side; bluish-green and softly hairy above, paler and more densely hairy below, the hairs standing erect; flower: March–June; white; fruit: a collection of achenes on a dry receptacle.

Su talún fiáin

Fragaria vesca L.—Rosaceae

Luibh bheag (50–300 mm) reatha ilbhliantúil, forleathan i bhfálta agus i gclathacha scáfara, ó leibhéal na farraige go 350 m. Gas reatha ag préamhú os na nóid; comhdhuilleog le trí fhodhuilleog chíoracha, an fhiacail barraigh ar an bhfad céanna leis na cinn taobh leis; gléghlas le beagán clúimh lastuas, liathbhán le clúmh síodúil luite laistíos; bláth: Bealtaine–Iúil, bán; toradh: bailiúchán aicéin ar dhromchla gabhdáin deirg súmhair ata.

Wild strawberry

A small (50–300 mm) creeping perennial herb, widespread in hedgerows and shady banks, from sea level to 350 m. Stem: creeping and rooting at the node; leaf: compound, with three toothed leaflets, terminal tooth not shorter than those on either side; bright green and somewhat hairy above, pale and silkily hairy below, the hairs flatly appressed; flower: May–July, white; fruit: a number of achenes on the surface of a red, juicy, swollen receptacle.

Sceach gheal

Crataegus monogyna—Rosaceae

Tor nó mionchrann le géaga deilgneacha; dúchasach, ach curtha i bhfálta agus cois coille i ngach saghas ithreach, ó leibhéal na farraige go 300 m.

Gas: Láidir, adhmadach, le dealga fada láidre.

Duilleog: Dúghlas, triantánach, cleiteach, le maotháin dhoimhne.

Bláth: Bealtaine–Meitheamh; bán nó bándearg; 12 mm trastomhas, i gcímí le idir cúig bhláth déag agus caoga ceann; cailís chúigfhiaclach; bláthchoisín agus cailís clúmhacha; cúig phiotal; déghnéasach; iliomad staimíní, eipiginiúil; cairpéal amháin; pailniú feithide.

Toradh: Drúp dearg leis na seipil greamaithe de (caor sceithe); aon tsíol clochach amháin ann.

D'úsáidtí an sceach gheal i gceiliúradh Lá Bealtaine, agus chreidtí gur bhain draíocht léi; bhí a lán béaloidis ina taobh. Ní bhainfeadh éinne le "crann aonair" in áit oscailte gan an mí-ádh a tharrac air féin. Ba leis na Daoine Maithe é, agus chaillfí an té a bhainfeadh é go luath ina dhiaidh sin. Cheaptaí go gcosnódh craoibhín a bhainfí Déardaoin Deasghabhála tigh agus teaghlach ar splancacha—chreidtí gur obair an Diabhail an splanc. Chreid daoine eile nár cheart an sceach gheal a thabhairt isteach sa tigh ar aon chor, go mbeadh drochrath ar an dtigh agus an lion tí.

Torthaí / Fruits

Hawthorn

A branched, thorny shrub or small tree; native, planted in hedges and wood margins in all types of soil, from sea level to 300 m.

Stem: Woody, strong, with long, strong thorns.

Leaf: Dark green, triangular, deeply pinnatifid.

Flower: May–June; white or pink, 12 mm diameter, in cymes of fifteen to fifty flowers; hermaphrodite; five-toothed calyx, calyx and flower-stalk hairy; five-petalled corolla; numerous stamens, epigynous; single carpel; insect-pollinated.

Fruit: Red berry-like haws, single stony seed, with persistent sepals.

The hawthorn was associated with May Day celebrations and was believed to have magical properties; much folklore surrounded it until recently. The "lone bush" growing in an open space was to be avoided at all costs: it was believed to belong to the Otherworld, and anyone interfering with it invited disaster and even death.

Draighean

Prunus spinosa L.—Rosaceae

Tor dlúth le han-chuid géag dubh a chríochnaíonn i spíonta láidre; 1–4 m ar airde, ó leibhéal na farraige go 260 m.

Gas: Dubh, craobhach ó bhonn, le spíonta láidre; meathánach.

Duilleog: Ubhchruthach, 20–25 mm ar fad, beagnach lom, mionchíorach; coisíní le scáil dhearg.

Bláth: Márta–Bealtaine; bán, 10–15 mm trastomhas, ar choisín bhídeach; aonaránach nó i bpéirí; osclaíd roimh na duilleoga; cúig sheipeal agus cúig phiotal; déghnéasach; iliomad staimíní, peiriginiúil; cairpéal amháin; pailniú feithide.

Toradh: Drúp searbh dubh le scáil ghorm ann—an áirne.

Is as an áirne, atá á hithe ag an duine leis na mílte bliain, a póraíodh pluma an lae inniu. Chuirtí beangáin den phluma ar phréamh draighin. Gaolta gairide eile

Torthaí / Fruits

an daimsín agus an glasphluma. D'úsáidtí an áirne le fada chun blas a chur ar bhiotáille Ghinéive agus ar phortfhíon; deirtear go ndeineadh manaigh Mhainistir na Croiche biotáille breá áirní sa Mheánaois.

Bhí gach cuid den phlanda á úsáid chun leighis. D'úsáidtí na hairní chun rith fola nó aon sileadh míchuí a stop; dheintí tae de na bláthanna mar phurgóid "chneasta", mar fualbhrostach agus fuascailt ar ghaoth; d'úsáidtí urbhruith den gcoirt chun othrais agus goin a thriomú agus a chneasú.

Blackthorn

A dense, bushy shrub with black branches ending in stout spines, 1–4 m high, from sea level to 260 m.

Stem: Numerous black stems branched from the base, covered in stout spines; suckering.

Leaf: Oval, 20–25 mm long, almost glabrous, finely toothed; red-tinged stalks.

Flower: March–May; white, 10–15 mm diameter, on a minute flower-stalk; solitary or in pairs, opening before the leaves; five sepals and five petals; hermaphrodite; numerous stamens, perigynous; a single carpel; insect-pollinated.

Fruit: A black drupe —the sloe—with a blue bloom; very sour and astringent.

The sloe is the ancestor of our cultivated plums and has been eaten by humans for thousands of years. Often plums were grafted to blackthorn root; damsons and greengages are other related species. The sloe has long been used to flavour gin and port; it is believed the monks in Holy Cross Abbey made fine sloe gin during the Middle Ages.

Giolcach sléibhe

Cytisus scoparius (L.) Link—
Leguminosae (Fabaceae)

Tor ard (1–2 m) ceart-seasmhach guaireach, for-leathan ach áitiúil, i bhfálta, i bhfraochlaigh agus in áit-eanna tirime dosacha, in ithir thirim shearbh, ó leibh-éal na farraige go 250 m.

Gas: Lom, glas, géagach.

Duilleog: Comhdhuilleog thrídhuilleach bheag ghann; fodhuilleoga ubhcruthacha, lom nó beagán clúmhach.

Bláth: Bealtaine–Meitheamh; glébhuí, 25 mm ar fad, ar bhláthchoisín suas le 10 mm ar fhad; aonar-ánach in ascaillí duilleog; neamhrialta; cailís bheag lom ghlas le dhá liopa; coróinín de chúig phiotal: ceann mór in uachtar (an meirge), dhá cheann taobh-ach (na sciatháin), agus dhá cheann in íochtar ag déan-amh póca (an cíle—féach lch 24); déghnéasach; deich staimín, táite ag a mbun; cairpéal amháin, ubhagán uachtarach; pailniú feithide.

Bláthanna / Flowers

Torthaí / Fruits

Toradh: Faighneog, ar a dtugtar léagúm; pléascann sí ina dhá leath agus caitheann na síolta amach ón bplanda.

Cé go bhfuil cuid de na Leguminosae nimhneach (m.sh. an beallaí francach), is é seo clann na bpiseanna agus na bpónairí, ábhar maith próitéine don duine agus don ainmí. Is bia maith d'eallach na luibheanna boga cosúil leis na seamair, agus táirgeann go leor acu flúirse meala. Saibhríonn na Legu-minosae an ithir trí shim-bheois le baictéir fosaithe nítrigine *Rhizobium,* a mhaireann i nóidíní ar a gcuid préamh agus a dheineann comhdhúil nítrigineach as nítrigin ghásach an aeir.

Broom

A tall (1–2 m), erect, wiry shrub, wide-spread but local, in hedges, on heaths and in dry bushy places, on dry, acid soils, from sea level to 250 m.

Stem: Glabrous, green, branched.

Leaf: Small, scarce, compound, ternate; leaflets oval, glabrous or slightly hairy.

Flower: May–June; bright yellow, 25 mm long, on a flower-stalk up to 10 mm long; singly in leaf axils; irregular; calyx small, smooth, green, two-lipped; corolla of five free petals: a large upper petal (the stan-dard), two side petals (the wings), and a bottom pair forming a pouch (the keel—see p. 24); hermaphrodite; ten stamens, united at the base; single carpel, superior ovary; insect-pollinated.

Fruit: A pod called a legume, which splits explosively into two halves, scattering the seeds.

The Leguminosae enrich the soil through symbiosis with the *Rhizobium* nitrogen-fixing bac-teria, which live in nodes on their roots and make nitrogen compound from nitrogen in the air.

Aiteann gallda

Ulex europaeus L.—Leguminosae (Fabaceae)

Tor ard (0.7–2 m) síorghlas, an-deilgneach, clúmhach, flúirseach i móinte agus in áiteanna garbha clochacha, in ithir thirim ná fuil cailcreach; curtha i bhfálta; ó leibhéal na farraige go 450 m.

Gas: Géagach, gormghlas.

Duilleog: Spíona gormghlas le heitrí doimhne.

Bláth: Márta–Meitheamh, fobhláth ar feadh na bliana; glébhuí, 15–20 mm ar fad, i raicéim measctha le deilgne; neamhrialta; cailís chlúmhach, ribí leata amach, buí, dhá liopa uirthi; cúig phiotal: meirge in uachtar, dhá sciathán ar thaobh, cíle in íochtar déanta as dhá phiotal; déghnéasach; deich staimín, táite; cairpéal amháin, ubhagán uachtarach; pailniú feithide.

Toradh: Faighneog (léagúm) a phléascann le cnag sa tsamhraidh agus a theilgeann na síolta amach ón bplanda.

Bláthanna / Flowers

Chuirtí an planda seo go minic mar fhál timpeall na bpáirceanna agus in aice le tithe. Fásann sé go tapaidh ó shíol, agus mura gcoimeádtar faoi smacht é trí ghearradh nó iníor, imíonn sé fiáin; cuirtear foirm le bláthanna dúbailte, nach féidir leo síolrú, i ngairdíní. D'úsáidtí "rútaí aitinn" mar chamáin i gCorca Dhuibhne fadó; d'úsáidtí chun tine chomh maith iad, agus choimeádtaí na cipíní tirime chun an tine a adú ón ngríosach ar maidin.

Gorse

A tall (0.7–2 m), very spiny, somewhat hairy evergreen shrub, common in the east and in hedges, more local in pastures and stony places in the west and south, on dry, non-calcareous soils, from sea level to 450 m.

Stem: Branched, bluish-green.

Leaf: Bluish-green spine, deeply grooved.

Flower: March–June, but a few flowers throughout the year; irregular, 15–20 mm long, in racemes intermixed with thorns; calyx yellow, two-lipped, with spreading hairs; bright yellow corolla; five petals: standard, two wings and keel (two petals); hermaphrodite; ten stamens, fused; one carpel, superior ovary; insect-pollinated.

Fruit: A legume, opening in summer with a loud pop, throwing the seeds a metre or more.

This shrub was often planted as a hedge, particularly near houses. It spreads rapidly from seed unless kept under control by cutting or grazing; an infertile double-flowered form is planted in gardens.

Aiteann Gaelach

Ulex gallii Planchon—Leguminosae (Fabaceae)

Tor ard nó íseal (0.15–1.2 m), síorghlas, ar bheagán clúimh, an-deilgneach; flúirseach ar chnoic agus ar mhóinteáin i ndeisceart agus in iarthar na tíre, in ithir thirim shearbh, ó leibhéal na farraige go 700 m.

Gas: Géagach, deilgneach, glas.

Duilleoga: Spíonaí glasa, le heitrí doiléire.

Bláth: Iúil–Lúnasa; dúbhuí, 10–12 mm ar fad, i raicéimí measctha le deilgne; cailís chlúmhach, ribí boga luite; buí, dhá liopa air, níos giorra ná an choróinín; coróinín: meirge, sciatháin, agus cíle; déghnéasach; deich staimín, táite; cairpéal amháin, ubhagán uachtarach; pailniú feithide.

Toradh: Faighneog (léagúm) a osclaíonn san earrach.

Leathann an tor seo níos airde ar na sléibhte ná *Ulex europaeus,* agus os cionn 150 m is é seo an ceann is flúirsí. Tugann sé beatha do chaoirigh ar na féaraigh gharbha; is é síoriníor na gcaorach a choimeádann an chruth shlachtmhar chruinn air, agus ó am go ham dónn feirmeoirí san earrach é chun athfhás a spreagadh. Thugtaí aiteann brúite mar bhia do chapaill tráth, agus ghearrtaí géaga óga mar easair dóibh freisin. Bhaintí ruaim bhuí as an aiteann, agus bhíodh sé á úsáid mar luibh íce, go mór mór do ghalair ainmhithe.

Autumn gorse

A small or large (0.15–1.2 m) evergreen shrub, slightly hairy, very spiny, abundant on mountains and heaths in the south and west, in dry, acid soils, from sea level to 700 m.

Stem: Branched, thorny, green.

Leaf: Green, faintly ridged spines.

Flower: July–August; deep yellow, 10–12 mm long, intermixed with thorns in racemes; yellow calyx, two-lipped, covered with soft, prostrate hairs; corolla: standard, wings, and keel; hermaphrodite; ten stamens, fused; one carpel, superior ovary; insect-pollinated.

Fruit: A legume, opening in spring.

This shrub spreads further up the hills than *Ulex europaeus* and above 150 m is the commoner of the two. It provides fodder for sheep on the rough grazings; it is constant grazing by sheep that produces the neat rounded shape typical of this plant in the hills. From time to time farmers may burn it in spring to stimulate fresh growth. Crushed gorse was fed to horses at one time, and young branches were cut as litter. A yellow dye was extracted from the gorse flower, and the plant had medicinal uses, particularly for animal diseases.

Fiseánach thiubh

Vicia cracca L.—Leguminosae (Fabaceae)

Dreapadóir clúmhach ilbhliantúil, coitianta i bhfálta, i bhféar ard agus cois bóthair, ó leibhéal na farraige go 260 m. Comhdhuilleog cleiteach, le teannóga géagaithe ag a barr; idir ocht agus dhá phéire dhéag de fhodhuilleoga lansacha bioracha; bláth: Meitheamh–Lúnasa; gléghorm, suas le daichead i raicéim dlúth aontaobhach ar chos fhada; toradh: faighneog (léagúm) dhonn.

Tufted vetch

A hairy, climbing perennial, common in hedges, long grass and on roadsides. Leaves: pinnate, ending in a branched tendril; eight to twelve lanceolate,. pointed leaflets; flower: June–August, bright blue, up to forty in a one-sided, dense, long-stalked raceme; fruit: a brown pod (legume).

Peasair fhiáin

Vicia sepium L.—Leguminosae (Fabaceae)

Dreapadóir beagáinín clúmhach, ilbhliantúil; coitianta i bhfálta, i mothair agus i bhfásaigh, ó leibhéal na farraige go 640 m. Comhdhuilleog chleiteach le teannóga géagacha ag a barr; idir cúig agus seacht bpéire fodhuilleog ubhchruthach; bláth: Bealtaine–Iúil, deargchorcra, gan chos, idir dhá agus sé bhláth i raicéimí gearra; toradh: faighneog (léagúm) dhubh.

Bush vetch

A climbing, slightly hairy perennial, common in hedgerows, thickets and waste places, from sea level to 640 m. Leaf: pinnate, ending in a branched tendril; five to seven pairs of oval leaflets; flower: May–July, sessile, reddish-purple, two to six in short racemes; fruit: a black pod (legume).

Pis bhuí

Meadow vetchling

Lathyrus pratensis L.—Leguminosae (Fabaceae)

Luibh lom nó le beagán clúimh, 0.3–1.2 m ar airde, ilbhliantúil, coitianta i móinéir fhliucha, i bhfálta agus i ndígeacha, ó leibhéal na farraige go 400 m.

Gas: Streachlánach, cúinneach.

Duilleog: Péire singil fodhuilleog, an mheánfhéith ag críochnú i dteannóg géagaithe; fodhuilleoga lansach, biorach; stípeoga móra le cluaisíní bioracha ag a mbun.

Bláth: Meitheamh–Lúnasa; glébhuí, 12–15 mm ar fad, idir ceithre agus deich gcinn i raicéim; cailís fheadánach chúigfhiaclach; coróinín: meirge, sciatháin, agus cíle; déghnéasach; naoi staimín táite, ceann saor; ubhagán uachtarach aoncheallach; stíl aonair, clúmhach in uachtar amháin; pailniú feithide.

Toradh: Léagúm dhorcha, 25–35 mm ar fad.

Bia maith d'eallach an planda seo, toisc go bhfuil na faighneoga an-saibhir i bpróitéin. Bíonn baictéir fosaithe nítrigine den ghéineas *Rhizobium* i nóidíní ar phréamha na Leguminosae; úsáideann na baictéir nítrigin ón aer chun a gcuid próitéine a dhéanamh. Tar éis báis do chealla an *Rhizobium* bristear síos an phróitéin agus cuirtear an nítrigin ar fáil i slí gur féidir leis an óstach féin agus le plandaí in aice leis iad a úsáid i ndéantús a gcuid próitéine féin.

A glabrous or slightly hairy perennial, 0.3–1.2 m tall, common in wet meadows, hedgerows and ditches, from sea level to 400 m.

Stem: Straggling, angled.

Leaf: A single pair of leaflets, the mid-rib ending in a branched tendril; leaflets lanceolate; stipules large, with pointed auricles at the base.

Flower: June–August; bright yellow, 12–15 mm long, four to ten in a raceme; calyx tubular, five-toothed; corolla: standard, wings, and keel; hermaphrodite; nine stamens fused, one free; single style, hairy on the upper side only; insect-pollinated.

Fruit: A blackish legume 25–35 mm long.

This is an excellent fodder plant for cattle, as the pods are rich in protein. Nitrogen-fixing bacteria of the genus *Rhizobium* make nodules on the roots of plants of the family Leguminosae. The protein of dead *Rhizobium* cells is broken down, and the nitrogen becomes available to the host plant and surrounding plants as nitrate.

Sreang bhogha

Ononis repens L.—Leguminosae (Fabaceae)

Luibh íseal ghéagach shínte ilbhliantúil, le riosóim adhmadacha agus préamha daingne sreinge, ag déanamh paistí i bhféaraigh agus ar dhumhcha, coitianta in oirthear agus deisceart na tíre, gann san iarthar, in ithir thirim chailcreach in aice na farraige.

Gas: Sínte, an-ghéagach, na géaga ag críochnú i ndealg; coda óga clúmhach, le faireoga greamaitheacha.

Duilleog: Comhdhuilleog thrídhuilleach chlúmhach, na fodhuilleoga ubhchruthach, cíorach; stípeoga táite leis an gcos.

Bláth: Meitheamh–Meán Fómhair; bándearg, 15 mm ar fad; aonair in ascaill na nduilleog; cailís fheadánach chúigfhiaclach; coróinín: meirge, sciatháin, agus cíle; déghnéasach; deich staimín tháite; ubhagán uachtarach aoncheallach; pailniú feithide.

Bláth / Flower

Toradh: Léagúm beag, níos giorra ná an chailís mhéadaithe. Scaiptear na síolta nuair a phléascann an fhaighneog.

Ní maith le feirmeoirí an planda seo. Bíonn eangach de riosóimí adhmadacha agus de phréamha daingne sreinge faoi, a chuirfeadh an bhac ar chéachta nó ar bhráca; "préacha tairne" ainm eile air. Chuirfeadh sé blas gránna ar an mbainne dá n-íosfadh na ba é.

Chreidtí go raibh leigheas ann ar na clocha fuail agus réiteach ar fheadáin an ae agus an liatháin.

Restharrow

A branching, prostrate, perennial herb with woody rhizomes and strong, stringy roots, forming patches in grassland and on dunes, common in the east and south, rare elsewhere, in dry, calcareous soils near the sea.

Stem: Prostrate, much branched, the branches ending in a thorn; young shoots hairy, with sticky glands.

Leaf: Compound, ternate, hairy; leaflets oval, toothed; stipules fused with the leafstalk.

Flower: June–September; pink, 15 mm long, axillary; calyx five-toothed; corolla: standard, wings, and keel; hermaphrodite; ten stamens, all fused; superior ovary, single-celled; insect-pollinated.

Fruit: A small legume, shorter than the enlarged calyx. The seeds are scattered when the pod opens explosively.

The tough roots and rhizomes interfere with cultivation and give the plant its common English name (restharrow—"arrest harrow"). It was believed to have some curative properties.

Dúmheidic

Medicago lupulina L.—Leguminosae (Fabaceae)

Luibh íseal nó leathard (50–600 mm), clúmhach, bliantúil, sínte nó dreaptha, coitianta i bhféaraigh, cois bóthair agus i dtalamh suaite, ó leibhéal na farraige go 150 m.

Gas: Géagach, sínte.

Duilleog: Comhdhuilleog thrídhuilleach; fodhuilleoga ubhchruthach nó croíchruthach, le pointe beag ar bhuaic gach fodhuille agus cos faoin gceann láir.

Bláth: Bealtaine–Lúnasa; buí, 2–3 mm ar fad, idir deich agus fiche bláth i gceann ubhchruthach; cailís fheadánach chúigfhiaclach; coróinín: meirge, sciatháin, agus cíle; déghnéasach; naoi staimín táite, ceann saor; ubhagán uachtarach aoncheallach; féinphailniú agus pailniú feithide.

Toradh: Léagúm beag dubh cornánach.

Is bia tábhachtach i gcothú stoic é an planda seo. Cosúil le formhór na Leguminosae, is óstach é do bhaictéir fosaithe nítrigine *Rhizobium,* a bhíonn i nóidíní ar na préamha. Tar éis bhás cealla *Rhizobium* bíonn an nítrigin ar fáil mar níotráití don óstach agus do phlandaí eile sa timpeallacht. Leis an nítrigin breise seo is féidir leis na Leguminosae fás in ithir neamhthorthúil; saibhríonn siad an ithir le níotráití, atá riachtanach do dhéantús próitéiní agus d'fhás plandaí eile. Is minic a chuirtear iad le barraí eile mar gheall ar seo.

Bhí cliú ar ghéineas na seamar mar luibheanna leighis freisin.

Toradh / Fruit

Black medick

A low to medium-sized (50–600 mm) hairy annual, prostrate or climbing, common in pastures, roadsides or open disturbed sites, from sea level to 150 m.

Stem: Branched, prostrate.

Leaf: Ternate, leaflets ovate or heart-shaped, finely toothed in the upper half, with a small apical point, the central leaflet stalked.

Flower: May–August; yellow, 2–3 mm long, ten to twenty flowers in an oval head; calyx tubular, five-toothed; corolla: standard, wings, and keel; hermaphrodite; nine stamens fused, one free; superior ovary, one-celled; self and insect-pollinated.

Fruit: A small, black, coiled legume.

Like most of the Leguminosae, this plant is host to the *Rhizobium* species of nitrogen-fixing bacteria, which inhabit nodules on the roots. The nitrogen becomes available as nitrates to the host plant and to other plants in its vicinity.

Seamair bhán

Trifolium repens L.—Leguminosae (Fabaceae)

Luibh íseal reatha ilbhliantúil; síorghlas, lom, cumhra; flúirseach in áiteanna oscailte, cois bóthair, i mbánta agus i lantáin fhéir, ó leibhéal na farraige go 700 m.

Gas: Reatha, sínte, ag cur préamh uaidh ag na nóid.

Duilleog: Comhdhuilleog le trí fhodhuilleog ubhchruthacha no croíchruthacha; cíorach; bán i lár na bhfodhuille.

Bláth: Bealtaine–Meán Fómhair; an-chuid bláthanna i gceann cruinneogach, bán go bándearg; an-chumhra, an-chuid meala; cailís fheadánach, cúig fhiacail neamhchothroma; coróinín: meirge, sciatháin, agus cíle; déghnéasach; naoi staimín, táite, ceann saor; ubhagán uachtarach aoncheallach; pailniú feithide.

Toradh: Léagúm faoi cheilt sa bhláth feoite, iompaithe chun na talún.

Is planda dúchais í an tseamair bhán, an ceann is flúirsí de na seamair in Éirinn agus is tábhachtaí d'fheirmeoirí. Cuirtear le síol féir í chun níotráití a shaothrú i móinéir, agus is ball í d'fhásra móinte, bánta agus lanntan. Tá préamha buanseasmhacha aici a dheineann fíordheacair í dhíbirt as plásóg féir go bhfaigheadh sí greim ann mar fhiaile. Táirgeann sí flúirse meala; beacha is mó a dheineann pailniú uirthi agus iad á saothrú. Dheintí císte as na bláthanna fadó le linn ganntanais bidh, ach do chuir teacht an phráta deireadh leis an úsáid seo.

Tugtar "clóbhar" go minic ar na seamair.

White clover

A low, creeping perennial; evergreen, glabrous, scented; abundant in open situations—roadsides, pastures, and grassy banks—from sea level to 700 m.

Stem: Creeping, rooting at the nodes.

Leaf: Ternate, with three ovate or heart-shaped, toothed leaflets, and a white mark in the centre of each leaflet.

Flower: May–September; numerous, in globular heads, white or pinkish; very fragrant, rich in honey; calyx tubular, five unequal teeth; corolla: standard, wings, and keel; hermaphrodite; nine stamens fused, one free; superior ovary, one-celled; insect-pollinated.

Fruit: A legume covered by the withered corolla, turned downwards.

This native plant is often included in seed mixtures to provide a natural source of nitrogen in grasslands. Its persistent roots make it difficult to eradicate if it becomes established as a weed in lawns. The flowers produce abundant nectar early in the year and are an important source of honey; bees are the main pollinators.

Seamróg

Trifolium dubium Sibth.—Leguminosae (Fabaceae)

Luibh íseal, sínte no díreach in airde, nach mór lom, bliantúil, go forleathan in áiteanna oscailte, i mbánta, i lantáin ghlasa agus i gclathacha loma tirime, ó leibhéal na farraige go 400 m.

Gas: 150–400 mm ar fad, sínte.

Duilleog: Comhdhuilleog thrídhuilleach; fodhuillí ubhchruthach no croíchruthach, mionchíorach; iompaíonn an gas agus na fodhuillí corcra le haois.

Bláth: Bealtaine–Lúnasa; buí éadrom, 3–5 mm trastomhas, idir deich agus fiche i gceann cruinn; cailís chúigfhiaclach; coróinín: meirge, sciatháin, agus cíle; déghnéasach; naoi staimín táite, ceann saor; ubhagán uachtarach aoncheallach; pailniú feithide.

Toradh: Léagúm beag leis an mbláth feoite cromtha anuas air.

Is í an tseamróg comhartha náisiúnta na hÉireann, agus is é an planda seo is coitianta a chaitear Lá Fhéile Pádraig. Chreidtí gur le duilleog thrídhuilleach na seamróige a léirigh Pádraig rúndiamhair na Tríonóide do phobal na hÉireann, ach níl trácht ar an scéal seo go 1727 (Caleb Threlkeld, *Synopsis Stirpium Hibernicum*). Scríobh an luibheolaí Pléimeannach Mathias de l'Obel i 1570 go n-itheadh foghlaithe mara ó Éirinn cístí seamróige; ba é seo an chéad tagairt di, agus is mar bhia amháin a luadh í go ceann i bhfad ina dhiaidh sin. De réir Dinneen is cosúil gur iarsma piseoige fé "sheamróg na gceithre gcluas" ó sheanchreideamh na gréine agus cló Críostaí curtha uirthi seamróg Phádraig.

Yellow clover

A low, almost glabrous annual, widespread in pastures, on grassy banks and dry bare walls, from sea level to 400 m.

Stem: 150–400 mm long, prostrate or erect.

Leaf: Ternate; leaflets oval or cordate, finely toothed; stem and leaves turn purple with age.

Flower: May–August; pale yellow, 3–5 mm long; ten to twenty in globular heads; calyx five-toothed; corolla: standard, wings, and keel; hermaphrodite; nine fused stamens, one free; single carpel, superior ovary; insect-pollinated.

Fruit: A small legume with the brown, withered corolla folded over.

This is the plant usually worn as *shamrock,* the national emblem of Ireland; according to legend, St Patrick used the trifoliate leaf to demonstrate the mystery of the Trinity. According to a study by Nathaniel Colgan in the 1890s, this story does not appear in literature until 1727. The earliest references to shamrock are to the eating of clovers in times of need, but it was known as a badge of Irish nationality from 1681.

Seamair dhearg

Trifolium pratense L.—Leguminosae (Fabaceae)

Luibh streachlánach chlúmhach lbhliantúil, flúirseach i móinéir, i bpáirceanna, i mbánta agus cois bóthair, i ngach saghas ithreach, ó leibhéal na farraige go 400 m.

Gas: Fada, clúmhach, streachlánach, suas go 600 mm ar fad.

Duilleog: Comhdhuilleog le trí fhodhuilleog mhóra ubhchruthacha; slán, le ceannann bán; stípeoga móra le pointí fada.

Bláth: Bealtaine–Mean Fómhair; corcradhearg, i gcinn mhóra chruinneogacha; foirceanta, gan chos, idir péire duilleog; cailís chlúmhach fheadánach chúigfhiaclach; coróinín: meirge, sciatháin, agus cíle; déghnéasach; naoi staimín, táite, ceann saor; ubhagán uachtarach aoncheallach; pailniú feithide.

Toradh: Faighneog (léagúm) faoi chlúid ag an mbláth dreoite.

Tá an planda dúchais seo á chur san Eoraip mar bhia eallaigh leis na céadta bliain. Tá síolchóta cruaidh ar na síolta; mar sin is féidir leo bheith tamall san ithir. Ní foláir an síolchóta a scríobadh sara bpéacann sé, ach bíd ábalta geamhrú tar éis gabháil trí ionathair na bó. Cosúil le baill eile de chlann na Leguminosae, saibhríonn sé an talamh le níotráití ó na nóidíní le baictéir *Rhizobium,* atá ar a phréamha. Is óstach an tseamair dhearg do na leathsheadáin soilse na súl (*Euphrasia* sp.), maothlán móna (*Rhinanthus minor*), agus hocas tae (*Odontites verna*), baill de chlann na Scrophulariaceae, a phollann a phréamh agus a ghoideann uisce agus mianraí as.

D'úsáidtí an tseamair dhearg mar luibh leighis seachtrach nó inmheánach do ghalair nó do ghoin craicinn. Tá aigéad salaicileach inti (as a ndeintear aspairín).

Red clover

A straggling, hairy perennial, abundant in meadows and pastures and on roadsides, from sea level to 400 m.

Stem: Long, straggling (up to 600 mm), hairy.

Leaf: Ternate; leaflets large, oval, entire, each with a v-shaped white patch; stipules large, long, pointed.

Flower: May–September; purple-red, in large, globular heads; terminal, sessile, between a pair of leaves; calyx hairy, tubular, five-toothed; corolla: standard, wings, and keel; hermaphrodite; nine stamens fused, one free; superior ovary, single-celled; insect-pollinated.

Fruit: A legume enclosed in the withered flower.

The red clover is host to many hemi-parasites: eyebright (*Euphrasia* sp.), yellow rattle (*Rhinanthus minor*), and red bartsia (*Odontites verna*), all members of the Scrophulariaceae, which penetrate its root tissue and rob it of water and minerals.

Crobh éin

Lotus corniculatus L.—Leguminosae (Fabaceae)

Luibh ilbhliantúil lom shínte, flúirseach i mbánta, i ndumhcha, ar chiumhaiseanna bóthair, in ithir thirim chailcreach, ó leibhéal na farraige go 400 m.

Gas: Soladach, suas le 300 mm ar fad, streachlánach.

Duilleog: Comhdhuilleog thrídhuilleach le dhá stípeog ubhchruthacha dhuilleogacha, a thugann cruth chúigdhuilleach air.

Bláth: Meitheamh–Meán Fómhair; glébhuí, uaireanta le barr dearg, 12–14 mm ar fad, idir cúig agus deich gcinn in umbal; cailís chúigfhiaclach, na fiacla ina luí ar an gcoróinín sa mbachlóg; coróinín: meirge, sciatháin, agus cíle; déghnéasach; naoi staimín, táite, ceann saor; ubhagán uachtarach aonceallach; pailniú feithide.

Toradh: Léagúm fada caol. Tá an cnuasach faighneog cosúil le crobh éin.

Common bird's-foot trefoil

A prostrate, glabrous perennial, abundant on dry pastures, sand dunes and roadsides, in dry, calcareous soils, from sea level to 400 m.

Stem: Solid, up to 300 mm long, straggling.

Leaf: Compound; ternate, with oval stipules resembling the leaflets, so that the leaflets appear to number five.

Flower: June–September; bright yellow, often tipped with red, 12–14 mm long, five to ten in an umbel; calyx five-toothed, the teeth appressed in bud; corolla: standard, wings, and keel; hermaphrodite; nine stamens fused, one free; superior ovary, single-celled; insect-pollinated.

Fruit: A long, narrow legume; the cluster of pods resembles a bird's foot.

Barr an mhisléin

Lotus uliginosus Schkuhr

Luibh ilbhliantúil a fhásann in áiteanna fliucha; cosúil le *L. corniculatus* ach clúmhach, le gas folamh, iompaithe in airde, fiacla na cailíse ag gobadh amach ón mbachlóg agus an fhaighneog faoi chlúid ag an mbláth dreoite.

Greater bird's-foot trefoil

A perennial herb of damp conditions; similar to *L. corniculatus* but hairy, with erect, hollow stem, calyx teeth spreading in bud and pod covered by the withered flower.

Meoir Mhuire

Anthyllis vulneraria L.—Leguminosae (Fabaceae)

Luibh ghearr (suas le 300 mm) ilbhliantúil, sínte nó tortógach, clúdaithe le clúmh síodúil; flúirseach feadh an chósta, i mbánta, ar dhumhcha nó ar fhaillte, in ithir thirim chailcreach, ó leibhéal na farraige go 100 m.

Gas: Sínte nó in airde, clúmhnachánach.

Duilleog: Comhdhuilleog chleiteach, le idir seacht agus trí cinn déag de fhodhuilleoga lansacha, an fhodhuilleog fhoirceanta an ceann is mó; liathghlas.

Bláth: Bealtaine–Lúnasa; raon dathanna ó bhánbhuí go flannbhuí, go hannamh bándearg; i gceann dlúth umbalach le brachtanna duilleogacha faoi; cailís shíodúil chúigfhiaclach; coróinín: meirge, dhá sciathán, agus cíle; déghnéasach; deich staimín táite; ubhagán uachtarach aoncheallach; pailniú feithide.

Bláthanna / Flowers

Toradh: Léagúm beag le síol amháin; an faighneog ceilte ag an gcailís shíodúil shéite.

Bhí cáil ar an bplanda seo ar fud na hEorpa sa Mheánaois chun goin agus cneá a chneasú (is as seo a thagann ainm Laidine an speicis, *vulneraria*). Toisc an ceann bhláth a bheith ar chruth duáin, chreidtí freisin (de réir “Teagasc na gComharthaí”) go raibh leigheas ann ar ghalair duáin agus fuail. “Cosán luain” ainm eile (luan is ea duán nó cíoch).

Kidney vetch

A short (up to 300 mm), prostrate or tufted perennial, covered with silky hairs, abundant in coastal areas, on dry banks, in sandy pastures or on cliffs, in dry, calcareous soil, from sea level to 100 m.

Stem: Prostrate or erect, pubescent.

Leaf: Pinnate, seven to thirteen leaflets, the terminal leaflet largest; glaucous.

Flower: May–August; the colour ranges from pale yellow to orange-yellow, very rarely pink; in dense umbellate flowerheads, with leafy bracts below; calyx tubular, five-toothed, silky; corolla: standard, two wings, and keel; hermaphrodite; ten stamens, all fused; superior ovary, single-celled; insect-pollinated.

Fruit: A small, one-seeded legume, concealed by the inflated calyx.

In the Middle Ages this plant enjoyed a reputation as a vulnerary—an aid to the healing of wounds; this is reflected in the Latin name of the species.

Luibh an chreatha

Geranium robertianum L.—Geraniaceae

Luibh 150–600 mm ar airde, clúmhach, streachlánach, bréan, bliantúil, a iompaíonn craorag go minic; flúirseach i bhfallaí, i bhfálta, i gcoillte, i gcarraigeacha agus cois bóthar, ó leibhéal na farraige go 550 m.

Gas: Briosc, ag iompó in airde, géagach ón mbonn.

Duilleog: Trímhaothánach, gach maothán cleiteach, le cos faoi.

Bláth: Bealtaine–Meán Fómhair; rialta, i gcíme; cúig sheipeal; cúig phiotal bándearg-chorcra, slán, 9–14 mm ar fad, saor; déghnéasach; deich staimín le hantair flannbhuí; cúig chairpéal, comhchairpeach; stíl aonair, ubhagán aonair; pailniú feithide.

Toradh: Capsúl le gob fada; scoilteann sé ina chúig chuid agus teilgtear na síolta amach.

Chuirtí an planda triomaithe ar tarrac in uisce fiuchadh i rith na Meánaoise mar leigheas ar aon sórt cneá nó galar craicinn, ar angadh sa tsúil, sa bhéal, nó sa scórnach. I gCorca Dhuibhne thugtaí deoch den insileadh seo maidin agus tráthnóna mar aithbhríoch dóibh siúd leis an rith fuail (Baile an Fheirtéaraigh, 1965); d'úsáidtí é freisin in aghaidh neirbhíseachta (tinneas na circe). Thugtaí do stoc é mar leigheas ar an mbruinn dhearg.

Toradh / Fruit—Geraniaceae

Herb Robert

A hairy, straggling, fetid annual, 150–600 mm tall, often turning bright red, abundant on walls and in hedges, woods, rocks and roadsides, from sea level to 550 m.

Stem: brittle, angled upwards, branched from the base.

Leaf: Three-lobed to base, lobes stalked and pinnate.

Flower: May–September; regular, in cymes; five sepals; five petals, pinkish-purple, entire, 9–14 mm long, free; hermaphrodite; ten stamens with orange anthers; five carpels, syncarpic; single style and ovary; insect-pollinated.

Fruit: A long, beaked capsule, splitting into five segments to eject the seeds.

The dried plant was infused in boiling water and used internally and externally for many complaints. It was also used to treat red murrain in cattle.

Crobh giobach

Geranium dissectum L.—Geraniaceae

Luibh ghiobach bhliantúil, streachlánach nó leath in airde, coitianta cois bóthair agus ar thalamh díomhaoin, ó leibhéal na farraige go 350 m. Duilleoga timpeall seacht-mhaothánach, deighilte; bláth: Bealtaine–Meán Fómhair, gléchorcra; 10 mm trastomhas, piotail le heagaí beaga; toradh: capsúl le gob fada, a scoilteann chun na síolta a theilgeadh amach.

Cut-leaved crane's-bill

A hairy annual, trailing or semi-erect, on roadsides and waste ground, from sea level to 350 m. Leaves: lobed and dissected; flower: May–September, bright purple, 10 mm diameter, petals notched; fruit: a capsule with long beak.

Creagach

Erodium cicutarium (L.) L'Hér.—Geraniaceae

Luibh bhliantúil, clúmhach nó greamaitheach, tomach nó sínte, in ithir ghainmheach cois farraige. Duilleog: cleiteach, fo-dhuilleoga maothánach, cíorach, a bhformhór bunach; bláth: Bealtaine–Meán Fómhair; beagán neamh-rialta, bándearg go corcra, in umbail de idir trí cinn agus seacht gcinn; toradh: capsúl a scoilteann chun na síolta a chaitheamh amach.

Stork's-bill

A hairy or sticky annual, tufted or prostrate, on sandy ground near the sea. Leaves pinnate, leaflets lobed and toothed, mainly basal; flower: May–September, slightly irregular, pinkish-purple, in umbels of three to seven; fruit: a capsule that splits to eject the seeds.

Buí na n-iníon

Euphorbia helioscopia L.—Euphorbiaceae

Luibh láidir lom bhliantúil, 250–450 mm ar airde; flúirseach in áiteanna suaite agus i dtalamh gan tairbhe, i ngach saghas ithreach, ó leibhéal na farraige go 200 m.

Gas: Díreach, simplí, téagartha, lom.

Duilleog: Fánach, ubhchruthach, mionchíorach.

Bláth: Meitheamh–Meán Fómhair; neamhfhoirfe, bídeach, glas, in umbal le cúig gha, trí chnuasach bláthanna ar gach ga, le duilleoga agus brachtanna mórthimpeall orthu; moinéiciach; i ngach cnuasach, fáinne de bhláthanna fireanna (i bhfoirm staimíne aonair) mórthimpeall ar bhláth baineann (i bhfoirm ubhagáin tríchealllaigh, le trí stíl agus trí stiogma gabhlánacha) ar bhláthchoisín; timpeall gach cnuasach tá fáinne de bhrachtanna bídeacha agus fáinne d'fhaireoga ramhra buí, agus bracht mór faoi gach cnuasach; pailniú feithide.

Toradh: Cochall mín gléasta, le síolta donna loigíneacha.

Tá lacht bán nimhneach sa bplanda seo agus a gharghaolta a loisceann an béal agus an craiceann; "lus an léasaidh" ainm coitianta eile air. Ní mhaolaíonn triomú an nimh, agus ní itheann ainmhithe iad de ghnáth. Ghearradh iascairí i gCiarraí plandaí den ghéineas seo agus chaithidís isteach san abhainn iad chun na héisc a leathmharú; b'fhuraist breith sna líonta orthu ansin (Maloney, *Luibh-Sheanchus,* 1919).

Sun spurge

An erect, stout, glabrous annual, 250–450 mm tall, in disturbed soil and waste places, widespread on all soil types, from sea level to 200 m.

Stem: Erect, simple, stout, glabrous.

Leaves: Sparse, oval, and finely toothed.

Flower: June–September; minute, green, in umbels with five rays, each ending in three clusters of unisexual flowers, surrounded by leaves and large bracts; the cluster consists of a ring of male flowers (each a single stamen) surrounding a stalked female flower (a three-celled ovary with three styles and forked stigmas), each cluster surrounded by a ring of small bracts and a ring of thickened yellowish glands; insect-pollinated.

Fruit: A smooth, shiny capsule with brown, pitted seeds.

When broken the stem exudes a poisonous white milky sap, which causes irritation and blistering of the skin; this is characteristic of the spurges. Spurge has been used by poachers to poison rivers and kill fish.

Bainne léana

Euphorbia paralias L.—Euphorbiaceae

Luibh lom ghéagach ghlasghorm ilbhliantúil, 250–500 mm ar airde, coitianta ar dhumhcha agus ar thránna gainimhe, in áiteanna tirime cailcreacha gan scáth, ar leibhéal na farraige.

Gas: An-chuid gas, ag fás ó bhonnstoc téagartha adhmadach.

Duilleog: Glasghorm, feolmhar, leathrach, slán; andlúth ar an ngas, ag fás díreach in airde, 12–25 mm ar fad, ubhchruthach nó fada, maol; an phríomhfhéith deacair le feiscint.

Bláth: Meitheamh–Lúnasa; glas, bídeach, neamhfhoirfe, moinéiciach; in umbal le idir trí agus seacht nga; cosúil le *E. helioscopia* ach le brachtanna cruinne nó duánacha agus faireoga corránacha le hadharca gairide; pailniú feithide.

Toradh: Cochall rocach le síolta liathbhána míne.

In ainneoin a nimhiúlachta bhí cáil ar phlandaí an ghéinis seo mar luibheanna íce. D'úsáidtí an sú chun faithní a dhó, agus cheaptaí go leigheasfadh sé othrais agus beagnach gach saghas galar craicinn. Bhí sé ráite go n-úsáideadh lucht déirce é chun cloig a ardú ar a gcraiceann ionas go mbeadh trua ag daoine dóibh. Tagann an ainm a thugtar do speicis na *Euphorbia* i nGaeilge agus i mBéarla ón gcáil atá orthu mar phurgóid láidir. Deirtí nár ghá ach planda a iompar timpeall chun na n-inní a scaoileadh; chun buinneach a leigheas níor ghá ach suí ar roinnt préamha (Nicholas Williams, *Díolaim Luibheanna,* 1993).

Sea spurge

A glabrous, glaucous, branched perennial, 250–500 mm tall, common on sand dunes and sandy shores, in dry, calcareous, open situations, at sea level.

Stem: Many, arising from a stout woody rootstock.

Leaf: Glaucous, fleshy, leathery, entire, very crowded on stem, erect, 12–25 mm long, oval or oblong, blunt; midvein obscure.

Flower: June–August; green, minute, imperfect, monoecious; in umbels with three to seven rays; similar to *E. helioscopia* except that bracts are round or kidney-shaped, glands crescentic with short horns; insect-pollinated.

Fruit: A wrinkled capsule; seeds greyish-white, smooth.

In spite of being strongly poisonous, the genus *Euphorbia* had a widespread reputation in herbal medicine. In Ireland the sap was used to remove warts, and it was believed to be of benefit in the treatment of ulcers and other skin afflictions. The names in both languages derive from its dangerously purgative properties.

Lus an bhainne

Polygala vulgaris L.—Polygalaceae

Luibh íseal streachlánach lom ilbhliantúil, coitianta i bhféar gearr, i mbánta, i lantáin agus i ndumhcha, in áiteanna oscailte, in ithir ná fuil searbh, ó leibhéal na farraige go 750 m.

Gas: Lag, streachlánach, anghéagaithe, le bun adhmadach.

Duilleog: Ailtéarnach, lansach, biorach, slán, 5–35 mm ar fad.

Bláth: Bealtaine–Lúnasa; gorm, bándearg, bán, nó liathchorcra; i raicéimí le idir deich agus tríocha bláth; neamhrialta; cúig sheipeal, trí cinn bheaga ghlasa, dhá cheann mhóra leathana daite; trí phiotal, táite i bhfeadán scothógach; déghnéasach; ocht staimín, táite; dhá chairpéal, táite; ubhagán uachtarach, décheallach; pailniú feithide.

Toradh: Cochall décheallach, i bhfolach idir an dá sheipeal mhór; iompaíonn siadsan glas de réir mar a aibíonn an toradh.

De réir na seaneolaithe leighis bhí insileadh den phlanda seo go maith chun tál bhainne cíche a mhéadú. Tagann ainm luibheolaíochta an ghéinis ó fhocail Ghréigise a chiallaíonn "anchuid" agus "bainne".

"Na deirfiúiríní" ainm eile don bhláth seo, de bhrí gur féidir leis aon cheann de cheithre dhath do bheith air. Tá *P. serpyllifolia* an-chosúil leis an speiceas seo ach go bhfuil sé níos lú agus go bhfuil na duilleoga bunaidh urchomhaireach; de ghnáth bíonn dath gorm air. Fásann sé i bhfraochaigh agus i bhféaraigh shléibhe, in ithir shearbh.

Milkwort

A low, glabrous perennial, common in short grassland, pastures, grassy banks and sand dunes, in open situations in non-acid soils, from sea level to 750 m.

Stem: Weak, straggling, branched; woody at base.

Leaf: Alternate, lanceolate, pointed, entire, 5–35 mm long.

Flower: May–August; blue, pink, white, or lilac; in racemes of ten to thirty flowers; irregular; five sepals, small and green, two large, coloured; three petals, fused to form a fringed tube; hermaphrodite; eight stamens, fused; two carpels, fused; superior ovary; insect-pollinated.

Fruit: A two-celled capsule, concealed by the two large sepals, which turn green as the fruit ripens.

The herbalists of former times believed that an infusion of this plant increased the milk supply of nursing mothers.

Cuileann

Ilex aquifolium L.—Aquifoliaceae

Tor nó mionchrann síorghlas leathanduilleach dlúthghéagach, coitianta i gcoillte, i bhfálta is i ngleannta, i ngach sórt ithreach, in áiteanna gan scáth nó faoi scáth trom, ó leibhéal na farraige go 550 m.

Gas: Adhmadach; craobhóga glasa, lom nó beagán clúmhnachánach.

Duilleog: Ailtéarnach, síorghlas; ubhchruthach, leathrach, céireach; ciumhais cuarach, spíonach.

Bláth: Aibreán–Meitheamh; bán, 10 mm i dtrastomhas, i gcnuasaigh chímeacha ascailleacha; ceithre sheipeal bhídeacha; ceithre phiotal; dé-eiciach; ceithre staimín; ceithre chairpéal, táite; ubhagán uachtarach, le stiogma gan chos.

Toradh: Drúp cródhearg le ceithre shíol (ar phlandaí baineanna amháin).

Is é an cuileann príomhthor fo-shraith coillte daraí na hÉireann. Mhóraigh na draoithe glaise na nduilleog agus deirge na gcaor mar thuar dóchais agus beatha i loime an gheimhridh. Bhain na Rómhánaigh an bhrí chéanna as; thugaidís bronntanais maisithe le craoibhíní cuilinn dá chéile am ghrianstad an gheimhridh—an Saturnalia. Lean na Críostaithe leis an nós céanna ach gur dheineadar é in ómós Choróin Spíne agus fhuil Chríost.

In Éirinn choimeádtaí cuileann na Nollag sa tigh go dtí Lá Fhéile Muire san Earrach (25 Márta), mar chosaint ar aicídí agus mar leigheas dá mba ghá sin, agus thugtaí Cuileann Muire air. Faoin dtráth sin bheadh an cuileann an-leochaileach, feoite, briosc; déarfaí le duine go mbeadh a chroí briste, "Tá a chroí ina Chuileann Muire."

Holly

A densely branched, evergreen, broad-leaved shrub or small tree, common in woods, hedgerows and glens, in open to heavily shaded situations on all soil types.

Stem: Woody; young growth green, glabrous or slightly pubescent.

Leaf: Alternate, evergreen, oval, leathery, waxy; margins wavy and spiny.

Flower: April–June; white, 10 mm across; in cymose axillary clusters; four minute sepals; four petals; dioecious; four stamens; four carpels, fused; superior ovary with sessile stigma.

Fruit: A scarlet, four-seeded drupe (on female plants only).

The holly is the principal understorey shrub in the Irish sessile oakwoods. In pre-Christian times it was regarded as a symbol of life and hope in midwinter; its present-day use to decorate houses at Christmas is a relic of these ancient practices.

Crann Liúrach

Lavatera arborea L.—Malvaceae

Tor láidir téagartha, 1–2 m nó breis ar airde, débhliantúil, in ithir thirim i screagacha faille, neamhchoitianta, feadh an chósta, go mór mór sa deisceart, ó leibhéal na farraige go 100 m.

Gas: Ramhar, bun adhmadach.

Duilleoga: Ailtéarnach, maothánach-bosach, clúmhach.

Bláth: Meitheamh–Meán Fómhair; corcra-bhándearg, le línte treoir meala dorcha ag teacht le chéile i mball dorcha sa lár, 30–40 mm trastomhas, i raicéim dhlúth; cúig sheipeal, táite ag a mbun; cúig phiotal shaora; trí bhracht, níos mó ná na seipil agus scartha uathu, táite ag a mbun, ag déanamh cupán faoi bhun an bhlátha; déghnéasach; iliomad staimíní, táite i bhfeadán timpeall an iliomad stíleanna; ubhagán uachtarach ilcheallach, na cairpéil táite ar dtús ach ag scaradh sa toradh; pailniú feithide.

§*Malva sylvestris* L.

Toradh: Fáinne deighleog clúmhach aonsíolach.

Fásann an planda seo ar Liúir, carraig bheag amach ón nDún Mór i gCorca Dhuibhne; as san an ainm.

Tá an hocas mór (*Malva sylvestris*) cosúil leis an speiceas seo ach gur ilbhliantóg, le níos lú clúimh, é, na bláthanna bándearg gan lár corcra agus na brachtanna táite leis na seipéil. Fásann sé feadh an chósta, i bhfásaigh agus in aice le tithe.

Tree mallow

A stout, bushy biennial, on sea cliffs and bare or rocky ground; uncommon, by the sea, especially in the south, from sea level to 100 m.

Leaves: Alternate, palmately lobed, downy.

Flower: June–September; purplish pink with darker lines and centre, 30–40 mm diameter, in crowded racemes; five sepals, united at base; three bracts, larger than the sepals and separate from them; five petals, free; hermaphrodite; numerous stamens, filaments united in a tube around the styles; superior ovary, multi-celled, syncarpous, with carpels separating in fruit; insect-pollinated.

Fruit: A ring of wedge-shaped, hairy, one-seeded segments.

The perennial common mallow (*Malva sylvestris*) is similar but less hairy, the pink flowers lack the dark centre, and the bracts are united with the sepals.

Draighean mara

**Hippophae rhamnoides* L.—Elaeagnaceae

Tor nó mionchrann dlúth liathghlas, 1–2 m ar airde; neamhchoitianta, ar fhaillte, ar dhumhcha agus ar thránna feadh an chósta.

Gas: An-ghéagach as a bhun, le spíona i mbarr gach géige; meathánach, coirt dhonn geal, craobhóga clúdaithe le gainní geala.

Duilleoga: Ailtéarnach, fada, caol, slán, biorach, gan chos; dromchla íochtair clúdaithe le mionghainní míne geala.

Bláth: Márta–Aibreán; glas, bídeach, ag oscailt roimh na duilleoga; dé-éiciach; fireann i gcaitíní beaga, baineann i gcnuasaigh bheaga in ascaill na ngéag taobhach; cailís dhá-mhaothánach, gearr sa bhláth fireann, fada sa bhláth baineann; gan choróinín; ceithre staimín; ubhagán uachtarach aon-cheallach; pailniú gaoithe.

Toradh: Cnó beag cosúil le caor; dath flannbhuí nuair atá sé aibí.

Planda dúchais é seo i Sasana, ach cuireadh in Éirinn é chun ídiú dumhcha a chosc. Cuireann an planda meatháin amach, ionas go ndéanfadh planda amháin idir deich agus fiche planda nua i dtréimhse cúig bliana. Fásann sé go maith agus go tapaidh ar ghainimh shéideáin. Cuireadh ar an Machaire Beag é chun an dumhach do dhaingniú; dar le Scully, Lord Ventry a chuir i gCiarraí ar dtús é. Toisc gur planda dé-éiciach é, ní foláir plandaí fireanna agus baineanna a chur le chéile chun na caortha d'fháil. Saibhríonn sé an ithir, mar tá nóidiní beaga ar na préamha ina bhfuil baictéir fosaithe nítrigine, a dheineann níotráití so-thuaslagtha de nítrigin an aeir.

Sea buckthorn

A deciduous shrub or small tree, 1–2 m high, greyish green; uncommon, naturalised on cliffs, dunes, and beaches.

Stem: Densely branched from base, armed with stout spines, suckering; pale brown, branchlets covered with silvery scales.

Leaf: Alternate, long, very narrow, entire, pointed, sessile; lower surface covered with fine, smooth silvery scales.

Flower: March–April; green, tiny, opening before the leaves; dioecious; male in small catkins, female in small clusters at the base of lateral shoots; two-lobed calyx, short in male flowers, long in female; corolla absent; four stamens; superior ovary, single-celled; wind-pollinated.

Fruit: A small berrylike nut, orange-yellow when ripe.

According to Scully, Lord Ventry is credited with introducing this English native to Kerry. It grows well in drifting sand, suckering so that one plant can produce ten to twenty more within about five years. It was planted in the Maharees to stabilise the dunes.

Meas torc allta

Hypericum androsaemum L.—Guttiferae

Luibh lom ilbhliantúil, 300–600 mm ar airde, coitianta i bhfálta, i gclathacha, i mothair agus i screagáin, in ithir thais shearbh, ó leibhéal na farraige go 500 m.

Gas: Adhmadach i mbun; géagach, díreach in airde.

Duilleog: I bpéirí urchomhaireacha; ubhchruthach, slán, maol, gan chos, 50–150 mm ar fad, le faireoga bídeacha tréshoilseacha.

Bláth: Meitheamh–Lúnasa; buí, 15–20 mm trastomhas, i gcnuasaigh bheaga; cúig sheipeal mhaola, na cinn is mó ar comhfhad leis na piotail; cúig phiotal; déghnéasach; iliomad staimíní; trí chairpéal; trí stíl; ubhagán uachtarach, trícheallach; pailniú feithide agus féinphailniú.

Toradh: Capsúl súmhar dearg, a iompaíonn dúchorcra le haibiú; animhneach.

In mó a luaitear an luibh seo in Éirinn le Muire nó Colm Cille ná le hEoin Baiste ("los Cholm Cille", "allas Mhuire"). Luibh mhór leighis í, mar is léir ón ainm Béarla, ó *"toute saine"* (slán folláin) na Normannach Thagair Charles Smith di mar luibh íce i gCiarraí ina leabhar *The Antient and Present State of the County of Kerry* (1756). Dheintí deoch, ola, ionlach nó íocshláinte aisti mar ba chuí. Ruaigeadh cumhracht na nduilleog tirim taibhsí, ainsprideanna agus mianta collaí (más fíor).

"Agnus castus" an tseanainm Laidine. "Is ionann a.c. agus uan geanmnuidhe oir doni laghdúghadh na toili" (*Rosa Angelica*). I gCorca Dhuibhne "púiríní (nó paidiríní) an mhada rua" an toradh agus "súilíní an mhada rua" na bláthanna!

Tutsan

A glabrous perennial, 300–600 mm tall, frequent in hedgerows, banks, thickets, and rocky places, in damp, acid soils, from sea level to 500 m.

Stem: Woody at base, erect, branched.

Leaf: In opposite pairs; entire, oval, blunt, sessile; 50–150 mm long, with minute translucent glands.

Flower: June–August; yellow, 15–20 mm across, in small clusters; five blunt sepals; five petals; hermaphrodite; numerous stamens; three carpels, three styles ; superior ovary; insect and self-pollinated.

Fruit: A red, succulent capsule, turning black as it ripens.

Believed to have magic as well as curative powers, this plant and its close relatives are associated in Ireland with Mary and Colm Cille as well as John the Baptist.

Beathnua fireann

Hypericum tetrapterum Fries—Guttiferae

Luibh lom ilbhliantúil, 400–600 mm ar airde, coitianta i ndígeacha agus i gcorraithe, ó leibhéal na farraige go 200 m. Gas: cearnógach, géagach in uachtar; duilleoga: 20–25 mm, le faireoga tré-shoilseacha agus roinnt spotaí dubha; bláthanna: buí éadrom, 10–15 mm tras-tomhas, i gcoirím; toradh: capsúl, le hiliomad síol.

Square-stalked St John's wort

A glabrous perennial, 400–600 mm tall, frequent in ditches and marshes, from sea level to 200 m. Stem: square, branched above; leaves: 20–25 mm, with translucent glands and some black dots; flowers: pale yellow, 10–15 mm across, in a corymb.

Beathnua baineann

Hypericum pulchrum L.—Guttiferae

Luibh lom ilbhliantúil, coitianta i bhfraochlaigh agus i gclathacha tirime, ó leibhéal na farraige go 730 m. Gas: sorcóireach, ar bheagán géag; duilleoga: 12 mm nó níos lú; bláthanna: flannbhuí, 12–18 mm tras-tomhas, i bpanacal.

Sa tseanaimsir ní raibh luibh níos cumhachtaí ná na beathnuanna chun deamhan a dhíbirt nó chun cosaint ar gheasa agus ar "drochshúil".

Slender St John's wort

A glabrous perennial, common on heaths and dry banks, from sea level to 730 m. Stem: cylindrical, sparingly branched; leaves: 12 mm or less; flowers: orange-yellow, 12–18 mm across, in a panicle.

The St Jon's worts were reputed to protect against spells and demons.

Luibh an choirithe

Hypericum elodes L.—Guttiferae

Luibh ghearr (150–300 mm ar airde), an-chlúmhach, reatha, ilbhliantúil, flúirseach i bportaigh, i gcorraithe agus i ndígeacha fliucha searbha, ó leibhéal na farraige go 320 m.

Gas: Gas reatha, préamhaithe faoi uisce; gas bláfar géagach, díreach anáirde, le scáil dhearg.

Duilleog: Cruinn, clúmhach; péiri urchomhaireacha ag fáscadh an ghais.

Bláth: Iúil–Lúnasa; buí éadrom, i gcímí beaga; cúig sheipeal, le scáil dhearg ; cúig phiotal; déghnéasach; iliomad staimíní; trí chairpéal; trí stíl; ubhagán uachtarach, trícheallach; pailniú feithide agus féinphailniú. Dúnann an bláth sa doircheacht nó le linn ceatha.

Toradh: Capsúl le hiliomad síolta.

Mar aon leis na plandaí eile den ghéineas seo, chreidtí go raibh leigheas sa bplanda seo ar choiriú. Chreidtí go láidir sa choiriú i gCorca Dhuibhne. "Bhí an tsúil mhillte nó súil an choirithe ag muireacha áirithe, agus duine nó ainmhí go bhféachfaidís siúd air ní bheadh i ndán dó ach an mheath. Ní raibh de leigheas air ach deoch de luibh an choirithe a bhí ag fás ar an Áth Rua, mar a bhfuil Ionad an Bhlascaoid inniu. An luibh agus a dtiocfadh léi nuair a stathfaí í—rútaí, cré, piastaí, agus mar sin de—a bheirbhiú agus an deoch a thabhairt le n-ól don té a measfaí bheith coirithe Dá mba coiriú a bheadh ag gabháil dó, thosnódh ag teacht chuige féin as san amach" (Dún Chaoin, 1965).

Is cosúil go raibh baint ag na beathnuanna le ceiliúradh ghrianstad an tsamhraidh (22 Meitheamh) sa tseanré agus gurbh amhlaidh a tugadh "luibh Eoin Baiste" (féile, 24 Meitheamh) orthu sa ré Chríostaí.

Marsh St John's wort

A short (150–300 mm), very hairy, creeping perennial, common in bogs, marshes and wet, acid ditches, from sea level to 320 m.

Stem: Creeping, rooting at nodes; flowering stem erect, branched, red-tinged.

Leaf: Round, hairy, in opposite pairs, clasping the stem.

Flower: July–August; pale yellow, in small cymes; five sepals, red-tinged; five petals; hermaphrodite; numerous stamens; three carpels, three styles, superior ovary, three-celled; insect and self-pollinated. The flowers close in dull weather or during showers.

Fruit: A capsule with numerous seeds.

Like others of its genus, this plant had a reputation for protecting animals and people from spells and evil spirits, particularly the "evil eye"

Many of the species begin to produce their sunburst flowers about midsummer, leading to an association with ancient celebrations of the summer solstice. With the coming of Christianity, the old midsummer festival became associated with the feast of St John (24 June).

Sailchuach

Viola riviniana L.—Violaceae

Luibh íseal (50–150 mm) ilbhliantúil, nach mór lom; flúirseach i gcoillte, i gclathacha, i lantáin féir agus móinteáin, i ngach saghas ithreach, ó leibhéal na farraige go 1,000 m.

Gas: Cnota duilleog in uachtar, na gais bhláfara ag teacht aníos óna íochtar.

Duilleog: Croíchruthach, ar comhfhad agus comhleithead; stuach, le fiacla maola, beagnach lom; stípeoga scothógacha le fiacla fada.

Bláth: Aibreán–Meitheamh; gormchorcra, neamhrialta, aonair, 12–20 mm trastomhas; cúig sheipeal bhioracha; cúig phiotal mhíchothroma; an piotal íochtarach tarraicthe i sáil fhada, gléchorcra, cuarach, séidte, eang no eitre ag a bhun; déghnéasach; cúig staimín, antair táite timpeall na stíle; trí chairpéal tháite; ubhagán uachtarach aoncheallach; pailniú feithide.

Toradh: Capsúl le trí chomhla; iliomad síolta.

Tá an géineas *Viola* scaipthe ar fud an domhain, go mór mór sna réigiúin mheasartha. Tá trí speiceas, aon fhospeiceas déag agus sé hibrid nádúrtha aitheanta in Éirinn.

Cheaptaí fadó gur dhrochchomhartha sailchuach a fheiscint fé bhláth sa bhfómhar—tuar plá nó breoiteachta. Níor cheart sailchuach aonair a thabhairt isteach i dtigh: tharraiceodh sí mí-ádh ar an dteaghlach—dath bróin agus aithrí corcra. Fós an-dheachomhartha ab ea taibhreamh ar shailchuacha: bhuailfeadh saibhreas chugat go luath. Chaithfeadh daoine sailchuacha timpeall a scornaí chun ná raghaidís ar meisce.

Common dog violet

A low (50–150 mm), almost glabrous perennial, common in woods, hedgerows, grassy banks and heaths, on all soil types, from sea level to 1,000 m.

Stem: Topped by a rosette of leaves; the flowering stems arise from below the terminal rosette.

Leaf: Cordate, as long as broad, crenate, almost glabrous, stipules fringed with long teeth.

Flower: April–June; blue-violet, irregular, solitary, 12–20 mm diameter; five sepals, pointed; five petals, unequal, lowest two forming a backward-pointing spur; mauve or white, inflated and notched or furrowed at the tip; hermaphrodite; five stamens, anthers fused around the style; three carpels, fused; superior ovary, one-celled; insect and self-pollinated.

Fruit: A three-angled, many-seeded capsule.

The genus *Viola* is distributed throughout the world, particularly in the temperate regions. Three species, eleven subspecies and six hybrids have been recognised in Ireland.

Goirmín searraigh

Viola tricolor subsp. *curtisii* (E. Forster) Syme—Violaceae

Luibh íseal (30–150 mm) il-bhliantúil, flúirseach ar dhumhcha, ar lanntáin féir agus ar mhachairí cois farraige.

Gas: An-ghéagach ón mbun, ag éirí as phréamh shnáithíneach.

Duilleog: Ailtéarnach, 10–50 mm, sleách nó ubchruthach, fiacla maola le stípeoga duilleogacha.

Bláth: Bealtaine–Meán Fómhair; buí nó gormchorcra nó meascán den dá dhath sin le bán, le treoracha meala soiléire suntasacha; neamh-rialta, 12–20 mm tras-tomhas; cúig sheipeal, níos giorra ná na piotail; cúig phiotal mhíchothroma, an piotal íochtarach tarraicthe i sáil fhada; déghnéasach; cúig staimín, antair táite timpeall na stíle; trí chairpéal tháite; ubhagán uachtarach aon-cheallach; pailniú feithide nó féinphailniú.

Toradh: Capsúl le trí chomhla.

Toradh / Fruit

Wild pansy

Low-growing (30–150 mm) perennial, abundant in sand dunes or in grassy places by the sea.

Stem: Branched from the base.

Leaf: Alternate, 10–50 mm, hastate or oval, bluntly toothed with leafy stipules.

Flower: May–September; yellow or violet-blue or a mixture of both colours with white, with conspicuous "honey guides"; irregular, 12–20 mm diameter; five sepals, shorter than the petals; five unequal petals, one drawn into a long spur; herm-aphrodite; five stamens, anthers fused around the style; three carpels, fused; superior ovary, one-celled; insect and self-pollinated.

Fruit: A three-valved capsule.

Eireaball caitín

Lythrum salicaria L.—Lythraceae

Luibh ard (0.6–1.2 m) dhíreach ilbhliantúil, lom nó beagáinín clúmhach, flúirseach i móinéir fhliucha, i gcorraithe agus i ndígeacha fliucha, ó leibhéal na farraige go 400 m.

Gas: Bláfar, anáirde díreach, ceithrecúinneach, gan géaga nó le géaga gearra tanaí, ag éirí ó riosóm téagartha.

Duilleog: I bpéirí urchomhaireacha nó i bhfáinní de thrí cinn; lansach, gan chos, gan stípeog, 50–100 mm ar fad.

Bláth: Iúil–Lúnasa; rialta, deargchorcra, 20–25 mm trastomhas; i bhfáinní dlútha i ndias fhoirceanta; cailís fheadánach, dhá oiread fiacla ann agus atá de phiotail sa choróinín; de ghnáth sé phiotal, uaireanta níos lú; déghnéasach; dhá oiread staimíní agus atá de phiotail—dhá cheann déag de ghnáth—ceangailte den chailís in dhá fháinne; dhá chairpéal, stíl amháin—gearr, fada, nó meánach; ubhagán uachtarach, décheallach; pailniú feithide.

Toradh: Capsúl ubhchruthach, 3–4 mm ar fad, a scoilteann ina dhá leath i bhfeadán na cailíse; iliomad síolta miona lioctha.

Cé go bhfuil na bláthanna mar an gcéanna ar aon phlanda ar leith, bíonn trí shaghas bláth ag an spéiceis seo maidir le fad na staimín agus na stíl. Bíonn an dá fháinne antar i bplanda amháin suite ar chomhleibhéal leis an stiogma sa dá shaghas bláth eile. Nuair a thógann feithid mil ó bhláth de shaghas amháin, gheibheann sí pailin in dhá áit ar a teanga, a fhreagraíonn do leibhéil na stíle sa dá shaghas bláthanna eile. Seift é seo chun féinphailniú a sheachaint.

Nuair a thiteann an bhláth bíonn dath glas ar an ndias fé shíol, cosúil le heireaball na gcat glas atá flúirseach sa cheantar; as seo a thagann an ainm atá coitianta i gCorca Dhuibhne. Planda fómhair í; bíonn na móinéir agus na dígeacha corcra leis na mílte dias den luibh seo. Tá foirmeacha roghnaithe di curtha i ngairdíní le fada: orthu siúd tá dathanna idir dúchorcra ("Atropurpurea"), dath an róis ("Roseum superbum"), agus bándearg ("pink spires").

Is ar phlanda eile a bronnadh an ainm "loosestrife" fadó. Tá sí seo cosúil léi ina crut agus ina gnáthóg, ach níl an clú céanna uirthi chun leighis agus síochána

Purple loosestrife

A tall (0.6–1.2 m), erect, glabrous or slightly downy perennial, abundant in wet meadows, marshes and ditches, from sea level to 400 m.

Stem: Erect flowering stem, four-angled, usually unbranched, rising from a stout rhizome.

Leaf: In opposite pairs or in whorls of three; lanceolate, sessile, without stipules, 50–100 mm long.

Flower: July–August; regular, reddish-purple, 20–25 mm diameter, in dense whorls in a terminal spike; tubular calyx, with twice as many teeth as petals; six or fewer petals; hermaphrodite; twice as many stamens as petals, usually twelve; two carpels; single style; superior ovary; insect-pollinated.

Fruit: An egg-shaped capsule, splitting in two inside the calyx tube.

The name "loosestrife" is borrowed from a similar plant of a different genus, to which this bears a superficial resemblance. The medicinal and calming virtues attributed to the real loosestrife are not shared by this speces.

Puirpín uisce

Lythrum portula (L.) D. A. Webb—Lythraceae

Luibh bheag íseal lom bhliantúil, coitianta san iardheisceart, i dtortóga beaga ar phluda, i luigeacha agus i ndígeacha, ó leibhéal na farraige go 400 m.

Gas: Sínte ar bharr na talún, uaireanta le scáil dhearg; ceithrecúinneach, anghéagach, ag cur síos préamha aidbhinteacha ag na nóid.

Duilleog: I bpéirí urchomhaireacha, 10–15 mm ar fad; ubhchruthach, cúng ag a mbun.

Bláth: Iúil–Lúnasa; rialta, corcra, bídeach, gan chos, in ascaillí na nduilleog; cailís le dhá fhiacail déag, feadán gearr; de ghnáth sé phiotal ghearra, ag titim go luath, uaireanta in easnamh; déghnéasach; sé staimín, ceangailte den chailís; dhá chairpéal, stíl amháin, ubhagán uachtarach, déchealIach; pailniú feithide.

Toradh: Capsúl bídeach, beagnach cruinn, a scoilteann ina dhá leath.

Tá blas géar ar dhuilleoga na luibhe seo, a théann go maith le sailéad glas.

An tOllamh David Webb (1912–1994) a d'ainmnigh an planda seo. Chaith sé an chuid is mó dá shaol fada ag obair ar fhlóra na hÉireann, mar léachtaí agus mar ollamh le luibheolaíocht i gColáiste na Tríonóide, Baile Átha Cliath. Duine de na hÉireannaigh is cáiliúla sa luibheolaíocht é, scríbhneoir ar fhlóra na hÉireann agus eagarthóir ar *Flora Europaea*. Bhí suim ar leith aige i bplandaí Chiarraí, agus chaith sé blianta fada mar chláraitheoir ar Chontae Chiarraí do Chumann Luibheolaíochta na Breataine agus na hÉireann. Chaith sé go leor ama ag obair i gCorca Dhuibhne, agus ag deireadh a shaoil ba mhinic é ar saoire i gCaisleán Ghriaire.

Water purslane

A glabrous, prostrate annual, common in the south-west, forming small tufts on mud, in puddles and ditches, from sea level to 400 m.

Stem: Prostrate, four-angled, sometimes red-tinged; much-branched, rooting at the nodes.

Leaf: In opposite pairs; 10–15 mm long, oval, base narrow.

Flower: July–August; regular, purple, minute, sessile in the leaf axils; twelve-toothed calyx, tube short; six petals, falling early, sometimes absent; hermaphrodite; six stamens; two carpels; single style, short; two-celled ovary, superior; insect-pollinated.

Fruit: A minute, almost globular capsule, splitting in two.

This species was revised and named by Prof. David Webb (1912–1994), professor of botany at Trinity College, Dublin, an Irish botanist of international repute. He spent much of his long life working on the Irish flora and was for many years recorder for Kerry for the Botanical Society of the British Isles. He was a frequent visitor to Castlegregory, where he spent the summer before his death.

Na fiúsaíos

**Fuchsia magellanica* (L.) Lam.—Onagraceae

Tor géagach suas go 3 m ar airde, lomach, le coirt bhuí, curtha i bhfálta ar ghoirt agus ar gharraithe, ó leibhéal na farraige go 300 m.

Duilleog: Péirí urchomhaireacha; ubhchruthach, cíorach, lom, le cos.

Bláth: Meitheamh–Meán Fhómhair; craorac agus corcra, ascallach, silteach, 20–40 mm trastomhas; cailís chraorac le ceithre mhaothán; ceithre phiotal chorcraghorm trom, níos giorra ná maotháin na cailíse; déghnéasach; ocht staimín an-fhada; ceithre chairpéal tháite, stíl shingil; ubhagán íochtarach; pailniú feithide.

Toradh: Caor dhubh shúmhar.

Is planda dúchais i Chile agus sa chuid chomharsanach den Airgintín é an fíor-*Fuchsia magellanica*. Tugadh isteach sa Bhreatain é go luath tar éis na bliana 1820, tré shíolta a bailíodh

Bláthanna / Flowers: "mileanna fiúise"

in aice le Caolas Magellan. An cineál "Riccartonii" is mó atá curtha in Éirinn, planda a tógadh ag Riccarton in Albain timpeall 1830. Meastar gur de shliocht *F.* × "Globosa" é, hibrid idir *F. magellanica* var. *conica* agus *F. coccinea* ó Bhrasil. In 1857 deineadh an chéad tagairt dó i gCiarraí; tugadh go Corca Dhuibhne é timpeall 1930, agus tá an scaipeadh déanta aige. Is fíorannamh a fhásann sé ó shíol in Éirinn: pé áit a bhfuil sé ag fás chuir duine éigin ann é. Muna gcoimeádtar fé smacht é múchann sé bóithre agus gleannta.

Fuchsia

A bushy deciduous shrub up to 3 m high, with yellow bark, planted in hedges in fields and gardens, rarely naturalised, from sea level to 300 m.

Leaf: Opposite pairs; oval, toothed, glabrous, stalked.

Flower: June–September; crimson and purple, axillary, drooping, 20–40 mm diameter; crimson calyx, four-lobed; four petals, deep purple-violet, shorter than calyx lobes; hermaphrodite; eight stamens, very long; four carpels, fused, single style, superior ovary; insect-pollinated.

Fruit: A black, fleshy berry.

The plant grown so widely in the west of Ireland is the form "Riccartonii", a hybrid of garden origin whose parentage is uncertain but is believed to include *Fuchsia coccinea* as well as *F. magellanica*. The first record of the plant in Kerry was published in 1857, and it was first introduced to the Dingle Peninsula about 1930. It rarely spreads from seed in Ireland but is widely planted as a durable and impenetrable hedge.

Fuinseagal

Circaea lutetiana L.—Onagraceae

Luibh ilbhliantúil mhion-chlúmhach, 250–500 mm ar airde, flúirseach i gcoillte agus i bhfálta tiubha, in áiteanna faoi scáth le hithir úr, ó leibhéal na farraige go 350 m.

Gas: Gas bláfar ag éirí in airde gach bliain ón riosóm ilbhliantúil.

Duilleog: I bpéirí ur-chomhaireacha ar chosa fada; simplí, triantánach-ubhchruthach, mionchíorach, beagán clúmhach, le ribí gearra faireogacha.

Bláth: Meitheamh–Lúnasa; bán nó uaireanta bándearg, 7–10 mm trastomhas, i raicéim fhoirceanta; bláth-choisín clúdaithe le ribí faireogacha; cailís dhá-mhaothánach, iompaithe síos; dhá phiotal le heagaí; déghnéasach; dhá staimín; dhá chairpéal táite, ar an méid chéanna; ubhagán íochtarach; pailniú feithide.

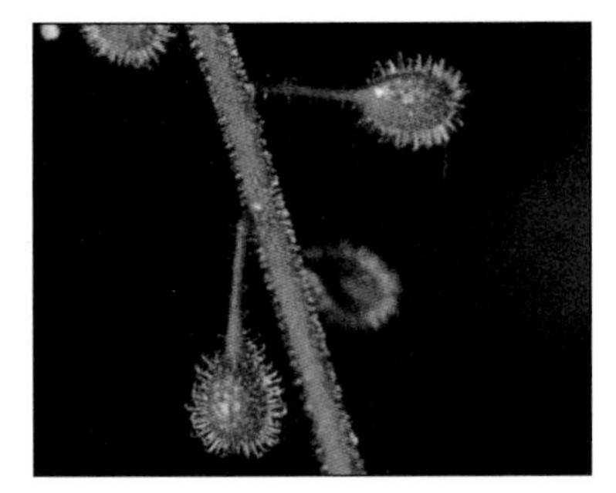

Torthaí / Fruits

Toradh: Toradh tirim neamhoscailteach, le dhá shíol. Tá an toradh clúdaithe le crúcaí, a théann ceangailte in ainmhithe nó éanlaith a bhíonn ag gabháil thar bráid: seo mar a scaiptear na síolta.

Sa séú haois déag chinn an luibheolaí Pléimeannach Mathias de l'Obel gurb ionann an planda seo agus an luibh draíochta a d'ainm-nigh Dioscorides (lia na sean-Ghréige) i ndiaidh na caillí draíochta Circe. Bhí sé de nós aici siúd orthanna agus luibheanna a úsáid chun daoine a iompó ina n-ainmhithe; dhein sí toirc allta de Ullyses agus dá chompánaigh, más fíor! Lean ainm na caillí an géineas ó shin i leith. Is ó Lutetia, seanainm Rómhánach ar Pháras, mar a raibh l'Obel ag obair, a thagann ainm an speicis.

Enchanter's nightshade

A medium-sized (250–500 mm), hairy perennial, abundant in woods, dense hedgerows and shady gardens, from sea level to 350 m.

Stem: Flowering stem, erect, rising annually from the perennial rhizome.

Leaf: In opposite pairs, long-stalked; simple, triangular-oval, feebly toothed; slightly downy, with short, glandular hairs.

Flower: June–August; white or sometimes pink, 7–10 mm diameter, in a terminal raceme on a flower-stalk covered with glandular hairs; two-lobed calyx, turned downwards; two notched petals; hermaphrodite; two stamens; two carpels, fused; inferior ovary; insect-pollinated.

Fruit: An ovoid, two-seeded capsule covered with dense, hooked bristles, dispersed by sticking to the fur of passing animals.

Saileachán mór

Epilobium hirsutum L.—Onagraceae

Luibh ard (0.6–1.2 m) an-chlúmhach ilbhliantúil, neamhchoitianta i gCiarraí ach flúirseach san áit ina bhfásann sé, i bpaistí móra i ndígeacha agus in áiteanna taise gan scáth, go mór mór cois farraige.

Gas: Gas duilleogach bláfar, ag éirí díreach in airde as stólain.

Duilleog: I bpéirí urchomhaireacha, fada, lansach, cíorach, gan chos.

Bláth: Iúil–Lúnasa; bándearg, 20 mm trastomhas, i ndias fhoirceanta; ceithre sheipeal; ceithre phiotal; déghnéasach; ocht staimín; ubhagán íochtarach, ceithre-cheallach; stíl shingil, stiogma le ceithre mhaothán dhoimhne; pailniú feithide nó féinphailniú.

Toradh: Capsúl fada (go 80 mm), a scoilteann fan ceithre chomhla. Táirgtear an-chuid síolta bídeacha, le locaí beaga cadáis, a oibríonn mar sheolta; scaipeann an ghaoth na síolta.

Bláth / Flower

Toradh/ Fruit

Tá an planda go léir clúdaithe le clúmh faireogach a thálann substaintí greadfacha a chuireann an ruaig ar fheithid ar bith a dhéanfadh iarracht an planda a ithe.

Great willowherb

A tall (0.6–1.2 m), noticeably hairy perennial, uncommon in Kerry but abundant where it occurs, in ditches and damp, open places, mainly near the sea.

Stem: An erect, leafy, flowering stem, rising from basal stolons.

Leaf: In opposite pairs; long, lanceolate, toothed, sessile.

Flower: July–August; pink, 20 mm diameter, in a terminal spike; four sepals and petals; hermaphrodite; eight stamens; inferior ovary, four-celled; single style, stigma deeply four-lobed; insect or wind-pollinated.

Fruit: A long, four-valved capsule, up to 80 mm long; numerous small seeds, each with a tuft of cottony hairs; the seeds are wind-dispersed.

Saileachán liath

Epilobium parviflorum Schreber—Onagraceae

Luibh mheán-ard (300–900 mm) an-chlúmhach ilbhliantúil, an-choitianta i ndígeacha taise agus i bhfásaigh thaise, ó leibhéal na farraige go 300 m.

Gas: Gas bláfar clúdaithe le clúmh bog ag éirí in airde as foirceann stólan gairid.

Duilleog: I bpéirí urchomhaireacha nó cuid acu ailtéarnach; fada, lansach, gan chos; slán no mionchíorach.

Bláth: Iúil–Lúnasa; bándearg éadrom, 8–10 mm trastomhas, i ndias fhoirceanta; ceithre sheipeal; ceithre phiotal, le heagaí doimhne; déghnéasach; ocht staimín; ceithre chairpéal tháite; stíl shingil ghearr; stiogma le ceithre mhaothán dhoimhne; ubhagán íochtarach, ceithrecheallach, fada, caol; pailniú feithide nó féinphailniú.

Bláth / Flower

Toradh: Capsúl fada le ceithre chomhla; síolta le locaí beaga cadáis mar sheolta; scaipeann an ghaoth iad.

Tá cosúlachtaí idir an speiceas seo agus *E. obscurum, E. montanum,* agus *E. palustre*; tarlaíonn go leor hibridí nádúrtha eatarthu.

Hoary willowherb

A medium-tall (300–900 mm), very hairy perennial, common in damp ditches and damp waste places, from sea level to 300 m.

Stem: The softly hairy flowering stems rise terminally from short stolons.

Leaf: In opposite pairs or alternate; long, lanceolate, sessile, entire or slightly toothed.

Flower: July–August; pale pink, 8–10 mm diameter, in a terminal spike; four sepals; four petals, deeply notched; hermaphrodite; eight stamens; four carpels, fused; short, single style, stigma with four prominent lobes; inferior ovary, four-celled, long and narrow; insect and self-pollinated.

Fruit: A long, four-valved capsule; many small seeds with small tufts of cottony hairs, which act as sails for wind dispersal.

Saileachán caol

Epilobium obscurum Schreber—Onagraceae

Luibh lom ilbhliantúil, 300–600 mm ar airde, coitianta in áiteanna fliucha cois uisce, ó leibhéal na farraige go 300 m. Gas: ceithrechúinneach, le idir dhá agus ceithre eitre lena fhad; duilleoga: lansach, i bpéirí urchomhaireacha; bláth: bándearg, 6–8 mm trastomhas, le stiogma slán.

Fiaile gránna in ithir gan taoscadh é seo, a scaipeann go tapaidh tré stolainní.

Short-fruited willowherb

A glabrous perennial, 300–600 mm tall, common in damp places near water, from sea level to 300 m. Stem: four-angled, with two to four longitudinal ridges; leaves: lanceolate, in opposite pairs; flowers: pink, 6–8 mm diameter, stigma entire.

Saileachán sraoilleach

**Epilobium brunnescens* (Cockayne) Raven & Engelhorne—Onagraceae

Luibh lom íseal (0–50 mm) ilbhliantúil, coitianta in áiteanna fliucha clochacha, ó leibhéal na farraige go 1,000 m. Gas reatha ag préamhú ag na nóid; duilleoga: cruinn, 6–12 mm trastomhas, i bpéirí urchomhaireacha; bláth: Meitheamh–Iúil, 3–4 mm trastomhas.

Fiaile é seo atá ag scaipeadh ar bhruacha sileáin sléibhe agus ag déanamh dochair do ghnáthóga nádúrtha.

New Zealand willowherb

A low (0–50 mm), spreading perennial, common in wet, stony places, from sea level to 1,000 m. Stem: spreading, rooting at the nodes; leaves: small, round, opposite; flower: June–July, 3–4 mm diameter.

Líonánach

Myriophyllum spicatum L.—
Haloragaceae

Luibh ilbhliantúil uisce, 0.6–1.2 m ar fad, coitianta, báite i locháin, i ndígeacha agus i locha fíoruisce ciúine, ó leibhéal na farraige go 500 m. Gas: tanaí, géagach, le comhdhuilleoga cleiteacha i bhfáinní de cheithre cinn; bláth: Meitheamh–Lúnasa, i ndias fhoirceanta os cionn uisce.

Ní bhíonn an planda le feiscint os cionn uisce go mbíonn sé faoi bhláth. "Snáithíní báite" ainm eile air.

Spiked water-milfoil

Aquatic perennial, 0.6–1.2 m long, common, submerged in still freshwater, from sea level to 500 m. Stem: slender, branched, with compound leaves in whorls of four; flowers: June–August, above water.

Colgrach

Hippurus vulgaris L.—Hippuridaceae

Luibh ilbhliantúil uisce, 300–600 mm ar airde, coitianta i ndígeacha agus i locháin shocra fíoruisce ná fuil searbh, ó leibhéal na farraige go 300 m. Gas: neamhghéagach, ag gobadh aníos as an uisce; duilleog: simplí, caol, géarbhiorach, i bhfáinní de dheich gcinn; bláth: Meitheamh–Iúil, bídeach, ascallach. "Cáití colagán" ainm eile air.

Mare's tail

An erect aquatic perennial, 300–600 mm tall, common in non-acid freshwater ditches and ponds, from sea level to 300 m. Stem: erect, unbranched, protruding from the water; leaves: simple, pointed, in whorls of ten; flowers: June–July, minute, axillary.

Eidhneán

Hedera helix L.—Araliaceae

Dreapaire adhmadach síorghlas, flúirseach ar fhallaí, ar talamh, ar charraigeacha is ar chrainn, in áiteanna gan scáth nó faoi scáth trom, ó leibhéal na farraige go 500 m.

Gas: Adhmadach, suas go 250 mm i dtrastomhas, le préamha téagmhasacaha a úsáidtear chun dreaptha.

Duilleog: Dúghlas, gléasta; slán nó muileatach ar an ngas bláfar, bosachcúigmhaothánach ar na gais aimride.

Bláth: Deireadh Fómhair–Samhain; rialta, 6–8 mm trastomhas; buíghlas, le boladh láidir; in umbail gan bhraicht, le idir deich agus cúig gha dhéag; cúig sheipeal triantánacha bhídeacha; cúig phiotal ubhchruthacha; déghnéasach; cúig staimín; ubhagán cúigcheallach íochtarach, le stíl shingil ghearr; pailniú feithide.

Toradh: Caor dhubh leathrach, cruinneogach, 6–8 mm trastomhas; idir dhá agus cúig shíol i ngach caor, scaipthe ag éanlaith.

Bhí meas ar an eidhneán sa tsean-Éigipt mar chomhartha na beatha síoraí. Ba shamhailchomhartha Bacchus é do na Sean-Rómhánaigh, agus chreidtí go raibh cosaint agus leigheas ar mheisce ann. Mar luibh íce ba mhó a bhí cáil air in Éirinn. “Bhaintí an t-eidhneán go mbeadh na bileoga casta i dtreo an chnoic. Théití leis an dtine é, fítí i gcaipín é, agus chuirtí ar cheann tinn é agus cac muice faoi. Bhíodh ceann tinn an-mhór ar pháistí fadó, agus deireadh na seanmhná go mb'fhearrde an leanbh go dtagadh sé air mar go súdh an caipín eidhneáin an t-uisce ón gceann—uisce a thiocfadh anuas ina shúile agus a chaochfadh é ina sheanaois” (Dún Chaoin, 1965).

Ivy

A woody evergreen climber, abundant on walls, rocks, cliffs, trees and over ground, in the open or in shade, from sea level to 500 m.

Stem: Woody, up to 250 mm diameter, with adventitious roots used for climbing.

Leaf: Dark green, shiny; entire or diamond-shaped, on flowering stems, palmate, five-lobed, on sterile stems.

Flower: October–November; regular, 6–8 mm diameter, yellowish green, strongly scented; in umbels of ten to fifteen rays, without bracts; five sepals, minute, triangular; five petals, oval; hermaphrodite; five stamens; inferior ovary, five-celled, with a single short style; insect-pollinated.

Fruit: A black, leathery, globular berry, containing two to five seeds; dispersed by birds.

Ivy was regarded in ancient times as a symbol of eternal life. It had some curious medicinal uses in Corca Dhuibhne!

Cuileann trá

Eryngium maritimum L.—Umbelliferae

Luibh dhosach ilbhliantúil, 300–500 mm ar airde; lom, céiriúil, le scáil ghorm; coitianta feadh an chósta ar dhumhcha agus ar ghrean.

Gas: Díreach, géagaithe, ramhar, righin, lom; folamh ina lár.

Duilleog: Righin, cíorach, le dealg láidir ar bhior gach círe agus imeall loingeánach tiubh; liathghorm, le féitheanna suntasacha.

Bláth: Iúil–Lúnasa; beag, gorm, in umbal dlúth cruinneogach, 15–30 mm trastomhas, le brachtanna leathana deilgneacha faoi; cúig sheipeal bhioracha; cúig phiotal eagacha; déghnéasach agus aonghnéasach (fireann); cúig staimín; dhá chairpéal táite, dhá stíl; ubhagán íochtarach; pailniú feithide.

Toradh: Tirim, neamhoscailteach, le dhá shíol; fanann an chailís ceangailte de; falla coirc air, lán de chrúcaí.

D'úsáidtí deoch den phréamh mar leigheas ar an lia bhuí, greadadh bléine, gaoth, agus iarrpais, chun clocha fuail a bhriseadh, agus chun fual nó cúrsaí ban a spreagadh. Chreidtí go raibh sé go maith do lucht eitinne agus ar ghalair chollaí, agus mar athbhríoch don chearthaí. Chuirtí préamh brúite, friochta in im, le cnámha briste nó le dealg nó scolb sa bhfeoil chun iad a shú amach agus an ghoin a chneasú.

Idir an séú agus an naoú haois déag dheintí milseoga cáiliúla dosna préamha i gColchester Shasana. Dheintí an phréamh brúite a mheascadh le siúcra, spíosraí agus gealacán uibh buailte; "eringoes" a thugtaí orthu, agus chreidtí go leigheasfadh siad an éagumas, go mór mór i seandaoine.

Sea holly

A bushy perennial, 300–500 mm tall; glabrous, waxy, metallic blue; common on coastal sand dunes and gravels.

Stem: Erect, branched, fleshy, stiff, glabrous, hollow.

Leaf: Stiff, toothed, very prickly, with a thick cartilaginous margin; glaucous, with conspicuous veins.

Flower: July–August; small, blue, in a dense, globular umbel, surrounded by leafy bracts; five sepals, pointed; five petals, notched; hermaphrodite and unisexual (male); five stamens; two carpels, fused; two styles; inferior ovary; insect-pollinated.

Fruit: Dry indehiscent, two-seeded, the calyx persisting; corky outer wall, covered with hooked papillae.

The root was used in herbal medicine and candied as a sweetmeat. It was believed to be a remedy for impotence.

Lus na ngrán dubh

§§*Smyrnium olusatrum* L.—Umbelliferae

Luibh ard (0.5–1.2 mm) gharbh lom ilbhliantúil, le boladh láidir; anseo is ansiúd, in aice le fothraigh seanmhainistreach nó caisleáin, go mór mór feadh an chósta, i bhfálta, i gclathacha, cois bóthair agus i bhfásaigh, ó leibhéal na farraige go 100 m.

Gas: Láidir, eitreach, lom; ag éirí folamh ina chroí le haois.

Duilleog: Trídhuilleach nó trídhuilleach faoi dhó; fodhuilleoga ubhchruthach, cíorach, 50 mm ar fad; gléasta; an chos ag déanamh truaille séidte timpeall an ghais.

Bláth: Aibreán–Meitheamh; beag, glasbhuí, i gcomhumbail le idir ocht agus dhá gha dhéag; gan bhrachtanna ach le braichtíní beaga; seipil an-bheag nó in easnamh; cúig phiotal le bior beag casta isteach; déghnéasach; cúig staimín; dhá chairpéal tháite, dhá stíl; ubhagán íochtarach; pailniú feithide.

Toradh: Dubh; tirim neamhoscailteach, le dhá shíol; gearr agus leathan, le trí iomaire shuntasacha; stíleanna eisréimeacha.

Ón Meánmhuir a tháinig an planda seo; thóg na Rómhánaigh ó na Gréigigh é, agus scaipeadar é pé áit a gcuadar. D'úsáididís in anraithí agus i struisíní é, beirithe cosúil le soilire, nó amh i sailéid. De réir Threlkeld, ag scríobh faoi phlandaí na hÉireann sa bhliain 1726, dheineadh na mná in Éirinn "anraith Carghais" as bhiolar, neantóg, agus lus na ngrán dubh. D'úsáideadh mar ghlasra i Sasana é suas go deireadh na hochtú haoise déag, nuair a cuireadh an soilire ina áit. Tá sé soiléir, dar le Scully, ó dháileadh lus na ngrán dubh i gcóngar seanchaisleán agus mainistreacha gur saothraíodh an planda seo freisin sa tseanaimsir i gCiarraí.

Torthaí / Fruits

Alexanders

A tall (0.5–1.2 mm), rough, glabrous, strong-smelling perennial; occasional, near monastic and castle ruins, in hedgerows, walls, roadsides, and waste places, mainly in coastal districts, from sea level to 100 m.

Stem: Strong, grooved, glabrous; becoming hollow with age.

Leaf: Ternate or biternate; leaflets oval, toothed, 50 mm long, shiny; stalk forming an inflated sheath around the stem.

Flower: April–June; small, yellowish-green; in compound umbels with eight to twelve rays; bracts absent, bracteoles tiny; sepals minute or absent; five petals, with a short incurved tip; hermaphrodite; five stamens; two carpels, fused; two styles; inferior ovary; insect-pollinated.

Fruit: Black; dry indehiscent, two-seeded; short and broad, strongly ridged, with diverging styles.

Brought from the Mediterranean by the Romans, the plant was used for culinary and medicinal purposes.

Clabhras mór

Pimpinella major (L.) Hudson—
Umbelliferae

Luibh ard (0.6–1.2 mm) gharbh lom ilbhliantúil, anseo is ansiúd cois bóthar, fál agus coille. Gas eitreach; comhdhuilleog cleiteach, fodhuilleoga cíorach, le cosa; bláth: Iúil–Lúnasa, bán nó bándearg, i gcomhumbail fhoirceanta gan bhrachtanna nó bhraichtíní; stíl ar comhfhad leis na piotail.

Greater burnet saxifrage

A tall (0.6–1.2 mm), rough, glabrous perennial, occasional on roadsides, hedge and wood verges. Stem: rough, ribbed; leaves: pinnate, leaflets toothed, stalked; flowers: white or pink, in terminal compound umbels without bracts or bracteoles, styles equalling petals in number.

Ráib uisce

Berula erecta (Hudson) Coville—
Umbelliferae

Luibh mheán-ard (go 500 mm) ilbhliantúil lom, le gais laga, flúirseach i ndígeacha agus i sruthháin. Comhdhuilleog: cleiteach, le seacht nó ocht bpéire d'fhodhuilleoga cíoracha; bláth: Iúil–Meán Fómhair, bán, i gcomhumbail bheaga le brachtanna agus braichtíní, ar aghaidh na nduilleog.

Lesser water parsnip

A medium-sized (500 mm), weak-stemmed, glabrous perennial, abundant in ditches and streams. Leaf: pinnate, with seven to eight pairs of toothed leaflets; flower: July–September, white, in small compound umbels with bracts and bracteoles, opposite the leaves.

Greidhric

Crithmum maritimum L.—Umbelliferae

Luibh íseal (150–300 mm) ilbhliantúil shúmhar lom liathghlas; flúirseach ar fhailltreacha, ar charraigeacha cois trá agus ar chladaigh ghrin, ó leibhéal na farraige go 200 m (raon an chúráin).

Gas: Adhmadach ina bhun, lom, spréite; gas bláfar díreach soladach súmhar, eitreach.

Duilleog: Comhdhuilleog dhéclheiteach le maotháin cosúil le méireanta beaga ata; súmhar, cumhra, le craiceann tiubh.

Bláth: Iúil–Lúnasa; glasbhuí, ar bhláthchos théagartha, in umbail fhoirceanta de idir deich agus fiche ga, le hanchuid brachtanna agus braichtíní; seipil in easnamh; cúig phiotal, iompaithe isteach; déghnéasach; cúig staimín; dhá chairpéal tháite, le dhá stiogma; ubhagán íochtarach; pailniú feithide.

Toradh: Tirim neamhoscailteach, le dhá shíol; ubhchruthach; falla coirc le hiomairí suntasacha.

D'úsáidtí an planda seo fadó mar luibh leighis, chun an goile a neartú agus faobhar a chur air agus chun feadáin an ae, an liatháin agus na nduán a oscailt. D'ití greidhric amh nó beirbhthe san Bhlascaod Mór. Is fearr a bhíonn sé ón earrach go lár an tsamhraidh, sula dtagann an bláth air. Ullmhúchán: Nigh go maith é agus bain na gais chrua nó bhoga nó ite de; fág an phréamh air. Beirigh 10–15 nóiméad in uisce; scag. Cuir chun boird le blúire breá ime. Ith é ar chuma an chrúibín: beir ar an bpréamh i do lámh agus súiric an bia de na snáithíní fada. Tá na duilleoga go maith fuar freisin, le fínéagar agus spíosra, i sailéid, in anlann, agus i bpicil.

Rock samphire

A short (150–300 mm), fleshy, glabrous, glaucous perennial, common on the coast on cliffs, seaside rocks, and shingle beaches, from sea level to 200 m (sea spray range).

Stem: Woody at base, spreading; flowering stems erect, solid, succulent, grooved.

Leaf: Biternate or bipinnate; segments fingerlike, swollen; succulent, scented, thick-skinned.

Flower: July–August; greenish-yellow, on a stout peduncle, in terminal umbels of ten to twenty rays with many bracts and bracteoles; five sepals, minute; five petals, inrolled; hermaphrodite; five stamens; two carpels, with two stigmas; inferior ovary; insect-pollinated.

Fruit: Dry indehiscent, two-seeded; egg-shaped, cork-walled, strongly ridged.

The plant has a long history of medicinal and culinary use. It was eaten raw or boiled, as a vegetable, on the Blasket Islands.

Dathabha peirsile

Oenanthe lachenalii C. C. Gmelin—Umbelliferae

Luibh lom ilbhliantúil, 300–800 mm ar airde; coitianta i riasca sáile agus in áiteanna taise goirte in aice na farraige.

Gas: Tanaí, soladach, nó le cuas beag nuair a éiríonn sé sean; eitreach.

Duilleoga: Déchleiteach, le deighleoga caola; feonn na duilleoga íochtaracha go luath.

Bláth: Meitheamh–Meán Fómhair; bán, in umbail fhoirceanta le idir dhá cheann déag agus seacht gcinn déag de ghathanna thanaí, le brachtanna agus braichtíní; bláthanna aimride, le cos fhada thanaí, ar imeall an umbail; bláthanna torthúla, gan chos, sa lár; cúig sheipeal bhioracha; cúig phiotal eagach, le bior fada iompaithe isteach; déghnéasach agus aonghnéasach (fireann); cúig staimín; dhá chairpéal tháite, le dhá stíl fhada; ubhagán íochtarach; pailniú feithide.

Bláthanna agus toradh / Flowers and fruit

Toradh: Tirim neamhoscailteach, le dhá shíol; ubhchruthach-lioctha, leis an gcailís agus an dá stíl shuntasacha righin ar a bharr.

Tá gach speiceas den ghéineas *Oenanthe* a bheag nó a mhór nimhneach: ní ceart aon bhlúire díobh d'ithe.

Parsley water-dropwort

A glabrous perennial, 300–800 mm tall, common in salt marshes and damp places near the sea.

Stem: Slender, solid, or developing a small cavity with age; furrowed.

Leaf: Bipinnate, segments narrow; lower leaves soon withering.

Flower: June–September; white, in terminal umbels with seven to twelve slender rays, with bracts and bracteoles; long-stalked sterile flowers at the margin of the umbel, sessile fertile flowers inside; five sepals, pointed; five petals, notched, with a long in-turned point; hermaphrodite and unisexual (male); five stamens; two carpels, fused, with long stiles; inferior; insect-pollinated.

Fruit: Dry indehiscent, two-seeded; ovoid, flattened, with calyx and conspicuous rigid styles attached.

All members of the genus *Oenanthe* are poisonous to some degree: they should not be eaten.

Tréanlus braonach an chorraigh

Oenanthe crocata L.—Umbelliferae

Luibh ilbhliantúil, suas le 2 m ar airde; lom, le boladh peirsile; coitianta i srutháin éadoimhne, cois abhann, i ndígeacha fliucha agus i gcorraithe, in áiteanna oscailte, ó leibhéal na farraige go 300 m.

Gas: Láidir, lom, domhain-eitreach, folamh, ag fás ó phréamh ataithe cosúil le meacan bán; le súlach a dtagann dath buí air nuair a ghabhann an t-aer chuige.

Duilleog: Mór, triantánach, tríchleiteach; cos go léir ina truaill ar an ngas.

Bláth: Meitheamh–Iúil; bán nó bándearg, in umbail mhóra fhoirceanta le idir cúig cinn déag agus cúig cinn fhichead de ghathanna thanaí, le brachtanna agus braichtíní; cúig sheipeal bhioracha; cúig phiotal eagacha, le bior fada iompaithe isteach; aon-ghnéasach (fireann) ar imeall an umbail, déghnéas-ach taobh istigh; cúig staimín; dhá chairpéal táite, le dhá stíl fhada; ubhagán íochtarach; pailniú feithide.

Toradh: Tirim neamh-oscailteach, le dhá shíol; sorcóireach, leis an gcailís agus an dá stíl in airde ar a bharr.

Rabhadh: Tá an luibh seo ar na plandaí is nimhní in Éirinn. Tá nimh láidir i ngach cuid di, go háirithe sa phréamh, mar a mbíonn an tiúchan is airde sa gheimh-readh agus i dtosach an earraigh. Ní mhilleann triomú ná cócaireacht an nimh seo; is contúirt don duine agus don ainmhí í. Daoine ná aithníonn an planda agus a bhíonn ag bailiú glasraí fiáine is mó a bhíonn i mbaol; tá boladh peirsile uaidh agus tá an phréamh an-chosúil le meacan bán, agus úsáideann siad in anraith nó i struisín é—dearmad tubaisteach. Mharódh sé stoc a íosfadh é dá nochtfadh tuille nó draenáil an meacan, go mór mór sa gheimhreadh. Fiú amháin le cóir leighis an lae inniu, faigheann breis agus 50 faoin gcéad dá n-itheann é bás.

I gCorca Dhuibhne chuirtí céirí den bpréamh ("meacan an dathabha") le hioscóid chun í a tharrac agus an phiast a bheadh inti a mharú: chredití go mbíodh piast i gcroí ioscóidí áirithe agus gur sa mheacan a bheadh ag fás mar a dtioc-fadh dhá abha le chéile ba mhó a bheadh leigheas. Chaití an phréamh a bhaint i ngan fhios son bpéist, nó é bhrú agus é bheirbhiú amuigh (Dún Chaoin, 1965).

Hemlock water-dropwort

A glabrous, parsley-scented perennial, up to 2 m tall, common in shallow streams, riversides, wet ditches, and marshes, in open situations from sea level to 300 m.

Stem: Strong, glab-rous, deeply furrowed, hollow, arising from tuberous roots resembling parsnips; sap turning yellow on exposure to air.

Leaf: Large, triangu-lar, tripinnate; entire leaf-stalk sheathing the stem.

Flower: June–July; white or pink, in large terminal umbels with fifteen to twenty-five slender rays, with bracts and bracteoles; five sepals, pointed; five petals, notched, with a long in-turned point; unisexual (male) at the umbel margins, hermaphro-dite inside; five stamens; two carpels, fused, with long stiles; inferior ovary; insect-pollinated.

Fruit: Dry indehis-cent, two-seeded; cylindrical, with calyx teeth and erect styles on top.

Warning: This plant is extremely poison-ous. All parts contain a toxin that is un-affected by cooking or drying and is danger-ous even in small quantities. More than half the cases of human poisoning are fatal. Grazing animals are also susceptible.

Milbhear (Tréanlus)

Conium maculatum L.—Umbelliferae

Luibh ard (0.6–1.2 mm) lom dhébhliantúil, le boladh láidir míthaitneamhach luch, coitianta in ithir shuaite, cóngarach do thithe, ó leibhéal na farraige go 200 m.

Gas: Lom, le spotaí neamhrialta corcra; folamh; boladh an-láidir uaidh má gearrtar nó má brúitear é.

Duilleoga: Mór, triantánach, déchleiteach, le fodhuilleoga cíoracha no cleiteacha i bpéirí urchomhaireacha.

Bláth: Meitheamh–Lúnasa, bán, i gcomhumbail fhoirceanta le idir deich agus fiche ga, le brachtanna agus braichtíní; seipil in easnamh; cúig phiotal, maol nó iompaithe isteach beagán; déghnéasach; cúig staimín; dhá chairpéal táite; dhá stíl ghearra athchuaracha; ubhagán íochtarach; pailniú feithide.

Toradh: Tirim neamhoscailteach, le dhá shíol; ubchruthach-leathan le hiomairí cuaracha.

"Luibh an-íogair an tréanlus. N'fhéadfainn í a thaispeáint d'éinne ar eagla go mbainfeadh aon rud dóibh. Is amhlaidh a cheanglaíodh an seandhream an planda le corda d'eireaball an mhadra. Chuiridís an madra chun siúil ansan agus sin é mar a stoití é. Dá leanódh aon mhíádh é a tharrac, thitfeadh sé ar an madra" (Méiní Céitinn, 1965).

Nuair a théadh gairbhéal i ladhair na crúibe ag bó nó nuair a gheibheadh bó cosa teine ó shiúlóid, dheintí an phréamh a bheirbhiú agus céirí nó plástar a dhéanamh di agus é chur leis an dteinníocht (SCC).

Rabhadh: Tá cáil ar an milbhear nó moing mhear mar nimh le breis is dhá mhíle bliain anuas. Dheintí deoch as chun daoine a mharú. Mharódh sé duine láithreach, agus is as seo an ainm "milbhear"—milleadh mear.

Hemlock

A glabrous biennial, 0.6–1.2 mm tall with a strong, unpleasant mousy smell, common on disturbed soil, near habitation, from sea level to 200 m.

Stem: Bare, furrowed, with irregular purple spots; hollow; very strong-smelling if cut or bruised.

Leaf: Large, triangular, bipinnate, with fine-toothed or pinnatifid leaflets in opposite pairs.

Flower: June–August; white, in terminal umbels with ten to twenty rays, with bracts and bracteoles; calyx absent; five petals, obtuse or slightly incurved; hermaphrodite; five stamens; two fused carpels, with short, recurved styles; inferior ovary; insect-pollinated.

Fruit: Dry indehiscent, two-seeded; broadly oval, with wavy ridges.

Warning: The poisonous properties of this plant have been documented for more than two thousand years. A concoction of hemlock and poppy was administered to people sentenced to death in ancient Greece and Rome. Socrates chose to drink this fatal poison rather than renounce his philosophical teachings in the year AD 399.

Gunna uisce

Apium nodiflorum (L.) Lag.—Umbelliferae

Luibh lom ilbhliantúil, 250–800 mm ar airde; forleathan i ndígeacha agus i silteáin, ó leibhéal na farraige go 250 m.

Gas: Sínte nó leath in airde, folamh ina lár, ag cur amach préamha ag na nóid.

Duilleog: Cleiteach, le fodhuilleoga ubhchruthacha cíoracha.

Bláth: Iúil–Lúnasa; bán, i gcomhumbail bheaga le idir cúig agus ocht nga, ar chos ghearr ar aghaidh na nduilleog; de ghnáth gan bhrachtanna, le han-chuid braichtíní; gan seipil; cúig phiotal shlána bhioracha; déghnéasach; cúig staimín; dhá chairpéal táite; ubhagán íochtarach; pailniú feithide.

Toradh: Tirim neamhoscailteach, le dhá shíol; ubhchruthach, eitreach.

Tá an planda so an-chosúil le biolar, agus is furast dearmad a dhéanamh eatarthu, mar fásann siad le chéile go minic. "Biolar bréige" ainm eile air. Tá fiacla cothroma i bhfodhuilleoga an ghunna uisce, ach tá fiacla neamhrialta sa bhiolar, agus ní hionann na bláthanna ach oiread. Níl an planda seo nimhneach, ach ní maith le gach duine é. Tá sé níos fearr gan plandaí fiáine anaithnide a ithe nó fiú amháin a bhlas, áfach.

Duilleoga / Leaves

Fool's water-cress

A medium-sized (250–800 mm), glabrous perennial, common in streams and ditches, from sea level to 250 m.

Stem: Prostrate or semi-erect, hollow; rooting at the nodes.

Leaf: Simply pinnate, leaflets oval and toothed.

Flower: July–August; white, in small compound umbels with five to eight rays, opposite the leaves; bracts usually absent, bracteoles numerous; sepals absent; five petals, entire; hermaphrodite; five stamens; two carpels, fused; inferior ovary; insect-pollinated.

Fruit: Dry indehiscent, two-seeded; egg-shaped, grooved.

Fool's watercress is sometimes mistaken for watercress, with which it often grows. The leaflets are regularly toothed, whereas watercress leaflets are irregularly toothed. The plant is not poisonous; however, it is safer to avoid eating or even tasting unknown wild plants.

Bliúcán

Angelica sylvestris L.—Umbelliferae

Luibh mhór lom ilbhliantúil, suas go 1.2 m ar airde, coitianta i ndígeacha, i gcoillte, i bhfálta agus i móinéir thaise, ó leibhéal na farraige go 850 m.

Gas: Ramhar, téagartha, folamh, beagnach lom, le scáil dhearg ann.

Duilleog: Mór, déchleiteach nó tríchleiteach; fodhuillí ubhchruthacha, cíorach go rialta; an chos ina truaill shéidte ar an ngas.

Bláth: Iúil–Lúnasa; bán nó bándearg, in umbail mhóra leathchruinneánacha, le idir fiche agus tríocha ga; foirceanta agus ascallach; brachtanna gann nó in easnamh, braichtíní gann; seipil bídeach nó in easnamh; piotail biorach, iompaithe isteach; déghnéasach; cúig staimín; dhá chairpéal tháite; ubhagán íochtarach; pailniú feithide.

Toradh: Tirim, neamhoscailteach, le dhá shíol; leathfhada, lioctha, le sciatháin scannánacha.

Cheap na seanlianna go raibh leigheas sa luibh seo ar gach aon sórt aicíde agus cosaint ann ar dhraíocht, ar gheasa, ar chailligh dhraíochta agus ar dhrochsprideanna. Níos déanaí bhíodh an-mholadh ar na préamha agus na síolta chun cabhrú leis an díleá, chun fual, allas, seiliú nó cúrsaí ban a spreagadh, agus chun gach saghas galar tógálach a leigheas. Dheintí milseog as an ngas le siúcra; tá an mhilseog chéanna á déanamh fós as gaol gairid leis, *A. archangelica.* An tArdaingeal Micheál a mhol é mar luibh íce i bhfís go dtí lia le linn pláigh mhór 1510 i Milano.

Bláth / Flower

Wild angelica

A large, glabrous perennial up to 1.2 m high, common in ditches, woods, hedgerows and damp meadows, from sea level to 850 m.

Stem: Stout, thick, hollow, almost glabrous; red-tinged.

Leaf: Large, bipinnate or tripinnate; leaflets oval, regularly toothed; leaf-stalk forming an inflated sheath around the stem.

Flower: July–August; white or pink, in large hemispherical umbels with twenty to thirty rays; terminal and axillary; bracts few or absent, bracteoles few; sepals minute or absent; five petals, acute, incurved; hermaphrodite; five stamens; two carpels, fused; inferior ovary; insect-pollinated.

Fruit: Dry indehiscent, two-seeded; oblong, flattened, with membranous wings.

This was one of the great herbs of the Middle Ages, reputed to cure any malady and to offer protection against magic, spells, witches, and evil spirits. Its use survives partially in candied angelica, now made only from the closely related *A. archangelica.*

Feabhrán

Heracleum sphondylium L.—
Umbelliferae

Luibh mhór (1–1.75 m) láidir gharbh chlúmhach dhé-bhliantúil; boladh láidir mí-thaitneamhach uaithi; flúirseach cois bóthar, i ngoirt agus i lantáin ghlasa, ó leibhéal na farraige go 300 m.

Gas: Láidir, garbh, clúmhach, folamh, le heitrí doimhne.

Duilleog: Mór, leathan, cleiteach; fodhuillí mantacha garbhchíoracha clúmhacha ar an dá thaobh, an chos mar thruaill séidte ar an ngas.

Bláth: Meitheamh–Lúnasa; bán nó bándearg, cuibheasach mór, in umbail mhóra réidhe fhoirceanta, le idir cúig cinn déag agus tríocha ceann de ghathanna láidre téagartha; brachtanna gann nó in easnamh, braichtíní i láthair; cúig sheipeal bheaga neamh-rialta; cúig phiotal eagacha, piotail seachtracha gach umbal an-mhór; déghnéas-ach; cúig staimín; dhá chairpéal táite; ubhagán íochtarach; pailniú feithide.

Toradh: Tirim neamh-oscailteach, le dhá shíol; fochruinneogach, lioctha; bán le stríocaí dubha.

Planda bídh é seo do dhaoine agus d'ainmhithe. Is féidir na buinneáin óga a fhriochadh i mblúire ime mar ghlasra, agus itear amh iad i sailéid in Innse Gall agus i gCríocha Lochlann. Dheineadh muintir na Liotuáine deoch mheisciúil astu, agus sa Rúis dheintí milseoga astu. Chreidtí go raibh leigheas sa tsíol ar chasachtach, ghearranáile, thitimeas, agus lia bhuí. Dhóití an síol faoi chaincín daoine le marbhántacht nó tromshuan chun iad a mhúscailt, agus dheintí ullmhúchán den phréamh agus na síolta beirithe in íle a chuimilt de cheann duine le mire, marbhántacht nó drochshuan.

Tugtar "the "singer" air i dtimpeallacht Thrá Lí, ó fheadaíl na gaoithe sna gais sa gheimhreadh.

Hogweed

A large (1–1.75 m), stout, very coarse, hairy biennial with a strong unpleasant smell, abundant on road and field verges and on grassy banks, from sea level to 300 m.

Stem: Upright, stout, hairy, hollow, deeply grooved.

Leaf: Large, simply pinnate; leaflets coarsely toothed and irregularly lobed; downy on both sides; leaf-stalk forming an inflated sheath on stem.

Flower: June–August; white or pink, relatively large, in large, flat terminal umbels, with fifteen to thirty stout rays; bracts few or absent, bracteoles present; five sepals, small, uneven; five petals, outermost petals of umbel enlarged; hermaphrodite; five stamens; two carpels, fused; inferior ovary; insect-pollinated.

Fruit: Dry indehiscent, two-seeded; sub-orbicular, flattened, whitish, with dark streaks on upper part.

Used as a medicinal and magic herb in former times, this plant is still valued as a food source. Called "the singer" in the Tralee area, from the whistling of the wind through the hollow stems in winter.

Lus na gcloch fuail

Torilis nodosa (L.) Gaertner—Umbelliferae

Luibh ghiobach shínte bhliantúil, coitianta ar chlathacha agus i bhfásaigh feadh an chósta sa deisceart. Duilleog: déchleiteach; bláth: Meitheamh–Lúnasa, bán-dearg, in umbail bheaga le idir dhá agus trí gha; gan brachtanna, le braichtíní fada caola; toradh: tirim neamhoscailteach, le leadáin ar an leath lasmuigh. D'úsáidtí an síol chun fónamh ar dhó imleacáin, clocha fuail, agus lia bhuí. Spreagadh sé fual agus fuil mhíosta leis.

Knotted hedge-parsley

A hairy, prostrate annual, common in the south on walls and waste places near the sea. Leaf: bi-pinnate; flower: June–August, pink, in small umbels with two to three rays; bracts absent, bracteoles long and narrow; fruit: dry indehiscent, outer half prickly.

Fionnas fáil

Torilis japonica (Houtt.) DC.—Umbelliferae

Luibh ghiobach bhliantúil, 400–800 mm ar airde, coitianta i bhfálta agus cois claí, ó leibhéal na farraige go 400 m. Gas: caol, díreach; duilleog: lansach, dé-clheiteach; bláth: Iúil–Meán Fómhair, in umbail foirceanta, le idir cúig cinn agus dhá cheann déag de ghathanna fada, le bracht-anna agus braichtíní; toradh: tirim neamhoscailteach, ubhchruthach, leadánach.

Hedge-parsley

A hairy annual, 400–800 mm tall, common in hedges and by walls from sea level to 400 m. Stem: slender, erect; leaf: lanceolate, biternate; flower: July–September, pink, in terminal umbels with five to twelve long rays with bracts and bracteoles; fruit: dry indehiscent, burr-like, with fine prickles.

Miodhlucán

Daucus carota L.—Umbelliferae

Luibh chlúmhach dhé-bhliantúil, 300–750 mm ar airde, coitianta ar lantáin gan tairbhe gan scáth, feadh an chósta, ó leibhéal na farraige go 400 m.

Gas: Láidir, soladach, eitreach.

Duilleoga: Tríchleiteach le fodhuilleoga maothánacha; cos mar thruaill ar an ngas, níos sia ar na duilleoga in íochtar an phlanda.

Bláth: Iúil–Lúnasa; bándearg nó bán, ceann amháin ruachorcra sa lár; in umbail foirceanta, le idir fiche agus daichead ga; réidh ar dtús agus é faoi bhláth, cuasach agus é ag aibiú faoi shíol; an-chuid brachtanna móra cleiteacha, braichtíní caola slána; seipil bídeach nó in easnamh; cúig phiotal eagacha; déghnéasach; cúig staimín; dhá chairpéal táite; ubhagán íochtarach; pailniú feithide.

Toradh: Tirim neamh-oscailteach, le dhá shíol; ubhchruthach, deilgneach.

Chreidtí go raibh leigheas sna síolta agus na duilleoga ar ghaoth agus ar ghreim agus chun fual agus fuil mhíosta a spreagadh agus cloch fuail a bhriseadh agus a scaipeadh. Chreidtí gur sárleigheas ar an titimeas an bláth ruachorcra i lár an umbail. Is ón bplanda Meánmhara *D. carota* var. *sativus* a tháinig an meacan dearg, ach d'ití préamha an phlanda seo freisin in Éirinn tráth. Bhí meas air mar go bhfuil blas milis air agus gur féidir é ithe amh.

Bláthanna / Flowers

Wild carrot

A hairy biennial, 300–750 mm tall, common in grassy banks and waste places, often near the sea, from sea level to 400 m.

Stem: Strong, solid, grooved.

Leaf: Tripinnate, leaflets lobed; leaf-stalk sheathing stem, longer on lower leaves.

Flower: July–August; pinkish-white, one reddish-purple flower in centre; in terminal umbels with twenty to forty rays, flat at first, later concave; bracts numerous, large, pinnate; bracteoles narrow, entire; sepals minute or absent; five petals, notched; hermaphrodite; five stamens; two carpels, fused; inferior ovary; insect-pollinated.

Fruit: Dry indehiscent, two-seeded; ovoid, covered with prickles.

This plant was used for various medicinal purposes; the cultivated carrot was derived from its Mediterranean relative *D. carota* var. *sativa.*

Fraoch naoscaí

Erica tetralix L.—Ericaceae

Tor íseal (200–600 mm) clúmhach adhmadach síorghlas, flúirseach ar phortaigh agus ar mhóinte fliucha, ó leibhéal na farraige go 600 m.

Gas: Caol, sreangánach, streachlánach, mionchlúmhach.

Duilleog: I bhfáinní, ceithre cinn i ngach fáinne; caol, gearr, na ciosa fillte síos; mionchlúmhach, liathghlas, níos gile ar íochtar na duilleoige.

Bláth: Meitheamh–Iúil; bándearg glé, go fíorannamh bán, céireach, i gcnuasaigh fhoirceanta; ceithre sheipeal chlúmhacha; coróinín de cheithre phiotal táite i gcruth cloigín, 6–9 mm ar fad, fáiscthe ag a mbéal, ag críochnú le ceithre mhaothán ghearra; déghnéasach; ocht staimín; ceithre chairpéal táite, stíl shingil; ubhagán uachtarach; pailniú feithide agus féinphailniú.

Toradh: Capsúl beag le hanchuid síol, clúdaithe ag an gcoróinín feoite.

Ní raibh foirmeacha oiriúnach don ghairdín le fáil go dtí le gairid, b'fhéidir toisc go mbíonn sé fadchosach de ghnáth agus go mbíónn sé beagáinín mall ag cur préamh uaidh. Ní foláir é chur in ithir ná beadh aon rian aoil inti.

Chreidtí fadó go raibh leigheas sna fraoich go léir ar mhórán tinnis—galair dubhán agus domlais, casachtach agus borrphéist ar an éadan ina measc. Ceaptar fós go mbeadh an t-ádh leis an té a gheobhadh fraoch bán. Is é an fraoch naoscaí bán an ceann is neamhchoitianta orthu ar fad. Is é an planda seo bia larbha an impire, an leamhan is mó in Éirinn. Bolb mór dathúil é seo, 60–70 mm ar fad, a chorp maisithe le criosanna glasghorma agus duba ar a mbíonn spotaí bándearga agus buí.

Foirm bhán / White form

Cross-leaved heath

A low shrub, 200–600 mm high, hairy, woody, evergreen, abundant in bogs and wet heaths, from sea level to 600 m.

Stem: Thin, wiry, straggling, branched, downy.

Leaf: Needle-like, in whorls of four; narrow, short edges curved under; downy, greyish-green undersurface brighter.

Flower: June–July; bright pink, very rarely white, waxy, in terminal umbel-like clusters; four sepals, downy, united at the base; corolla bell-shaped, constricted at mouth, ending in four short lobes; hermaphrodite; eight stamens; four carpels, united; single style; superior ovary; insect and self-pollinated.

Fruit: A small, many-seeded capsule, enclosed by the withered corolla.

A number of garden varieties have been raised, particularly of the rarer white form. In the wild the species is host to the emperor moth larva, a large, handsome caterpillar.

Fraoch fireann

Erica cinerea L.—Ericaceae

Tor íseal streachlánach (150 –600 mm) síorghlas adhmadach, lom nó ar bheagán clúimh, flúirseach ar mhóinte tirime agus ar na coda is tirime de phortaigh, ó leibhéal na farraige go 800 m.

Gas: Adhmadach, géagach, na coda óga clúmhach.

Duilleog: Ar chuma snáithide, i bhfáinní de thrí cinn.

Bláth: Meitheamh–Lúnasa; corcradhearg, uaireanta bán, i raicéimí dlútha duilleogacha foirceanta; ceithre sheipeal loma bhioracha; coróinín de cheithre phiotal tháite i gcruth cloigín, 4–6 mm ar fad, le béal cúng ag críochnú i gceithre mhaothán; déghnéasach; ocht staimín faoi cheilt sa choróinín; ceithre chairpéal tháite, le stiogma amháin ag gobadh amach as an gcoróinín; ubhagán uachtarach; pailniú feithide.

Toradh: Capsúl 1.5–2 mm ar fad le han-chuid síol, clúdaithe ag an gcoróinín feoite.

Tarlaíonn atáirgeadh fásúil go furasta sa phlanda seo. De réir mar a théann an gas i bhfad, leathnaíonn sé amach agus cuireann se préamh uaidh anseo agus ansiúd. Tá foirm bhán agus go leor foirmeacha eile á dtáirgeadh mar phlandaí gairdín le blianta fada anuas. Is fearr leis áiteanna níos tirime ná an fraoch naoscaí.

Táirgeann an planda seo flúirse meala, agus tagann beacha chuige ar a tóir. Is minic áfach a ghearrann beach poll i mbun an choróinín chun teacht ar an mil; ní haon tairbhe don phlanda é seo, mar ná tarlaíonn crosphailniú ansan. Cuireann beachairí a gcuid beachlann suas ar na móinte agus na sléibhte i rith an tsamhraidh chun mil an fhraoigh seo agus an fhraoigh mhóir (*Calluna vulgaris*) a bhailiú. Bíonn an-éileamh ar an mil seo.

Raicéim (foirm bhán) / Raceme (white form)

Bell heather

A low (150–600 mm), straggling, evergreen woody shrub, glabrous or slightly hairy, abundant on dry heaths and on the dryest parts of bogs, from sea level to 800 m.

Stem: Woody, branched; young stems downy.

Leaf: Narrow, needle-like, in whorls of three.

Flower: June–August; purplish-red, rarely white, in dense leafy racemes; four sepals, glabrous, pointed; corolla bell-shaped, of four fused petals, constricted at the mouth, four-lobed tip; hermaphrodite; eight stamens, hidden in the corolla; four carpels, fused; single style, protruding; insect-pollinated.

Fruit: A many-seeded capsule 1.5–2 mm long; enclosed in the withered corolla.

The plant produces copious nectar, which is of great value to bee-keepers. A number of garden varieties have been raised, particularly of the white form.

Fraoch mór

Calluna vulgaris (L.) Hull—Ericaceae

Tor síorghlas adhmadach, 0.3–1 m ar airde, ina cholgsheasamh nó sínte, flúirseach ar shléibhte, i bportaigh agus ar mhóinte, ó leibhéal na farraige go 1,040 m.

Gas: Bun adhmadach; anghéagach, le han-chuid foghéag gearr ascallach; in airde, nó sínte agus ag cur préamh amach.

Duilleog: An-chuid duilleog bídeach, lom no clúmhach, le ciumhais iompaithe síos; péirí urchomhaireacha, scartha ar na príomhghéaga, ag dul thar chéile i gceithre rang ar na foghéaga.

Bláth: Iúil–Lúnasa; corcrabhándearg, uaireanta bán, i raicéimí duilleogacha foirceanta; ceithre bhracht i bhfoirm cailíse; ceithre sheipeal ar chuma piotail; ceithre phiotal bheaga táite, faoi cheilt sa chailís; déghnéasach; ocht staimín; ceithre chairpéal táite, stíl shingil; ubhagán uachtarach; pailniú feithide.

Toradh: Capsúl le beagán síol, faoi cheilt sa chailís fheoite.

Itheann cearca fraoigh agus caoire barr óg an fhraoigh. Dóitear an fraoch go talamh chun geamhar óg a spreagadh agus go mbeadh priocadh 'ges na caoire. Is mó úsáid a bhaintí as an bhfraoch mór timpeall an tí agus an chlóis. Bhailítí barr an fhraoigh mhóir agus mianfhartach (*Potentilla erecta*) chun "mess muc" a dhéanamh. D'úsáidtí scothán fraoigh chun tithe, botháin agus casáin a scuabadh, agus bhí an bun adhmadach go maith chun tine.

Is ag stoitheadh fraoigh a bhí Tomás Ó Guithín, mac Pheig Sayers, nuair a thit se le faill san Oileán agus maraíodh é. Seo línte as dán a scríobh Micheál, a dheartháir, i gcuimhne air:

Milleadh ar an gcraoibh
Dá bhreáthacht scéimh is gnaoi;
Is mise a chaill dá droim
An tabharthas uasal binn
Ná ceannódh ór an tsaoil,
Mo dheartháir uaibhreach groí.

Foirm bhán / White form

Ling

An evergreen woody shrub, 0.3–1 m tall, erect or spreading, abundant on mountains, bogs and heaths, from sea level to 1,040 m.

Stem: Woody at the base; much-branched, with many short axillary shoots; erect or prostrate and rooting.

Leaf: Minute, glabrous or hairy, with margins strongly rolled under; in opposite pairs, distant on the main stems, crowded and overlapping in four rows on the short shoots.

Flower: July–August; purplish-pink or white, in leafy terminal racemes; four bracts in the form of a calyx; four sepals, petal-like; four small petals, united, concealed in the calyx; hermaphrodite; eight stamens; four carpels, fused, single style; superior ovary; insect-pollinated.

Fruit: A few-seeded capsule enclosed by the persistent calyx.

This is an important plant to the hill farmer, who burns it to provide fresh young shoots for his sheep.

Fraochán

Vaccinium myrtillus L.—Ericaceae

Tor beag (250–600 mm) lom duillshilteach, flúirseach ar chnoic agus ar shléibhte fraoigh agus i gcoillte, ó leibhéal na farraige go 1,040 m.

Gas: Glas, lom, cúinneach, adhmadach, ag éirí díreach in airde ó riosóm reatha.

Duilleog: Bánghlas, ailtéarnach, 15–20 mm ar fad, ubhchruthach, biorach, mionchíorach.

Bláth: Aibreán–Bealtaine; bándearg le barr glas, beagáinín cumhra; cromtha, ceann nó dhó in ascaillí duilleog; cailís ghlas bhídeach; coróinín corcánach, le cúig mhaothán an-ghairide, casta siar, ar bharr; déghnéasach; deich staimín; cúig chairpéal táite, stíl shingil; ubhagán íochtarach; pailniú feithide nó féinphailniú.

Toradh: Caor mhilis dhubh le scáil ghorm.

Bhíodh an-mheas i gcónaí ar an bhfraochán mar thoradh le n-ithe. Thrácht Threlkeld (*Synopsis Stirpium Hibernicarum,* 1726) ar mhná bochta á ndíol ar shráideanna Bhaile Átha Cliath sa bhfómhar. D'úsáidtí amh iad nó i gcócaireacht, nó chun blas a chur ar uisce beatha; deintear fíon fós astu (fíon fraochán).

Bhíodh nós ann fraocháin a bhailiú ar na sléibhte agus spórt agus siamsa a bheith ar siúl Domhnach na bhFraochán—an Domhnach deireanach de mhí Iúil. Bhíodh Féile Fraochán i nGleann Cuilinn i Sléibhte Bhaile Átha Cliath go dtí le fíórdhéanaí. Meastar gur leagan Críostaí d'fhéile Lúnasa a bhí ann, seancheiliúradh an fhómhair.

Bhí cáil ar an bplanda freisin mar luibh leighis. Dheintí tae as na duilleoga chun fual a bhrostú nó chun clocha fuail a bhriseadh; d'óltaí urbhruith de na caora chun aicídí duán a leigheas.

Toradh / Fruit

Bilberry

A small shrub, 250–600 mm tall; glabrous, deciduous; abundant on hills, mountain heaths and in acid woodland, from sea level to 1,040 m.

Stem: Green, glabrous, angular, growing erect from a creeping rhizome.

Leaf: Pale green, alternate, 15–20 mm long, oval, acute, minutely toothed.

Flower: April–May; pink, tipped with green, slightly fragrant; drooping, singly or in pairs in the leaf axils; calyx green, minute; corolla urn-shaped, ending in five very short, recurved lobes; hermaphrodite; ten stamens; five carpels, fused, single style; inferior ovary; insect or self-pollinated.

Fruit: A sweet black berry with blue bloom.

Also known as fraughans or whorts, the fruit can be eaten raw or cooked and was used for medicinal purposes. The celebration of Fraughan Sunday, the last Sunday in July, is a survival of the ancient autumn festival of Lúnasa.

Samhaircín

Primula vulgaris Hudson—Primulaceae

Luibh íseal ilbhliantúil, flúirseach i gcoillte, ar chlathacha agus faillteacha, i ngach sórt ithreach, ó leibhéal na farraige go 850 m.

Gas: Riosóm gearr téagartha, ina sheasamh díreach; clúdaithe le seanbhun duilleog; le mórán préamh.

Duilleoga: I gcnota foirceanta; mór, ubhchruthach, ag caolú go réidh go cos leathan; rocach; clúmhach laistíos.

Bláth: Aibreán–Bealtaine; aonair, bánbhuí, 25–35 mm trastomhas, ar bhláthchos fhada chlúmhach; cailís fheadánach chúigfhiaclach; coróinín fheadánach, le cúig mhaothán ag leathnú amach; déghnéasach; cúig staimín; cairpéal amháin, stíl amháin; ubhagán uachtarach; pailniú feithide nó féinphailniú.

Toradh: Capsúl le fiacla ina bharr; is minic a scaipeann seangáin na síolta.

Tá dhá shórt stíle sa tsamhaircín: (*a*) tamhansúileach—stíl ghearr agus na staimíní in uachtar fheadán an choróinín; (*b*) biorshúileach—stíl fhada agus na staimíní i lár fheadán an choróinín. Bíonn stiogma an bhlátha tamhansúiligh san airde cheart chun an phailin a bhailíonn beach ón mbláth biorshúileach a fhágáil air, agus a mhalairt. Mar sin cinntítear crosphailniú.

Lus draíochta agus deachomhartha ba ea an samhaircín. In áiteanna scaiptí ar an dtairsigh iad roimh bhreacadh an lae Lá Bealtaine chun an ime a chosaint i rith na mbliana ar an slua sí. In áiteanna eile chuimiltí d'úth na mba iad chun go dtálfaidís flúirse agus ná raghaidís i ndísc.

Tamhansúileach agus biorshúileach / Thrum and pin-eyed

Primrose

A low perennial herb, abundant in woods, on hedge banks and cliff ledges, from sea level to 850 m.

Stem: A stout, erect rhizome, covered with old leaf bases and bearing many roots.

Leaf: In a terminal rosette, large, tapering gradually to a wide leaf-stalk; wrinkled; undersurface white and downy.

Flower: April–May; pale yellow, 25–35 mm diameter, solitary on a leafless peduncle; calyx tubular, five-toothed; corolla tubular, with five spreading lobes; hermaphrodite; five stamens, within or at the mouth of the corolla tube; single carpel; one style, long or short; superior ovary; insect or self-pollinated.

Fruit: A capsule; the seeds are often dispersed by ants.

There are a number of garden forms of the primrose. The plant was important in folklore and also had a number of medicinal uses.

Bainne bó bleacht

Primula veris L.—Primulaceae

Luibh íseal (150–250 mm) ilbhliantúil, gann i gCo. Chiarraí; ar bhánta gan scáth nó faoi scáth éadrom, in ithir thirim ná fuil searbh, ó leibhéal na farraige go 100 m.

Gas: Riosóm gearr téagartha, ina sheasamh díreach, clúdaithe le seanbhun duilleog; le mórán préamh.

Duilleog: I gcnota foirceanta, ag caolú go géar go cos sciathánach; rocach, clúmhach ar an dá thaobh.

Bláth: Aibreán–Bealtaine; glébhuí le súilín flannbhuí, in umbail de suas le tríocha bláth, ar bhláthchos láidir chlúmhach gan duilleoga; cailís chúigfhiaclach chlúmach séidte; coróinín feadánach, le cúig mhaothán i bhfoirm cupáin; dé-ghnéasach; cúig staimín; cairpéal amháin; ubhagán uachtarach; stíl agus staimíní mar an gcéanna le *P. vulgaris*; pailniú feithide.

Toradh: Capsúl le fiacla ina bharr; craitheann an ghaoth na síolta amach.

Bíonn hibridí idir an planda seo agus *P. vulgaris* le fáil go minic. Tá cuma orthu cosúil le *P. veris* ach go mbíonn bláth níos mó agus dath níos éadroime orthu. Is uathu a shíolraigh polyanthus na ngairdíní.

Bhíodh cáil ar an bplanda seo agus ar *P. vulgaris* mar luibheanna íce. D'úsáidtí an phréamh nó na bláthanna triomaithe mar fhual-bhrostach agus phurgóid; dheintí tae de na bláthanna chun suaimhneas agus suan a thabhairt, chun na néaróg a neartú, agus chun faoiseamh a thabhairt ó mheabhrán, spéireataí nó spearbaill, agus scáth shluaite (taibhsí). Bhrúití an phréamh agus chuirtí faoi chaincín duine chun é a chur ag sraothartaigh agus an t-uisce a scaoileadh ón gceann. D'úsáidtí ungadh de na bláthanna chun goiríní, riastaí, dó gréine agus bricineach a ghlanadh agus chun cur le háilleacht an chnis.

Cowslip

A perennial herb, 150–250 mm tall; in dry, open, non-acid situations in pastures, from sea level to 100 m.

Stem: A stout, erect rhizome, covered with old leaf bases.

Leaf: In a terminal rosette, narrowing sharply into a winged leaf-stalk; wrinkled, hairy on both sides.

Flower: April–May; bright yellow with an orange eye; in umbels of up to thirty flowers on a hairy, leafless peduncle; calyx five-toothed, inflated, downy; corolla tubular, the upper part cup-shaped, five-lobed; hermaphrodite; five stamens, within or at the mouth of the corolla tube; single carpel; one style, long or short; superior ovary; insect or self-pollinated.

Fruit: A capsule, toothed at the mouth.

Hybrids between this species and *P. vulgaris* are frequent; they are the ancestors of the garden poly-anthus. Both *P. veris* and *P. vulgaris* had a number of medicinal uses.

Lus na síochána buí

Lysimachia vulgaris L.—Primulaceae

Luibh ard (0.6–1.2 m) chlúmhach ilbhliantúil, gann i gCo. Chiarraí taobh amuigh de chomharsanacht Chill Airne; ar bhruacha abhann agus loch, i gcoillte agus áiteanna taise faoi scáth, ó leibhéal na farraige go 30 m. Duilleog: ubhcruthach nó lansach, gan chos, i bpéirí urchomhaireacha; bláth: Iúil–Lúnasa, glébhuí, 15–20 mm trastomhas, i bpanacal foirceanta duilleogach; cailís agus coróinín cúig-mhaothánach; cúig staimín; ubhagán uachtarach; toradh: capsúl.

Yellow loosestrife

A tall (0.6–1.2 m), downy perennial, rare in Co. Kerry outside the Killarney district; on river banks and lakesides, in woods and damp shady places, from sea level to 30 m. Leaf: oval or lanceolate, sessile, in opposite pairs; flower: July–August, bright yellow, in a terminal leafy panicle; calyx and corolla five-lobed; five stamens; superior ovary; fruit a capsule.

Lus Cholm Cille

Lysimachia nemorum L.—Primulaceae

Luibh íseal (50 mm) lom streachlánach ilbhliantúil, coitianta i gcoillte agus i mbánta taise sléibhe, ó leibhéal na farraige go 850 m. Duilleog: ubhchruthach, biorach, i bpéirí urchomhair-eacha; bláth: Bealtaine–Iúil, glébhuí, aonair, ascallach, ar bhláthchos fhada thanaí; cailís agus coróinín chúig-mhaothánach; cúig staimín; cairpéal singil; ubhagán uachtarach; toradh: capsúl.

Yellow pimpernel

A low (50 mm), straggling, glabrous perennial, common in woodlands and damp mountain pastures, from sea level to 850 m. Leaf: oval, pointed, in opposite pairs; flower: May–July, bright yellow, solitary, axillary, on a long, slender peduncle; calyx and corolla five-lobed; five stamens; single carpel; superior ovary; fruit: a capsule.

Lus bainne mara

Glaux maritima L.—Primulaceae

Luibh íseal lom súmhar ilbhliantúil, coitianta, ag déanamh paistí leathana i riasca sáile, ar chladaigh grin nó pludaigh, i scoilteacha carraige agus ar dhumhcha, ar leibhéal na farraige.

Gas: Iliomad gas gairid duilleogach, sínte de ghnáth ach uaireanta leath in airde; cuireann na nóid préamh uathu.

Duilleog: Beag (6–10 mm ar fad), ubhchruthach-leathfhada, slán, súmhar, i bpéirí urchomhaireacha.

Bláth: Meitheamh–Iúil; bándearg éadrom le lár níos dorcha, 4–7 mm trastomhas; ascallach, gan chos, i ndias fhoirceanta; cailís ar chuma coróinín, cloigíneach, le cúig mhaothán mhaola; coróinín in easnamh; déghnéasach; cúig staimín; cairpéal singil, stiogma agus stíl simplí; ubhagán uachtarach; de ghnáth is féinphailniú a tharlaíonn, ach pailníonn cuileoga beaga iad uaireanta.

Toradh: Capsúl le roinnt beag síol, a scoilteann i gcúig chuid. Craitheann an ghaoth na síolta amach.

Is hailifít an planda so—planda le hoiriúnú do dhéine na gnáthóige cois farraige. Tá duilleoga súmhara air chun uisce a chaomhnú sa triomacht agus sa ghoirteamas.

Sea milkwort

A low, glabrous, fleshy perennial; common, forming patches in salt marshes, on gravelly or muddy shores, in rock crevices and on dunes, at sea level.

Stem: Many short, leafy stems, usually prostrate, sometimes semi-erect, rooting at the nodes.

Leaf: Small (6–10 mm long), oval-oblong, entire, fleshy, in opposite pairs.

Flower: June–July; pale pink with darker centre; 4–7 mm in diameter, axillary, sessile, in a terminal spike; calyx corolla-like, pale pink, bell-shaped, with five rounded lobes; corolla absent; hermaphrodite; five stamens; single carpel, stigma and style simple; superior ovary; usually self-pollinated, but occasionally pollinated by flies.

Fruit: A capsule containing a few seeds, splitting into five segments. The seeds are shaken loose by the wind.

This is one of the group of plants known as halophytes, with fleshy leaves that conserve water to overcome the dryness and saltiness of the habitat.

Falcaire corraigh

Anagallis tenella L.—Primulaceae

Luibh an-íseal (fé 50 mm) lom leochaileach ilbhliantúil; coitianta, ag déanamh paistí leathana ar imill portaigh, i móinte, móinteáin nó dumhcha taise, in áiteanna fliucha taise, searbh nó cailcreach, gan scáth, ó leibhéal na farraige go 500 m.

Gas: An-chaol, sínte, reatha, ag cur préamha uaidh ag na nóid.

Duilleog: Beag (4–8 mm ar fad), slán, cruinn nó ubh-chruthach leathan; ar chosa bídeacha, i bpéirí urchomhaireacha.

Bláth: Iúil–Lúnasa; bán-dearg éadrom, tréshoilseach, 12 mm trastomhas; aonair, ar bhláthchos fhada leochaileach in ascaill na nduilleog; cailís chúig-mhaothánach, níos giorra ná an choróinín; coróinín de chúig phiotal tháite i bhfoirm cloigín, le cúig mhaothán dhoimhne; dé-ghnéasach; cúig staimín le fasc clúmhach; cairpéal amháin; ubhagán uachtar-ach; pailniú feithide agus féinphailniú.

Toradh: Capsúl cruinneogach a scoilteann feadh an mheánlíne.

Osclaíonn na bláthanna sa tsolas agus sa tsoineann; dúnaid sa dorchadas agus sa doineann. Tá ionradh á dhéanamh ar chuid de ghnáthóga *A. tenella,* go mór mór sna sléibhte, ag an saileachán sraoilleach, *Epilobium brunnescens,* a tugadh go hÉirinn ón Nua-Shéalainn. Tá na plandaí an-chosúil lena chéile maidir le gas agus duilleoga, ach tá sé furasta go leor idirdhealú a dhéanamh eatarthu nuair atá siad faoi bhláth nó faoi thoradh. Tá bláth *A. tenella* i bhfad níos mó, agus an chailís agus an choróinín araon cúigchodach; bláthanna ceithrechodacha is ea na saileacháin.

Bláth / Flower

Bog pimpernel

A very low (up to 50 mm), glabrous, delicate perennial; common, forming patches in bog margins, damp pastures, dune slacks and heaths, in acid or calcareous soils, from sea level to 500 m.

Stem: Slender, prostrate, creeping, rooting at the nodes.

Leaf: Small (4–8 mm long); round or broadly oval, entire; in opposite pairs, with tiny leaf-stalk.

Flower: July–August; pale, translucent pink, 12 mm diameter; solitary, on long, delicate peduncles in the leaf axils; calyx five-lobed; five petals united in a deeply lobed, bell-shaped corolla; hermaphrodite; five stamens, filaments hairy; single carpel; superior ovary; insect and self-pollinated.

Fruit: A globular capsule, splitting around the median line.

This plant can be confused with the New Zealand willowherb, *Epilobium brunnescens,* which is invading some of its habitats in the Kerry mountains. The two are easily distinguished when in flower or fruit.

Falcaire fiain

Anagallis arvensis L.—Primulaceae

Luibh íseal (timpeall 50 mm) lom leochaileach streachlánach bhliantúil, coitianta ar thalamh suaite ar bhainc gainimhe, in áiteanna gan scáth, ó leibhéal na farraige go 300 m.

Gas: Ceithrechúinneach, 120–300 mm ar fad, leata amach, leochaileach.

Duilleog: Ubhchruthach, 15–18 mm ar fad, gan chos, i bpéirí urchomhaireacha; slán, lom, le spotaí beaga dubha ar an taobh thíos.

Bláth: Bealtaine–Deireadh Fómhair; croireacdhearg, uaireanta gorm, 12–15 mm trastomhas, aonarach, ar bhláthchos chaol fhada, oscailte sa tsoineann amháin; cúig sheipeal, le feiscint idir na piotail; cúig phiotal réidhe, leata amach; déghnéasach; cúig staimín le fascanna clúmhacha; cairpéal amháin; ubhagán uachtarach; pailniú feithide agus féinphailniú.

Toradh: Capsúl cruinneogach a scoilteann feadh an mheánlíne. Iompaíonn an cochall isteach ar an gclaí nó ar an bport chun go dtitfeadh an síol ar an ithir.

Ní osclaíonn na bláthanna sa doineann; dúnann scáth nó scamall nó spreachail bháistí iad.

Tá cógaisí sa phlanda seo a chuireann isteach ar chórais díleá agus fuail ainmhithe agus a chuirfeadh deirmitíteas ar dhaoine, ach mar sin féin bhí cáil air sa tseanaimsir mar leigheas ar ghealtachas agus an lionn dubh (duairceas). Deir Williams go dtugtar "glanrosc" ar an bplanda seo i gContae Chorcaí, agus luann sé é mar leigheas ar thinneas súl. "Rinn roisc" ainm eile ar an bhfalcaire fiain i gCorca Dhuibhne, ach níl trácht air mar leigheas súl sa taobh seo tíre. Is ar phlanda eile, *Euphrasia* sp. (go bhfuil trácht air amach anseo) a dtugtar "glanrosc" i gCorca Dhuibhne, agus is é sin a luaitear mar leigheas ar thinneas súl.

Toradh / Fruit

Scarlet pimpernel

A low (about 50 mm), glabrous, delicate, straggling annual, common on tilled ground and sand banks, in open situations, from sea level to 300 m.

Stem: Four-angled, 120–300 mm long, delicate, sprawling.

Leaf: Oval, 15–18 mm long, sessile, opposite; entire, glabrous, black-dotted underneath.

Flower: May–October; scarlet, occasionally blue, 12–15 mm diameter, solitary, opening only in sunshine; five sepals; five petals, flat, spreading; hermaphrodite; five stamens, filaments hairy; one carpel; superior ovary; insect and self-pollinated. The flowers open only in good weather, hence the name "poor man's weatherglass" in English.

Fruit: A globular capsule, splitting along median line. The ripe capsule turns inwards to deposit its seeds in the earth.

The plant has a history of medicinal use stretching back to ancient Greece.

Falcaire an uisce

Samolus valerandi L.—Primulaceae

Luibh bheag (120–350 mm) lom, beagán feolmhar, gléasta, ilbhliantúil; i gcorraithe, sileáin, dígeacha agus failltreacha fliucha, forleathan feadh an chósta agus in aice le lochanna móra, ó leibhéal na farraige go 100 m.

Gas: Gas bláfar, le fíor-bheagán géag, ag éirí ó riosóm.

Duilleog: Ubhchruthach-leathfhada, le cosa gairide; slán, maol, feolmhar, gléasta; a bhformhór i gcnota ag a bhun ach cuid acu ailtéarnach ar an ngas.

Bláth: Iúil–Lúnasa; bán, 3 mm trastomhas, le bracht, i raicéim nó panacail; cailís chúigmhaothánach, i bhfoirm cloigín; coróinín chúigmhaothánach; dé-ghnéasach; cúig staimín, le faisc an-ghairide; cairpéal amháin; ubhagán leath-íochtarach; féinphailniú de ghnáth.

Toradh: Capsúl ubh-chruthach, beagnach ceilte sa chailís, a osclaíonn le cúig fhiacail ag a bharr.

Cé go bhfásann an planda seo go forleathan, go mór mór cois farraige, is minic ná tugtar faoi deara é i measc na bplandaí eile le bláthanna beaga bána. Fásann sé in éineacht le biolar go minic, agus is furasta iad a mheascadh. Bíonn cúig phiotal ar fhalcaire an uisce, áfach, agus ceithre phiotal ar an mbiolar.

B'fhéidir gur ó na focail Cheilteacha *san* (sláinte) agus *mos* (muc) a thagann ainm ghéineasach fhalcaire an uisce; chreidtí tráth go raibh leigheas ann ar thinnis éagsúla muc. Bhronnadh an ainm speiceasach air in ómós don lusrachán Valerand, a mhair sa séú haois déag.

Brookweed

A small (120–350 mm), glabrous, slightly succulent, shiny perennial, frequent in marshes, streams, wet ditches and cliffs, especially along the coast or near large lakes, from sea level to 100 m.

Stem: A scarcely branched flowering stem, arising from a rhizome.

Leaf: Oval-oblong, on a short leaf-stalk; entire, blunt, fleshy, shiny; in basal rosettes, with some alternate on the stem.

Flower: July–August; white, 3 mm diameter, with a small bract, in a raceme or panicle; calyx five-lobed, campanulate; corolla five-lobed; hermaphrodite; five stamens, with very short filaments; single carpel; semi-inferior ovary; usually self-pollinated.

Fruit: An egg-shaped capsule, almost hidden by the calyx, splitting into five teeth at the top.

Brookweed often grows with watercress and looks very similar. However, on closer examination, brookweed has five petals and cress four.

Rubhán

Armeria maritima (Miller) Willd.—Plumbaginaceae

Planda gearr (50–200 mm) síorghlas ilbhliantúil; tortógach, le socphréamh dhomhain, flúirseach cois farraige, i bhfailltreacha agus riasca sáile, anseo is ansiúd ar bharr sléibhe agus isteach fén dtír, ó leibhéal na farraige go 1,040 m.

Gas: Gas duilleogach an-ghearr, ar bhonnstoc adhmadach géagach tortógach; gas bláfar in airde díreach, gan ghéag.

Duilleog: Caol-líneach, beagán feolmhar, i gcnota dlúth bunaidh.

Bláth: Bealtaine–Iúil; beag, bándearg, cumhra, i mbláthchinn chruinneogacha ar bhláthchos 80–200 mm ar fad; bracht donn páipéarach faoi bhun gach bláthchinn; cúig sheipeal pháipéaracha, i bhfoirm tonnadóra; cúig phiotal, táite ag a mbun; déghnéasach; cúig staimín; cúig chairpéal tháite; cúig stíl; ubhagán uachtarach, aoncheallach; pailniú feithide.
Toradh: Capsúl bídeach aonsíolach.

Bláthanna / Flowers

Bhí an-éileamh ar an bplanda seo ón séú haois déag anuas. Is féidir é a chur ag fás ón síol, nó an bonnstoc a dheighilt. Is féidir leis maireachtaint in ithir ina bhfuil tiúchan ard salainn agus miotail; tá sé ag fás in éineacht le coireán mara (*Silene vulgaris* subsp. *maritima*) in áiteanna truaillithe le copar ós na seanmhianaigh ar Oileáin an Ruis i gCill Airne.

Mheastaí go raibh triomú agus cneasú sa phlanda, ach chuireadh sé gríos ar dhaoine áirithe. Tá plumbaganón (ábhar frithbheathach) i measc a chuid cógas.

Thrift

A short (50–200 mm), evergreen, tufted perennial with a deep tap-root, abundant by the sea on cliffs and in salt-marshes, here and there on mountain tops and ridges, on old copper mine waste near Killarney, from sea level to 1,040 m.

Stem: Short leafy stem, arising from a branched, woody, tufted stock; erect, unbranched flowering stem.

Leaf: Narrow-linear, slightly fleshy, in a dense basal rosette.

Flower: May–July; small, pink, fragrant, in globular heads, on stalks 80–200 mm long; papery-brown bract at base of each head; five sepals, funnel-shaped, papery; five petals, fused at base; hermaphrodite; five stamens; five carpels, fused; five styles; superior ovary, one-celled; insect-pollinated.

Fruit: a small, one-seeded capsule.

This plant has been a garden favourite for over four hundred years.

Lus liath na mara

Limonium humile Miller—Plumbaginaceae

Luibh lom ghearr (150–300 mm ar airde) ilbhliantúil, le socphréamh dhomhain agus bonnstoc adhmadach, coitianta i dtalamh goirt fliuch, i dtránna pludaigh nó riasca sáile, ar leibhéal na farraige.

Gas: Gas duilleogach gearr; gas bláfar ag éirí in airde, géagaithe laistíos den lár, cúinneach uaireanta.

Duilleog: Simplí, slán, caol, 50–150 mm ar fad, le cos shoiléir, i gcnota bunaidh; an lárfhéith amháin soiléir.

Bláth: Iúil–Lúnasa; gormchorcra, 8–10 mm i dtrastomhas, i gcoirím éadlúth, bracht faoi gach bláth; cailís glaschorcra le cúig mhaothán bhioracha mhionchíoracha agus cúig mhionmhaothán eatarthu; cúig phiotal; déghnéasach; cúig staimín; cúig chairpéal táite, cúig stíl; ubhagán aoncheallach uachtarach, clúdaithe ag feadán na cailíse; pailniú feithide agus gaoithe.

Bláthanna / Flowers

Toradh: Capsúl bídeach le síol amháin.

Níl aon ghaol aige seo leis an bhfíorlabhandar, ach is luibh dheas é a thugann dath corcra ar bhéal na trá. Is féidir na bláthanna a thriomú agus a úsáid i mbláthfhleasca tirime sa gheimhreadh; ní chailleann siad a ndath. D'fhásfaidís i ngairdíní in aice an chósta ach ithir ghainimhe agus dóthain gréine a bheith acu. Cuirtear roinnt speiceas móra i ngairdíní freisin, faoin tseanainm *Statice*. Úsáidtear i mbláthfhleasca úra leis iad.

Sea lavender

A short (150–300 mm tall), glabrous perennial, with a deep taproot and woody stock, frequent in wet, saline conditions, on muddy shores and salt-marshes, at sea level.

Stem: Short basal leafy stem; flowering stem erect, branched from below the middle, sometimes angular.

Leaf: Simple, narrow, entire, 50–150 mm long, distinctly stalked, in a basal rosette; only the midrib visible.

Flower: July–August; bluish-mauve, 8–10 mm diameter, in a lax corymbose inflorescence, with a bract below each flower; calyx greenish-purple, tubular, with five acute, finely toothed lobes; five petals; hermaphrodite; five stamens; five carpels, fused; five styles; superior ovary, one-celled, enclosed in calyx tube; insect and wind-pollinated.

Fruit: Minute, one-seeded capsule.

Sea lavender is popular in dried flower arrangements; it lasts well and retains its colour.

Dréimire Muire

Centaurium erythraea Rafn—Gentianaceae

Luibh lom bhliantúil, suas go 500 mm ar airde; coitianta, go mór mór i gcóngar na farraige, i ndumhcha, lantáin agus bánta tirime, ó leibhéal na farraige go 250 m.

Gas: De ghnáth ina aonar, díreach, duilleogach, géagaithe in uachtar.

Duilleog: Simplí, slán, ubhchruthach, biorach, gan chos, le idir trí agus seacht bhféith; duilleoga íochtaracha i gcnota, duilleoga uachtaracha i bpéirí urchomhaireacha.

Bláth: Iúil–Lúnasa; bándearg geal, 10–12 mm trastomhas, gan chos, i gcíme foirceanta; cailís feadánach, le cúig mhaothán chaola bhioracha; coróinín feadánach, cúigmhaothánach; déghnéasach; cúig staimín; cairpéal amháin, le stíl gabhlánach; ubhagán uachtarach; pailniú feithide agus féinphailniú.

Toradh: Capsúl sorcóireach caol 8–12 mm, le han-chuid síolta beaga cruinne.

Ba chosaint dréimire Muire ar gheasa; thugtaí isteach sa tigh é idir Lá Fhéile Muire san Earrach (25 Márta) agus Lá Fhéile Muire sa bhFómhar (15 Lúnasa) chun rath an tí a chinntiú. I gCiarraí chreidtí gur chumhachtaí é dá mba Lá Bealtaine a bhainfí é.

Bhí meas air leis mar luibh leighis; deirtí go spreagfadh sé na faireoga díleá agus go raibh sé go maith mar oideas don ae, domlas, agus goile. Dheintí urbhruith de bharr an lusra leis na duilleoga agus na bláthanna chun cúrsaí ban do bhrostú; d'fhéadfadh sé marbhghin a ruaigeadh, agus pianta mná seolta a mhaolú. D'úsáidtí freisin é chun tinneas alt, crampaí, gúta nó trithí a leigheas. D'úsáidtí an súlach le beagán meala chun scamall a bhaint de na súile agus chun ghoin nua nó seanfhiolúin ghlasa a chneasú, chun gearba agus tochas sa cheann, bricineach, spotaí nó smáil craicinn a ghlanadh, agus chun piastaí sa ghoile a mharú.

Common centaury

A glabrous annual, up to 500 mm tall; common, especially near the coast in sand dunes, grassy banks and dry pastures, from sea level to 250 m.

Stem: Usually single, erect, leafy, branched above.

Leaf: Simple, entire, oval, pointed, sessile, three to seven-veined; lower leaves in a rosette, upper leaves in opposite pairs.

Flower: July–August; bright pink, 10–12 mm diameter, sessile, in terminal cymes; calyx tubular, with five narrow, pointed, lobes; corolla tubular, five-lobed; hermaphrodite; five stamens; single carpel, style forked; superior ovary; insect and self-pollinated.

Fruit: A narrow cylindrical capsule, with numerous small, round seeds.

Bearnán lachan

Menyanthes trifoliata L.—Gentianaceae

Luibh ghearr (50–500 mm ar airde) lom ilbhliantúil, flúirseach in uisce searbh, i locháin éadoimhne, riasca agus portaigh, ó leibhéal na farraige go 450 m.

Gas: Riosóm faoi uisce, a scaipeann an-tapaidh, agus gas bláfar a éiríonn aníos as an uisce.

Duilleog: Comhdhuilleog, timpeall 50 mm ar fad, le trí fhodhuilleog ubhchruthacha slána.

Bláth: Bealtaine–Meitheamh; bán go bándearg, 20 mm i dtrastomhas, i raicéimí foirceanta; cailís chúigmhaothánach, i bhfoirm feadáin; coróinín chúigmhaothánach, bun táite, i gcruth tonnadóra, le líneáil de scothóga fada bána; déghnéasach; cúig staimín; cairpéal singil, stíl shingil; ubhagán uachtarach; pailniú feithide; dhá shaghas stíle chun crosphailniú a chur i gcrích.

Toradh: Capsúl ubhchruthach leathan, a scoilteann ina dhá leath nuair a bhíonn sé aibí; an-chuid síolta beaga.

Bláth / Flower

Bhíodh cáil ar an bplanda seo tráth mar luibh leighis. Deir Keogh go raibh an síol go maith ar shlaghdán, ar chasachtach agus ar ghalair scamhóg. Thógtaí na duilleoga le mil agus uisce in aghaidh galair charraigh, gúta, agus dathacha. Bhíodh iontaoibh as freisin chun na fola a ghlanadh agus ioscóidí a leigheas, agus deirtí go gcuireadh sé faobhar ar an ngoile. D'ullmhaítí deoch suain as bearnán lachan, mismín (*Mentha* sp.) agus caorthann corraigh (*Valeriana officinalis*).

Bogbean

A short (50–500 mm tall), glabrous perennial, abundant in acid water, in shallow lakes, marshes and bog pools, from sea level to 450 m.

Stem: A rapidly spreading underwater rhizome, from which flowering stems rise above the surface.

Leaf: Compound, 50 mm long, with three oval, entire leaflets.

Flower: May–June; pinkish-white, 20 mm diameter, in terminal racemes; calyx tubular, five-lobed; corolla five-lobed, funnel-shaped, fringed with long white hairs inside; hermaphrodite; five stamens; single carpel, single style; superior ovary, one-celled; insect-pollinated; two forms of style to ensure cross-pollination.

Fruit: A broadly ovoid capsule with numerous seeds, splitting when ripe.

The plant had a variety of medicinal uses in the seventeenth and eighteenth centuries. The seed was used to treat colds, coughs, and lung complaints, while the leaves were prescribed for scurvy, gout, and rheumatism.

Lus na haincise

Asperula cynanchica L.—Rubiaceae

Luibh lom íseal ghéagach ilbhliantúil, flúirseach anseo is ansiúd i screagáin agus dumhcha, in ithir thirim chailcreach, cois farraige.

Gas: Ceithrechúinneach, tanaí, sínte, 100–250 mm ar fad, ag éirí as bonnnstoc adhmadach géagach.

Duilleog: Ubhchruthach nó líneach, biorach, garbh, gan chos; duilleoga i bhfáinní de cheithre cinn, nó duilleoga uachtaracha i bpéirí urchomhaireacha.

Bláth: Meitheamh–Iúil; bán, bándearg, nó bándearg le croí bán; beag (3–4 mm), i gcímí beaga éadlútha, ar chos fhada; foirceanta nó ascallach, le brachtanna lansacha bioracha; cailís gan fiacla; coróinín ar chruth tonnadóra le ceithre mhaothán; déghnéasach nó baineann; ceithre staimín; dhá chairpéal táite, dhá stíl; ubhagán íochtarach; pailniú feithide agus féinphailniú.

Toradh: Toradh tirim gráiníneach, a scoilteann in dhá leath chruinneogcha.

Tá an planda seo an-choitianta anseo is ansiúd i gCorca Dhuibhne, mar shampla ar na dumhcha in aice le Caisleán Ghriaire, áit a mbíodh an talamh bán leis, de réir Scully. Tá sé gann nó in easnamh sa chuid eile den chontae, agus sa tír ar fad níl sé le fáil ach san iarthar, ó Cho. Chiarraí go Co. na Gaillimhe.

D'úsáidtí an chuid ghlas den phlanda mar leigheas ar an lia bhuí, ghalair goile agus ae; chreidtí go réiteodh sé aon saghas calctha agus go gcuirfeadh sé faobhar ar an ngoile. Chuirtí na duilleoga beirithe ar chréachta nó ghearraíocha nua, agus is tagairt na hainmneacha Gaeilge, Béarla agus Laidine don leigheas a bhí ann ar an scéith aincéise (scórnach an-tinn).

Squinancywort

A low, glabrous, branched perennial, locally abundant in rocky pastures and sandhills, in dry calcareous soil, near the sea.

Stem: Four-cornered, slender, prostrate, 100–250 mm long, arising from a branched, woody stock.

Leaf: Ovate or linear, apiculate, rough, sessile; in whorls of four, or upper leaves in opposite pairs.

Flower: June–July; white, pink, or pink with a white centre; small (diameter 3–4 mm), in small, lax cymes, axillary or terminal, on a long leaf-stalk; bracts lanceolate, pointed; calyx teeth absent; corolla funnel-shaped, four-lobed; hermaphrodite and unisexual—female.

Fruit: Small, dry, granulated, splitting in two.

The plant has a history of medicinal use; its specific name and common names come from its use to treat quinsy, and it had a variety of other herbal uses. Although plentiful in parts of Corca Dhuibhne, it is rare in the rest of the county; in the country as a whole it is known only in the west, from Kerry to Galway.

Rú corraigh

Galium palustre L.—Rubiaceae

Luibh streachlánach il-bhliantúil, 150–700 mm ar fad, le cúinní garbha, coitianta i ndígeacha agus riasca, ó leibhéal na farraige go 475 m. Gas: leochaileach, streachlánach, bláfar, ag éirí ó riosóm reatha faoi thalamh —an phríomhshlí ina scaipeann sé; duilleoga: i bhfáinní de cheithre cinn de ghnáth; bláth: Meitheamh–Lúnasa, bán, coróinín cheithremhaothánach, 4 mm trastomhas; toradh tirim neamhoscailteach, a scoilteann in dhá leath.

Marsh bedstraw

A straggling, rough-angled perennial, 150–700 mm long, common in ditches and marshes, from sea level to 475 m. Weak, straggling, flowering stem arising from a creeping rhizome (the main method of spread); leaves: usually in whorls of four; flower: June–August, corolla white, four-lobed, 4 mm diameter; fruit: dry, indehiscent, splitting in two.

Rú Mhuire

Galium verum L.—Rubiaceae

Luibh streachlánach, 250–600 mm ar airde, lom nó ar bheagán clúimh, ilbhliantúil, coitianta i ndumhcha, clathacha agus áiteanna gainimhe, ó leibhéal na farraige go 450 m; gas: bláfar, ceithrechúinneach, ag éirí ó stólain a leathnaíonn amach ar bharr na talún; duilleoga: slán, caol, i bhfáinní de idir ocht agus dhá cheann déag; bláth: Iúil–Lúnasa, buí, i bpanacail fhoirceanta; toradh: tirim, neamhoscailteach, a scoilteann ina dhá leath. Líontaí tochtaí leis fadó.

Lady's bedstraw

A straggling, glabrous or slightly hairy perennial, 250–600 mm tall; common on dunes, banks and sandy places, from sea level to 450 m. Flowering stems arising from stolons that spread over the soil surface; leaves: entire, narrow, in whorls of eight to twelve; flower: July–August, yellow, in terminal panacles; fruit: dry, indehiscent, splitting in two.

Garbhlus

Galium aparine L.—Rubiaceae

Luibh lag streachlánach ghreamaitheach bhliantúil, suas go 1.5 m ar fad, an planda iomlán clúdaithe le leadáin bhídeacha; flúirseach i bhfálta, i mothair agus i bhfásaigh, ó leibhéal na farraige go 300 m.

Gas: Ceathairchúinneach, lag, streachlánach.

Duilleog: Fada, caol, biorach; i bhfáinní de idir sé agus ocht gcinn.

Bláth: Meitheamh–Lúnasa; bán, leata amach, 2–2.5 mm i dtrastomhas, i gcímí gairide; ceithre sheipeal bhídeacha; ceithre phiotal ubhchruthacha, táite ag a mbun; déghnéasach; ceithre staimín, ag gobadh amach; dhá chairpéal, dhá stíl; ubhagán íochtarach; pailniú feithide agus féinphailniú.

Toradh: Tirim neamh-oscailteach, in dhá mhaothán chruinneogacha, clúdaithe le leadáin bhídeacha; síol amháin i ngach leath—ní scaoiltear iad. Greamaíonn na torthaí de fhionnadh ainmhithe a bheadh ag gabháil thar bráid chun é a scaipeadh.

Cé go n-úsáidtí an garbhlus tráth chun géanna agus cearca a ramhrú, chuirtí na duilleoga in anraithí agus struisíní chun daoine a choimeád seang! D'úsáidtí an súlach chun fuiliú a stop agus chun gearraíocha, goin agus othrais agus tinneas cluaise a leigheas. D'ullmhaítí tae den phlanda tirim, púdraithe, chun codladh sámh a chur ar dhuine, chun an craiceann a ghlanadh, an córas fuail a ghlanadh agus a leigheas, agus mar athbhríoch ginearálta. Dheintí céirí as na duilleoga óga le cur le cneá agus le spucáin.

Torthaí / Fruits

Robin-run-the-hedge

A weak, straggling, clinging annual, up to 1.5 m long, the whole plant covered with tiny hooked bristles; abundant in hedges, thickets, cultivated ground and waste places, from sea level to 300 m.

Stem: Four-angled, weak, straggling.

Leaf: Long, narrow, pointed, in whorls of six to eight.

Flower: June–August; white, spreading, 2–2.5 mm diameter, in short cymes; four sepals, minute; four petals, fused at the base; hermaphrodite; four stamens, protruding; two carpels, two styles, inferior ovary; insect and self-pollinated.

Fruit: Dry indehiscent; two globular lobes, with hooked bristles; one seed per lobe—not released. The fruit adheres to the fur of animals.

The plant was at one time used to fatten geese and hens (hence the name goosegrass); however, the leaves were also added to soups and stews for human consumption, reputedly to make the obese lean! The juice or the fresh leaves could be applied to wounds, sores, ulcers, or blisters, while an infusion of the dried leaves had general tonic properties.

Clúmhán

Cuscuta epithymum L.—Convolvulaceae

Seadán gan duilleog gan phréamh, bliantúil, an-ghann sa tír ar fad ach flúirseach anseo is ansiúd, ag fás ar phlandaí eile i ndumhcha agus móinte in aice na farraige.

Gas: Lag, tanaí, dearg no buí, féithleanta, casta ar tuathal ar an óstach; súiteoirí curtha isteach i ngas an óstaigh chun bia agus uisce a shú amach as.

Bláth: Iúil–Meán Fómhair; beag, bándearg, i gcnuasaigh chruinneogacha; cailís agus coróinín chloigíneach le cúig mhaothán triantánacha de ghnáth; béal an choróinín leathdhúnta ag gainní; déghnéasach; cúig staimín; dhá chairpéal táite, dhá stíl; ubhagán uachtarach; pailniú feithide agus féinphailniú.

Toradh: Capsúl le ceithre shíol.

Planda gan clóraifill é seo, a fhásann mar fhíorsheadán ar aiteann, fraoch, lus mhic Rí Breatan (tím), neantóga, agus plandaí eile. Bíonn préamh faoi ar feadh tamaill bhig tar éis don síol péacadh, ach nuair a bhíonn na súiteoirí daingnithe i ngas an óstaigh, dreonn an phréamh. Tá sé an-ghann i gCiarraí ach amháin in aice le Caisleán Ghriaire agus le Beanna, ar an dá thaobh de Bhá Thrá Lí. Cheap Scully gur tugadh isteach é go Caisleán Ghriaire le síolta, mar ná raibh an planda le fáil sa bhliain 1894 nuair a dhein sé iniúchadh cúramach ar an áit. Sa bhliain 1903 bhí paistí móra dearga cruinne de le feiscint. Ceaptar gur planda dúchais i mBeanna é.

Braitheadh an leigheas a bhaintí as an gclúmhán ar an óstach. Bhíodh an-tóir ar chlúmhán tíme, a úsáidtí chun an craiceann a ghlanadh agus chun galair duán, inchinne agus intinnne (duairceas), crith croí agus fanntaisí a leigheas.

Dodder

A leafless, rootless, parasitic annual, rare and local in the country as a whole, plentiful here and there, growing on other plants on dunes and pastures near the sea.

Stem: Weak, slender, yellow or red, twining anticlockwise around the host. It inserts suckers into the host's stem and absorbs water, minerals, and nutrients.

Flower: July–September; small, pink, in globular clusters along the stem; calyx and corolla bell-shaped, with usually five triangular lobes; mouth of corolla partly closed by scales; hermaphrodite; five stamens; two carpels, fused; two styles; superior ovary; insect and self-pollinated.

Fruit: A capsule with four seeds.

Hosts include gorse, heather, thyme, and nettles. The dodder has no chlorophyll: it is a true parasite. It forms tiny roots when the seed first germinates, but once the suckers are established in the host's stem, the roots wither.

Medicinal use depended very much on the host. Dodder of thyme was used to clear the skin, to relieve kidney diseases, depression, heart palpitations, fainting, and diseases of the brain.

Ialus fáil

Calystegia sepium (L.) R.Br.—
Convolvulaceae

Luibh ilbhliantúil lom, le gas féithleanta, flúirseach ar fhálta agus chlathacha, ó leibhéal na farraige go 200 m.

Gas: Riosóm faoi thalamh, a fhásann an-tapaidh agus an-fhada; cuireann sé as stólain an-fhada ar bharr na talún, agus féithleoga, dreapadóirí a chasann ar dtuathal timpeall taca.

Duilleog: Simplí, triantánach, slán, mór, le cos fhada.

Bláth: Iúil–Lúnasa; bán, uaireanta bándearg, 50 mm ar fad agus ar leithead; aonair, ascallach, le dhá bhracht beagnach réidh faoin gcailís; cúig sheipeal, beagnach ceilte ag na brachtanna; cúig phiotal táite i gcruth trúmpa, le ciumhais slán nó cúig mhaothán éadoimhne; déghnéasach; cúig staimín; dhá chairpéal táite, stíl shingil, stiogma dámhaothánach; ubhagán uachtarach; pailniú feithide.

Toradh: Capsúl le ceithre shíol, ceilte ag an gcailís.

Planda dúchais is ea *C. sepium,* atá coitianta mórthimpeall na tíre. Tá dhá speiceas cosúil leis ach níos mó, *C. silvatica* agus *C. pulchrum,* le feiscint anseo is ansiúd, ar chlathacha in aice le tithe. Coimhthígh iad seo, b'fhéidir éalaitheoirí as ghairdíní. Is cosúil go ndeineann an dá choimhthíoch hibridí le *C. sepium.* Tá an planda sa phictiúr mór anseo cosúil le *C. sepium,* sa mhéid go bhfuil sé lom ar fad agus beagnach bán, ach tá an dá bhracht séidte, ar nós *C. pulchrum.* Tá an bláth sa phictiúr beag cosúil le *C. pulchrum,* bándearg le stríocaí bána ar an taobh istigh, ach tá sé lom, cosúil le *C. sepium.* Tá bláth *C. silvatica* bán le stríocaí bándearga ar an taobh amuigh, agus an chailís ceilte ar fad idir na brachtanna.

Bláth / Flower

Hedge bindweed

A glabrous perennial with climbing, twining stems, common in hedges and waste places, from sea level to 200 m.

Stem: From a fast-growing underground rhizome, long, creeping stolons arise on the soil surface, together with climbing flowering stems, which twine anticlockwise, supported on surrounding vegetation.

Leaf: Simple, triangular, entire, long-stalked, very large.

Flower: July–August; white or occasionally pink, up to 50 mm long and broad; solitary, axillary, with two almost flat bracts below the calyx; five sepals, almost hidden by the bracts; five petals, fused to form a trumpet shape, edge plane or slightly lobed; hermaphrodite; five stamens; two fused carpels, single style, two stigmas; superior ovary; insect-pollinated.

The plants in the pictures may be hybrids between the common *C. sepium* and perhaps *C. pulchrum,* an alien species, striped pink on the inside. *C. silvatica* is a larger alien, striped pink on the outside, which may also hybridise with *C. sepium.*

Duillmheall

Convolvulus arvensis L.—Convolvulaceae

Luibh lom ilbhliantúil, le gas féithleanta ar tuathal, 150 –600 mm ar fad; coitianta go háitiúil, go mór mór cois farraige, ar thalamh shuaite, i gcuradóireacht nó fásach nó ar thaobh iarnróid, ó leibhéal na farraige go 50 m.

Gas: Riosóm reatha, ag cur suas gas bláfar féithleanta, sínte nó ag dreapadh go lag.

Duilleog: Simplí, slán, maol-saighdeach, ailtéarnach, 20–50 mm ar fad.

Bláth: Meitheamh–Lúnasa; bándearg le stríocaí bána, 20–25 mm trastomhas; ascallach, ina aonar nó i bpéirí; dhá bhracht bheaga, in íochtar ar an mbláthchos; cúig sheipeal, táite ag a mbun; cúig phiotal, táite i bhfoirm tonnadóra, cúig-mhaothánach ag an mbéal; déghnéasach; cúig staimín; dhá chairpéal táite, stíl aonair thanaí, stiogma gabhlánach; ubhagán uachtarach; pailniú feithide.

Toradh: Capsúl le idir dhá agus ceithre shíol cúinneach garbh.

Cheap Scully gur lean an planda seo an t-iarnród isteach fén dtír óna áit dúchais cois farraige, go dtí an Fearann Fuar agus Cill Airne, mar shampla. Tarlaíonn seo go minic le plandaí a fhásann i dtalamh suaite: scuabann cúlsruth na dtraenacha na síolta leis diaidh ar ndiaidh, uaireanta ar feadh na gcéadta míle.

Tá ball eile de na Convolvu-laceae, plúr an phrionsa (*Calystegia soldanella*), le fáil cois farraige i gCorca Dhuibhne freisin, go mór mór ar dhumhcha. Tá gas sínte lom aige, ná dreapann; duilleoga feolmhara ar chruth duáin, 20–40 mm trasna; bláth Meitheamh–Iúil, bándearg éadrom, 30 mm ar trastomhas, le coróinín ar chruth tonnadóra, agus cailís leath-cheilte i bpéire brachtanna comhréidhe.

Bláth / Flower

Field bindweed

A glabrous, perennial, anticlockwise twiner, 150–600 mm tall, locally frequent, especially near the sea, on disturbed ground, tilled fields, waste places and beside railway tracks, from sea level to 50 m.

Stem: A creeping rhizome, sending up twining flowering shoots, prostrate or weakly climbing.

Leaf: Simple, entire, bluntly arrow-shaped, alternate, 20–50 mm long.

Flower: June–August; pink with white stripes, 20–25 mm across; axillary, singly or in pairs; bracts small, low down on the peduncle; five sepals, fused at the base; five petals, fused to form a funnel, five-lobed at the mouth; hermaphrodite; five stamens; two fused carpels, single style, stigma forked, superior ovary; insect-pollinated.

Fruit: Capsule, with two to four angular seeds.

Sea bindweed (*Calystegia soldanella*) has pink flowers of similar size but is prostrate and non-climbing, with kidney-shaped leaves and pairs of large bracts over-lapping the calyx.

Lus na gcnámh briste

§*Symphytum officinale* L.—Boraginaceae

Luibh leath-ard (0.3–1.2 m) thortógach chlúmhach ilbhliantúil, anseo is ansiúd cois abhann, sileán agus lantán glas taise scáfar, ó leibhéal na farraige go 200 m.

Gas: Díreach in airde, géagach, sciathánach, clúmhach.

Duilleog: Mór, ubhchruthach, slán, clúmhach, le ribí crua dlútha, na cinn íochtaracha amháin le cos.

Bláth: Bealtaine–Iúil; buíbhán, bándearg, nó corcra, i gcíme aontaobhach cuailte; cailís le cúig mhaothán dhoimhne; coróinín fheadánach, 12–15 mm ar fad, le cúig mhaothán ghearra; déghnéasach; cúig staimín; dhá chairpéal tháite, stíl amháin; ubhagán uachtarach, le ceithre mhaothán dhoimhne; pailniú feithide.

Toradh: Ceithre chnó bheaga mhíne ghléasta.

Planda é seo a bhfuil clú air mar luibh leighis ón tseanaimsir anuas. Sa Mheánaois cheaptaí go raibh tréithe triomaithe agus gabháilte, cneasaithe, seilithe agus suaimhnithe ann. Dheintí céirí den phréamh ("meacan an chompany") nuabhainte, ina bhfuil gumalacht ar a dtugtar allatóinín, chun cnámha briste a dheisiú. Chuirtí an phréamh mhionghearrtha mhionbhrúite leis an mbriseadh. Nuair a chruadh an ghumalacht thugadh sé taca don chnámh.

Thugtaí na duilleoga beirithe brúite measctha le bran do stoc chun buinneach bhán a leigheas. Deineann gairneoirí aoileach as, agus itear na duilleoga mar ghlasra. Is féidir na duilleoga óga a bheiriú cosúil le spionáiste. Seo oideas ón nGearmáin: nigh na duilleoga agus triomaigh iad; tum i bhfuidreamh tanaí déanta as ubh, plúr agus uisce iad, agus frioch i saill dhomhain ar feadh dhá nóiméad.

Common comfrey

A hairy, clumped perennial, 0.3–1.2 m tall, widespread on streamsides and damp, shady banks, from sea level to 200 m.

Stem: Erect, branched, winged, hairy.

Leaf: Large, oval, entire, hairy, with dense, stiff hairs; lower only stalked.

Flower: May–July; cream, pink, or purple, in a coiled, one-sided cyme; calyx deeply five-lobed; corolla tubular, 12–15 mm long, with five shallow lobes; hermaphrodite; five stamens; two carpels, fused; superior ovary, with four deep lobes; insect-pollinated.

Fruit: Four small nutlets, smooth, shiny.

Comfrey was highly regarded as a medicinal herb from ancient times to the present day. Among other uses, the chopped, pounded root was used to make a cast for fractured limbs; the mucilaginous pulp dried hard and held the bone in place. The leaves can be eaten as a vegetable.

Sáiste cnoic

Teucrium scordonia L.—Labiatae

Luibh mhionchlúmhach ilbhliantúil, 250–600 mm ar airde, flúirseach ar chlathacha tirime agus lantáin féir, imill coille agus ar shleasa cnoc, ó leibhéal na farraige go 400 m.

Gas: Riosóm a fhásann i bpaistí, le gas bláfar ceithrechúinneach díreach cruaidh.

Duilleog: Rocach, clúmhnánach, croíchruthach, stuach, le cos.

Bláth: Iúil–Lúnasa; glasbhuí, 12 mm ar fad, i raicéimí aontaobhacha, ascallacha, nó foirceanta; neamhrialta (feic lch 25); cailís ghlas le dhá liopa; coróinín fheadánach, gan liopa uachtarach, liopa íochtarach leathan, cúigmhaothánach; déghnéasach; ceithre staimín mhíchothroma dhúdhearga; dhá chairpéal táite, stíl shingil; ubhagán uachtarach; pailniú feithide.

Toradh: Ceithre mhionchnó.

Bhíodh an planda seo á úsáid go forleathan mar luibh leighis. Seo dhá shampla ó Chorca Dhuibhne: "Tharraigítí an lus mór [*Arctium minus*] ar nós na tae; chuirtí síos i bprócaí é in éineacht le him gan salann agus an t-uisce a bhaintí den sáiste cnoic agus den gcaisearbhán caol dearg chun é a thabhairt do dhaoine go mbeadh an *decay* iontu" (1965). "Cuirim i gcás go mbeadh duine cruaidh ina phutóga. Bhí luibh acu ar a dtugaidís an sáiste cnoic, planda beag glas ab ea í. Bheirídís i mbraon uisce í, scagaidís í, agus ansan d'ólaidís an t-uisce. Mise á rá leat nach fada go mbeadh do threabhsar id' dhorn agat ..." (Máirín Ní Dhuinnshléibhe, *Oidhreacht an Bhlascaoid.*) Anois mar sin, cad deirir?

Bláth / Flower

Wood sage

A soft, hairy perennial, 250–600 mm tall, on dry banks, wood margins and mountain-sides, from sea level to 400 m.

Stem: A patch-forming rhizome with stiff, erect, four-angled flowering stems.

Leaf: Cordate, stalked, wrinkled, downy, crenate.

Flower: July–August; yellowish-green, 12 mm long, in one-sided terminal or axillary racemes; irregular (see p. 25); two-lipped calyx; corolla tubular, upper lip absent, lower lip broad, five-lobed; hermaphrodite; four stamens, unequal, maroon; two carpels, fused, single style; superior ovary; insect-pollinated.

Fruit: Four nutlets.

The plant had wide medicinal use. In Corca Dhuibhne an infusion of wood sage, autumnal hawkbit and burdock was used as a cure for TB or "decay". It was also used as a laxative.

Neantóg chaoch dhearg

Lamium purpureum L.—Labiatae

Luibh íseal (150–300 mm) bhliantúil, beagáinín clúmhach, coitianta in áiteanna oscailte, ar thalamh shuaite agus i bhfásaigh, ó leibhéal na farraige go 200 m. Gas: ceathaireithrechúinneach, géagaithe ón mbun; duilleog: croíchruthach, le cos, stuach nó maolchíorach; bláth: Aibreán –Deireadh Fómhair, deargchorcra, neamhrialta, i ndias foirceanta, feadán an choróinín beagán níos faide ná an chailís.

D'úsáidtí an neantóg chaoch tráth mar luibh cócaireachta agus chun bia muc a ullmhú. Cheaptaí go raibh leigheas inti freisin, go mór mór ar na gaid bhrád.

Red dead-nettle

A short (150–300 mm), slightly hairy annual, common in cultivated ground and waste places, from sea level to 200 m; stem: four-angled, branching from the base; leaves: cordate, stalked, crenate or bluntly toothed; flower: April–October, irregular, in terminal spikes, corolla tube slightly longer than the calyx.

The dead-nettle was used as a pot herb and also to prepare pig swill. It was also reputed to cure scrofula.

Neantóg chaoch dhíosctha

§*Lamium hybridum* Vill.—Labiatae

Luibh íseal (150–300 mm) bhliantúil, beagáinín clúmhach, anseo is ansiúd in áiteanna oscailte, ar thalamh shuaite agus i bhfásaigh, ó leibhéal na farraige go 50 m. Gas: ceithrechúinneach; duilleog: croíchruthach, le cos, cíorach, le fiacla móra doimhne neamhrialta; bláth: Aibreán–Deireadh Fómhair, deargchorcra, neamhrialta, i ndias fhoirceanta; feadán an choróinín beagán níos lú ná an chailís.

Sa bhliain 1881 a fuarathas an planda seo i gCiarraí den chéad uair, ag fás i ngoirt phrátaí agus arbhair ar an mBlascaod Mór. Is dócha gur le síolta bidh a tugadh í seo agus neantóg chaoch choimhthíoch eile, neantóg Mhuire (*L. amplexicaule*), 'on Oileán.

Cut-leaved dead-nettle

A short (150–300 mm), slightly hairy annual, common in cultivated ground and waste places, from sea level to 50 m. Stem: four-angled; leaves: cordate, stalked, deeply and irregularly toothed; flower: April–October, irregular, in terminal spikes; corolla tube slightly shorter than the calyx.

First seen in Kerry in 1881, together with *L. amplexicaule,* in tilled fields on the Great Blasket.

Créachtlus

Stachys sylvatica L.—Labiatae

Luibh chlúmhach bhréan leath-ard (0.3–1.2 m) il-bhliantúil, coitianta i sean-ghairdíní, coillte agus fálta, ó leibhéal na farraige go 250 m.

Gas: Bláfar, ceithre-chúinneach, díreach in airde, ag éirí as riosóm faoin talamh.

Duilleog: Croíchruthach, cíorach, clúmhach, rocach, bréan, le cos, i bpéirí urchomhaireacha.

Bláth: Iúil–Lúnasa; dearg-chorcra, i bhfáinní ascallacha ag déanamh dias dlúth foirceanta; neamhrialta (feic lch 25); cailís fheadánach chúigfhiaclach; coróinín le dhá liopa, cochall cuasach, slán, díreach in uachtar, agus liopa réidh trí-mhaothánach in íochtar; déghnéasach; ceithre staimín mhíchothroma; dhá chairpéal táite, stíl aonair; ubhagán uachtarach le ceithre mhaothán dhoimhne; pailniú feithide.

Toradh: Ceithre mhionchnó.

Ó aimsir na Sean-Ghréigeach anuas dheintí céirí as an chuid ghlas de na créachtlusa le cur ar ghearradh nó ar ghoin dhearg chun rith fola a thriomú. Bhíodh cáil orthu mar luibheanna uile-íoc, agus bhí cuid de na sean-leabhair leighis tógtha suas ar fad leo. Chomh maith le céirí dheintí ungadh agus urbhruith de na duilleoga, agus dheintí milseoga de na bláthanna.

Léiriú ar Theagasc na gComharthaí na créacht-lusanna. Dá réir seo, comharthaí ó Dhia ar an leigheas a bhí i ngach luibh ab ea a crut agus a dath. Toisc blátha na gcréacht-lusanna (*Stachys* sp.) bheith lúbtha ar nós carráin agus dath dearg orthu b'shin leid go stopfaidís rith fola agus go gcneasóidís goin ó lann nó uirlis ar bith. Dearbhaíonn taighde an lae inniu go bhfuil tréithe frith-sheipteacha sna hílí so-ghalaithe atá sna plandaí.

Bláthanna / Flowers

Hedge woundwort

A medium-tall (0.3–1.2 m), hairy, fetid perennial, common in old gardens, woods and hedgerows, from sea level to 250 m.

Stem: An erect, square, flowering stem, arising from an underground rhizome.

Leaf: Cordate, stalked, toothed, hairy, fetid, in opposite pairs.

Flower: July–August; reddish-purple, in axillary whorls, forming dense terminal spikes; irregular; calyx tubular, five-toothed; corolla two-lipped, upper lip an erect, entire, concave hood, lower lip flat, three-lobed; hermaphrodite; four stamens, uneven; two carpels, fused, single style; superior ovary, with four deep lobes; insect-pollinated.

Fruit: Four nutlets.

Since the time of the Ancient Greeks a poultice of woundwort was applied to fresh cuts and wounds to staunch bleeding. Recent research has shown that the volatile oils in the plant have antiseptic properties.

Duilleog na saor

Stachys palustris L.—Labiatae

Luibh leath-ard (0.3–1.2 m) chlúmhach bhréan (ach níl an boladh chomh láidir le *S. sylvatica*) ilbhliantúil; coitianta in ithir fhliuch, i ndígeacha, cois abhann agus i dtalamh curadóireachta, ó leibhéal na farraige go 350 m.

Gas: Gas bláfar ceithre-chúinneach simplí, folamh ina chroí, ag éirí as riosóm faoin talamh.

Duilleog: Leathfhada-lansach, gan chos, mion-chíorach, i bpéirí urchomhaireacha.

Bláth: Iúil–Lúnasa; dú-dhearg, i bhfáinní ascallacha ar dhias fhoirceanta dhuilleogach éadlúth; neamhrialta (feic lch 25); cailís fheadánach chúig-fhiaclach; coróinín le dhá liopa, cochall cuasach, slán, díreach, in uachtar agus liopa réidh, trímhaothánach, in íochtar; déghnéasach; ceithre staimín mhí-chothroma; dhá chairpéal táite, stíl aonair; ubhagán uachtarach le ceithre mhaothán dhoimhne; pailniú feithide.

Toradh: Ceithre mhionchnó.

Cosúil le *S. sylvatica,* bhíodh an-chlú ar an luibh seo fadó mar luibh leighis. Chuirtí céirí den phlanda le goin agus gearraíocha nua chun an chneá a chneasú agus an fhuil a stopadh. Chuirfeadh saor cloiche nó adhmaid ar ghoin é dá ndéanfadh sé dochar dó féin lena chuid uirlisí. Chreidtí go gcuir-feadh an bréantas an teitheadh ar gach saghas frídín.

Is féidir na buinneáin nua a bheiriú agus a ithe cosúil le hasparagas, cé ná fuil boladh ródheas uathu. Is maith le daoine eile na tiúbair a dheineann an planda sa bhfómhar a bheirbhiú agus a ithe.

Bláthanna / Flowers

Marsh woundwort

A medium-sized (0.3–1 m), hairy, foetid (but not as strong as *S. sylvatica*) perennial, common in wet soil, in ditches, riversides and tilled fields, from sea level to 350 m.

Stem: Flowering stem square, simple, hollow, arising from an underground rhizome.

Leaf: Oblong-lanceolate, sessile, finely toothed, in opposite pairs.

Flower: July–August; dull red, in axillary whorls forming a loose, leafy terminal spike; irregular; calyx tubular, five-toothed; corolla two-lipped, upper lip an erect, entire, concave hood, lower lip flat, three-lobed; hermaphrodite; four stamens, uneven; two carpels, fused, single style; superior ovary, with four deep lobes; insect-pollinated.

Fruit: Four nutlets.

A poultice of the plant was applied to raw cuts and bruises to stop bleeding and to heal the wound. The strong unpleasant smell was believed to get rid of all types of germs.

Duainín an tseanchais

Prunella vulgaris L.—Labiatae

Luibh chlúmhach ilbhliantúil, flúirseach, ag déanamh paistí ar lantáin féir, ar chlathacha agus i bhfásaigh, ó leibhéal na farraige go 700 m.

Gas: Gas bláfar ceithrechúinneach díreach, ag éirí as riosóm faoi thalamh a dheineann paistí.

Duilleog: Simplí, ubhchruthach, 20–25 mm ar fad, cíorach nó slán, le cos, i bpéirí urchomhaireacha.

Bláth: Iúil–Lúnasa; corcra, i spící gearra dlútha sorcóireacha foirceanta, le brachtanna idir na bláthanna; neamhrialta (feic lch 25); cailís fheadánach, le dhá liopa; coróinín le dhá liopa, cochall cuasach slán in uachtar agus liopa réidh trímhaothánach in íochtar; déghnéasach agus baineann; ceithre staimín míchothroma; dhá chairpéal táite, stíl aonair; ubhagán uachtarach le ceithre mhaothán dhoimhne; pailniú feithide.

Toradh: Ceithre mhionchnó.

Chun créacht agus galair croí a leigheas a mhol lusracháin na Meánaoise an planda seo. Measadh go dtuaslagfadh tae den bplanda fuil chalcaithe nó teachtaithe, go réiteodh sé feadáin an ae agus an domblais, agus go dtabharfadh fuascailt ar an lia bhuí. Thugtaí do pháistí é mar leigheas ar chasachtach agus mar phurgóid piast. Stopfadh sé fuiliú ó chréachta agus ghlanfadh, d'iadhfadh agus chneasódh sé iad. Chneasódh sé othrais béil agus scórnaí ach craosfholchadh leis an dtae. Chuimiltí an luibh de bhosa agus bhoinn linbh chun fiabhras a leigheas, "Dheintí céirí de luibh an tseanchais, bileoga sceach, im gan salann, snas an troim, geir úr caorach, meaca na copóige agus luach pingine de shulfar do theinníocht ar aghaidh dhuine" (SCC).

Self-heal

A hairy perennial, abundant, forming patches on grassy banks and waste ground, from sea level to 700 m.

Stem: Flowering, four-angled, erect, arising from a patch-forming underground rhizome.

Leaf: Simple, oval, 200–250 mm long, toothed or entire, stalked, in opposite pairs.

Flower: July–August; purple, in short, dense, cylindrical terminal spikes, with bracts between the flowers; irregular; calyx tubular, two-lipped; corolla tubular, two-lipped, upper lip an entire, concave "hood", lower lip flat, three-lobed; hermaphrodite and unisexual female; four stamens, unequal; two carpels, fused, superior ovary, deeply four-lobed; insect-pollinated.

The plant was credited with both medicinal and magical properties. It was particularly used for treating illness in children and was also believed useful in treating wounds and heart ailments.

Tím chreige

Thymus praecox—Labiatae

Luibh an-íseal (10–150 mm) chlúmhach chumhra ilbhliantúil, flúirseach i bpaistí i móinteáin, screagáin, lantáin thirime ghainimhe feadh an chósta agus ar shléibhte, ó leibhéal na farraige go 1,040 m.

Gas: Gas seasc reatha sínte, ag préamhú; gas bláfar díreach in airde; ceithre-chúinneach, clúmh ar dhá chúinne urchomhaireacha, an dá chúinne eile lom.

Duilleog: Beag (5–8 mm), ubhchruthach, clúmhach, i bpéirí urchomhaireacha.

Bláth: Meitheamh–Meán Fómhair; beag, corcradhearg, i gceann dlúth cruinn; neamhrialta; cailís le dhá liopa; coróinín fheadánach le dhá liopa, cochall cuasach démhaothánach in uachtar agus liopa trímhaothánach in íochtar; déghnéasach agus aonghnéasach baineann; ceithre staimín, níos sia ná an liopa uachtair; dhá chairpéal táite, stíl aonair; ubhagán uachtarach le ceithre mhaothán dhoimhne; pailniú feithide.

Toradh: Ceithre mhionchnó.

"Lus mhic rí Breatan" ainm eile ar an bplanda seo. Deir lusracháin na seachtú agus na hochtú haoise déag go raibh urbhruith de na duill-eoga go maith in aghaidh buinní, seiliú agus úrlacan fola; go maolódh sé crampaí agus casachtach, go gcabhr-ódh sé le díleá, go spreag-fadh sé fuil mhíosta, agus go réiteodh sé gach cineál easláinte cinn agus néaróg. Cheaptaí go raibh maitheas ann ar thromluí agus go gcuirfeadh an bholadh ardú meanman ar dhuine. Chuimiltí ola tíme isteach sa chraiceann chun dathacha, gúta na léise, pianta matán agus tinneas cinn a mhaolú. D'úsáidtí in aghaidh tinneas fiacaile é freisin. Ar chuma go leor luibheanna cumhra, cheaptaí go raibh tionchar aige ar chúrsaí grá agus cleamhnais.

Wild thyme

A low-growing (10–150 mm), aromatic, hairy perennial, very common, forming patches in heaths, rocky places and dry sandy banks, in coastal and mountain areas, from sea level to 1,040 m.

Stem: Barren, prost-rate rooting stems and erect flowering stems; square; two opposite sides very hairy, other two sides glabrous.

Leaf: Small (5–8 mm long), oval, entire, hairy, in opposite pairs.

Flower: June–September; small, reddish-purple, in round, dense heads; irregular; calyx two-lipped; corolla tubular, two-lipped, upper forming a two-lobed hood, lower three-lobed; hermaph-rodite and unisexual female; four stamens, protruding; two carpels, fused; single style; superior ovary, deeply four-lobed; insect-pollinated.

The plant had a wide range of medicinal uses and was also used to flavour food and to manufacture perfumes. Like a number of other scen-ted herbs, it was be-lieved to influence the course of true love.

Mismín dearg

Mentha aquatica L.—Labiatae

Luibh leath-ard (150–600 mm) chumhra chlúmhach ilbhliantúil, flúirseach cois abhann, i ndígeacha fliucha agus corraithe, ó leibhéal na farraige go 300 m.

Gas: Riosóm faoi thalamh nó faoi uisce, as a n-éiríonn gas bláfar, díreach in airde, cearnógach, clúmhach, le scáil dhearg.

Duilleog: Ubhchruthach, biorach, cíorach, clúmhach, le cos, i bpéirí urchomhaireacha.

Bláth: Iúil–Meán Fómhair; corcra le scáil ghorm, i gceann dlúth foirceanta agus cúpla fáinne ar an ngas; cailís chúigfhiaclach clúmhach; coróinín beagnach rialta, cloigíneach, le ceithre mhaothán éadoimhne, ceann amháin níos leithne ná na cinn eile agus eagach; dé-ghnéasach agus aon-ghnéasach baineann; ceithre staimín; dhá chairpéal táite, stíl shingil; ubhagán uachtarach le ceithre mhaothán dhoimhne; pailniú feithide.

Toradh: Ceithre mhionchnó.

Dar le Williams, bhain na buanna a cuireadh i leith an phlanda seo go minic le draíocht níos mó ná le cógas-eolaíocht. Tugann sé an leigheas seo don bhodhaire ó Mhicheál Óg Ó Longáin: "Gabh naoi n-áireamh de mhismín dearg agus bíodh naoi bplanda san áireamh díobh. Caith an deichiú uait, brúigh iad, agus bain a sú astu lena bhfáisceadh trí éadach lín. Lig lán méaracáin i ngach cluais don othar, agus fóireann." D'óltaí tae déanta as an bplanda triomaithe chun cabhrú le díleá, gaoth a ruaigeadh, agus pianta sa bholg agus an tinneas cinn a gheobhadh le neamhdhíleá a leigheas.

Bhain a thréithe eile lena bholadh cumhra. Chaití ar na hurláir fadó é chun boladh breá a chur ar fud an tí, frídíní a mharú, agus an teitheadh a chur ar luchaigh agus ar fhrancaigh. Scaiptí i measc stór arbhair é ar an gcúis chéanna, agus d'úsáidtí é chun bric dheataigh a stóráil. Chaití in áit tobac é i gCiarraí tráth.

Bláthanna / Flowers

Water mint

A medium-tall (150–600 mm), aromatic, hairy perennial, abundant on river margins, wet ditches and marshes, from sea level to 300 m.

Stem: An underground rhizome, from which a square, erect, hairy, red-tinged flowering stem arises.

Leaf: Oval, pointed, toothed, hairy, stalked, in opposite pairs.

Flower: July–September; purple-mauve, in a dense terminal flower-head, with a few whorls on the stem; calyx five-toothed, hairy; corolla almost regular, four-lobed, one lobe wider than the others and notched; hermaphrodite and unisexual female; four stamens; two carpels, fused, single style; superior ovary, deeply four-lobed; insect-pollinated.

Fruit: Four nutlets.

Mint, like many scented herbs, was believed to have power to protect against as well as to relieve sickness and injury and to promote health and well-being.

Mismín arbhair

Mentha arvensis L.—Labiatae

Luibh leath-ard (150–600 mm) chlúmhach chumhra il-bhliantúil, coitianta i ngoirt faoi churadóireacht, i lantáin taise agus i gcoillte faoi scáth meánach, ó leibhéal na farraige go 150 m. Gas: cearnógach, díreach nó sínte; duilleog: cruinn nó lansach le cos, clúmhach, beagáinín cíorach; bláth: Lúnasa–Meán Fómhair, bándearg éadrom nó corcra, i bhfáinní dlútha ascallacha; cailís chlúmhach chúigfhiaclach, na maotháin ar comhfhad agus comh-leithead, an bláth cosúil le *M. aquatica.* Fiaile curadóir-eachta is ea an planda seo. Tarlaíonn hibridiú go minic le *M. aquatica.*

Corn mint

A medium-tall (150–600 mm), aromatic, hairy perennial, common in tilled fields, damp grassy places and woods, from sea level to 150 m. Stem: square, erect or prostrate; leaf: round or lanceolate, stalked, hairy, slightly toothed; flower: August–September, pale pink or purple, in compact axillary whorls; calyx hairy with five short, broad teeth; flower like *M. aquatica.* This is a weed of cultivation, frequently hybridising with *M. aquatica.*

Mismín garraí

**Mentha spicata* L.—Labiatae

Luibh ard (0.6–1.2 m) il-bhliantúil, beagnach lom, beagáinín cumhra, i ngairdíní nó scaipthe ó ghairdíní, lonnaithe i gcúpla áit anseo is ansiúd, ó leibhéal na farraige go 100 m. Gas: ard, cearnógach; duilleog: lansach, biorach, cíorach, lom, gan chos, dath liath ar íochtar; bláth: Lúnasa–Meán Fómhair, corcra éadrom, i ndiasa foirceanta; cailís agus coróinín cosúil le *M. arvensis.* Is é seo an mismín a úsáidtear mar luibh cócaireachta, chun blas a chur ar chaoireoil rósta, piseanna nó prátaí nua. Deintear tae as na duilleoga triomaithe freisin.

Spearmint

A tall (0.6–1.2 m), slightly aromatic, nearly glabrous per-ennial, in gardens, in waste places as a garden escape and naturalised in a few places, from sea level to 100 m. Stem: branched, square; leaf: lanceolate, pointed, toothed, glab-rous, sessile, greyish undersurface; flower: August–September, mauve, in terminal racemes; flower: parts as in *M. arvensis.* This is the mint used as a cookery herb, to flavour roast lamb, peas, and new pota-toes. A tea can be made from the dried leaves.

Fuath gorm

Solanum dulcamara L.—Solanaceae

Luibh streachlánach il-bhliantúil, 0.3–2 m ar airde, anseo is ansiúd i measc fál, faill agus trá, cois farraige; gann isteach fén dtír i gCo. Chiarraí, anseo is ansiúd ar fud na tíre uile, ó leibhéal na farraige go 200 m.

Gas: Fada, caol, streachlánach, reatha no féithleanta, adhmadach ina bhun.

Duilleog: Ailtéarnach, slán, 30–90 mm; na duilleoga íochtaracha simplí, ubh-chruthach nó croíchruthach, biorach, na duilleoga uachtaracha trídhuilleach.

Bláth: Meitheamh–Lúnasa; corcra, 15 mm trastomhas, i gcímí taobhacha; cailís chúigmhaothánach; coróinín le feadán gearr agus cúig mhaothán bhioracha spréite; déghnéasach; cúig staimín, le hantair ghlébhuí; dhá chairpéal táite, stíl shingil; ubhagán uachtarach; pailniú feithide.

Toradh: Caor ubhchruthach; glas ar dtús, ansin buí; dearg nuair a bhíonn se aibí.

Rabhadh: Mar aon le formhór na Solanaceae, tá an t-alcalóideach nimhneach sólainín sa phlanda seo, go háirithe sna caora glasa. Níl na caora dearga chomh nimhneach, ach d'fhéadfadh siad tinneas a chur ar dhuine, go mór mór ar pháiste, dá n-íosfaí iad. Comharthaí sóirt na nimhe: pianta goile, úrlacan, tart, gearranáile, agus traochadh.

In ainneoin nimhe an phlanda, dheintí cógas suain agus só as, chun meanmna a ardú agus duairceas a scaipeadh agus chun fonn codlata a chur ar dhuine. D'úsáidtí freisin é chun fuascailt ó phíopaí agus múchadh, chun na fola a ghlanadh, agus chun faoiseamh a thabhairt ó dhaitheacha, gúta agus galair craicinn. Chuirtí na caora brúite le gor-fá-iongain. In áiteanna áirithe chreidtí go raibh cumhacht ann chun coiriú agus geasa a chur ar ceal.

Bláthanna / Flowers

Bittersweet

A straggling perennial, 0.3–2 m long, occasional on the seashore and in hedges, ditches and cliffs near the sea; rare inland in Kerry, from sea level to 200 m.

Stem: Long, slender; scrambling, trailing or twining; woody at base.

Leaf: Alternate, entire, 30–90 mm long; lower leaves simple, oval or cordate, pointed; upper leaves ternate.

Flower: June–August; purple, 15 mm diameter, in lateral cymes; calyx five-lobed; corolla tube short, with five-pointed, spreading lobes; hermaphrodite; five stamens, anthers bright yellow; two carpels, fused, single style; superior ovary; insect-pollinated.

Fruit: An oval berry, green at first, ripening yellow and finally red.

Warning: Like many of the Solanaceae, all parts of this plant contain the poisonous alkaloid solanine, particularly the green berries. The ripe red berries are less dangerous but can still cause poisoning, particularly if eaten by children.

Coinneal Mhuire

Verbascum thapsus L.—Scrophulariaceae

Luibh ard (0.4–1.2 m), clúdaithe le clúmh dlúth bán, débhliantúil; anseo is ansiúd ar bhainc ghrin, ar chladaigh, i bhfásaigh, i dtalamh shuaite shaibhir dheathaoscaithe, ó leibhéal na farraige go 30 m.

Gas: Téagartha, díreach in airde, neamhghéagach.

Duilleog: Mór (40–500 mm), ubhchruthach, biorach, beagáinín cíorach, ag cúngú i dtreo an bhuin nó ar chos ghearr.

Bláth: Meitheamh–Iúil; buí, 12–30 mm trastomhas, ar choisín bhídeach, i ndias dhlúth fhoirceanta; cúig sheipeal, táite ag a mbun; cúig phiotal, beagnach cothrom, táite ag a mbun; maotháin chruinne, leata amach; déghnéasach; cúig staimín, trí cinn uachtarach le ribí fada bána, dhá cheann íochtarach lom; dhá chairpéal táite, stíl shingil; ubhagán uachtarach; pailniú feithide.

Toradh: Capsúl ubhchruthach a scoilteann ar a fhad, an-chuid síolta loigíneacha.

Chreidtí go raibh ábhar leighis sa choinneal Mhuire, cé go raibh sé nimhneach freisin. Bheirbhítí an planda in uisce an teallaigh, uisce ina bhfuaradh gaibhne cruite chun deoch leighis a dhéanamh don bhuinneach agus don bhuinneach dhearg. Bheirítí na duilleoga triomaithe i mbainne (únsa i bpiúnt) mar leigheas ar eitinn agus ar ghalair cléibhe. Leigheasfadh céirí de na duilleoga cneá thinn faoi shileadh, agus thairriceodh céirí den síol agus duilleoga beirithe i bhfíon dealg nó scolb, ba chuma chomh domhain a bheadh sé.

"Herbe de Saint-Fiacre" a thugtar ar an bplanda seo sa bhFrainc, i ndiaidh an naoimh Éireannaigh Fiachra, a chaith a shaol sa tír sin agus a fuair bás sa bhliain 670. De réir scéala bhí feirm mhór le gach sórt lusra aige, agus tá sé ina éarlamh ag gairneoirí agus luibheolaithe. Tá a thaisí fós i Meaux, sa bhFrainc.

Bláthanna / Flowers

Great mullein

A tall (0.4–1.2 m) biennial, covered with dense, whitish wool, occasional on gravel banks, seashores and disturbed, well-drained nitrogenous soil, from sea level to 30 m.

Stem: Erect, stout, unbranched.

Leaf: Large (40–500 mm), oval, pointed, slightly toothed; tapering towards the base or shortly stalked.

Flower: June–July; yellow, 12–30 mm diameter, on a tiny peduncle in a dense terminal spike; five sepals, fused at base; five petals, almost equal, fused at base, lobes rounded, spreading; hermaphrodite; five stamens, upper three with long white hairs, lower two glabrous; two carpels, fused, single style; superior ovary; insect-pollinated.

Fruit: An egg-shaped capsule splitting lengthwise; numerous pitted seeds.

In France this plant is called *"herbe de Saint-Fiacre"*, after the Irish herbalist St Fiachra, who lived and worked there in the seventh century. Fiachra is the patron saint of gardeners and botanists.

Donnlus

Scrophularia nodosa L.—
Scrophulariaceae

Luibh ard (0.3–1.2 m), beagnach lom, ilbhliantúil, coitianta i ndígeacha, i bhfálta, i gcoillte agus fásaigh, ó leibhéal na farraige go 350 m.

Gas: Gas bláfar ceithre-chúinneach soladach, díreach in airde, ag éirí as riosóm gearr.

Duilleog: I bpéirí urchomhaireacha, leathan, ubhchruthach, biorach, cíorach, le fiacla míchothroma.

Bláth: Iúil–Lúnasa; glasdonn, go minic le scáil dhearg; beag (7–10 mm), i bpanacal foirceanta éadlúth; cailís fheadánach chúigmhaothánach; coróinín fheadánach séidte, beagnach cruinneogach, dhá mhaothán chruinne sa liopa uachtarach, trí mhaothán níos lú sa liopa íochtarach; déghnéasach; ceithre staimín; dhá chairpéal táite, stíl shingil; ubhagán uachtarach; pailniú feithide (foichí is mó).

Toradh: Capsúl ubhchruthach biorach a scoilteann ar a fhad; an-chuid síolta loigíneacha.

Ba é an donnlus nó an fothram "rí na luibh" in Éirinn (Moloney, 1919). Chuirtí in órthaí é in aghaidh an drochshúil, an ghreama, nó aon taom millte a sciopfadh leanbh ina chodladh. Chreidtí go raibh sé chomh chumhachtach sin go mbíodh eagla ar dhaoine é a stathadh. Bhain an-chuid piseog leis. De réir Williams bhíodh sé mar leigheas ar othras in Uíbh Ráthach, ach chaithfeadh an t-othar nó gaol leis é a bhaint trí mhaidin as a chéile. Ní foláir deich nduilleog a bhaint, paidir a rá le gach duilleog acu, agus an deichiú ceann a chaitheamh uait. Ansin chuirtí na naoi gcinn eile mar cheirí leis an othras. Toisc go raibh cnapáin ar phréamha na luibhe. measadh leigheas a bheith ann ar gach saghas cnapán: othrais, ioscóidí, fíocais, cnapáin bhainne, téachtáin, agus galair faireog. D'úsáidtí go forleathan é mar leigheas ar an gcait bhráid (tinneas ríon nó scrofula), eiteann na bhfaireog limfe a líonadh an scórnach de chnapáin agus a thagadh ar dhaoine agus ar ainmhithe, go háirithe ar chránta (*scrofa* an focal Laidine ar chráin muice). D'úsáidtí chun eachma chomh maith é: sin galar faireog ar chapaill nó asail nó miúlacha ("farcy" nó "glanders"). Léiriú ar Theagasc na gComharthaí na leigheasanna seo.

Figwort

A tall (0.3–1.2 m), almost glabrous perennial, common in ditches, hedgerows, woods and waste places, from sea level to 350 m.

Stem: Flowering stem square, erect, arising from a short rhizome.

Leaf: In opposite pairs, broad, oval, pointed, irregularly toothed.

Flower: July–August; greenish-brown, often red-tinged, small (7–10 mm), in a loose terminal panicle; calyx tubular, five-lobed; corolla tubular, inflated, nearly globular, upper lip of two rounded lobes, lower of three smaller lobes; hermaphrodite; four stamens; two carpels, fused, single style; superior ovary; insect-pollinated (mainly by wasps).

Fruit: An egg-shaped, pointed capsule, splitting lengthwise; numerous pitted seeds.

The old herbalists believed the plant to have medicinal use against all kinds of lumps and abscesses and particularly against scrofula, a type of tuberculosis. In Ireland it was considered the king of herbs, mainly for its magical properties.

Lus lín an fhalla

*Cymbalaria muralis P. Gaertner, B. Mayer & Scherb.—Scrophulariaceae

Luibh íseal lom ilbhliantúil, flúirseach ar sheanfhallaí gan scáth, ó leibhéal na farraige go 150 m.

Gas: Streachlánach, reatha, lag, ag cur préamh amach anseo agus ansiúd.

Duilleog: Simplí, le scáil chorcra; cúigmhaothánach, cosúil le duilleog eidhneáin.

Bláth: Bealtaine–Deireadh Fómhair; liathchorcra, paiste buí ar an liopa íochtair; ascallach, ar choisín fhada chaol; cailís chúigmaothánach; coróinín fheadánach, le dhá liopa, an ceann uachtarach dámhaothánach, an ceann íochtarach trímhaothánach, le sáil ghearr; déghnéasach; ceithre staimín; dhá chairpéal táite, stíl shingil; ubhagán uachtarach; pailniú feithide agus féinphailniú.

Toradh: Capsúl beag le hanchuid síolta beaga dubha rocacha. De réir mar a aibíonn na síolta, iompaíonn an bhláthchos isteach ar an bhfalla agus sáitear an capsúl isteach i scoilteacha. Osclaíonn an capsúl le linn báistí, ag cinntiú go nítear na síolta isteach sna scoilteacha.

"Italian bastard navelwort" an ainm atá ar an bplanda seo ag John Gerard ina *Herball* (eagrán Johnson, 1633). Bhí conspóid mhór i measc ollúna na haimsire faoin ainm agus cén chlann ar di é agus cérb as é. Tháinig Carl von Linné (Linnaeus) go Sasana sa bhliain 1736 agus thug sé cuairt ar an ollamh luibheolaíochta in Ollscoil Oxford, Dillenius. Bhí scríbhinní foilsithe ag von Linné faoin am seo ar rangú agus ainmniú plandaí, ach ní raibh mórán measa ag Dillenius ar a chuid teoiricí. Thug sé ag siúl i nGarraithe Lus Oxford é, threoraigh sé i dtreo an fhalla ar a raibh an planda seo é, agus d'fhiafraigh sé dó cén planda é. Scrúdaigh von Linné go mion an planda agus d'fhreagair gur ceann de na Scrophulariaceae é, agus thug a chúiseanna leis an méid sin a rá. Chuaigh an freagra i bhfeidhm chomh mór ar Dillenius gur thairg sé post do von Linné mar chuntóir dó féin in Oxford, maille le bord ina thigh féin agus leath a thuarastail.

Ivy-leaved toadflax

A low, glabrous perennial, common on old walls in unshaded situations, sometimes on rocks, from sea level to 150 m.

Stem: Weak, trailing, rooting here and there.

Leaf: Simple, purple-tinged, five-lobed, ivy-like.

Flower: May–October; lilac or mauve with yellow patch on lower lip; axillary, on a long, slender peduncle; calyx deeply five-lobed; corolla tubular, two-lipped, upper lip two-lobed, lower three-lobed, with a short, curved spur; hermaphrodite; four stamens; two carpels, fused, single style; superior ovary; insect or self-pollinated.

Fruit: A small capsule with numerous small, black, ridged seeds. As the seeds ripen, the flower-stalks bend towards the wall and push the capsules into crevices. The capsules open during rain, ensuring that the seeds are washed into the cracks.

Lus mór

Digitalis purpurea L.—Scrophulariaceae

Luibh ard (0.6–1.2 m) chlúmhnánach dhébhliantúil, flúirseach i bhfálta, coillte, móinteáin, lantáin agus screagáin, ó leibhéal na farraige go 880 m.

Gas: Díreach in airde, téagartha, simplí.

Duilleog: Mór, ubhchruthach nó sleách, maolchíorach, gan chos in uachtar, le cos in íochtar; ailtéarnach ar an ngas, le cnota ar an talamh.

Bláth: Meitheamh–Lúnasa; dearg nó corcra, uaireanta bán, i raicéim foirceanta aontaobhach; cailís chúigmhaothánach; coróinín fheadánach, béal faoi, le cúig mhaothán bheaga; déghnéasach; ceithre staimín; dhá chairpéal táite, stíl shingil; ubhagán uachtarach; pailniú feithide (bumbóga de ghnáth).

Toradh: Capsúl ubhchruthach a scoilteann ar a fhad; an-chuid síol.

Rabhadh: Tá na nimheanna ar a dtugtar gliocóisídí i ngach cuid den luibh seo, is cuma an bhfuil an planda úr, triomaithe, beirithe, nó stóráilte. Bíonn éifeacht acu ar oibriú matáin an chroí. De ghnáth seachnaíonn daoine agus ainmhithe é toisc blas searbh a bheith air.

D'úsáidtí an planda chun leighis in ainneoin a nimhe. D'úsáidtí an súlach chun seanchneá a ní, agus d'óltaí deoch de, milsithe le mil nó siúcra, chun an corp a fholmhú. Dheintí cógas den lus mór agus an raithneach (*Polypodium*) i mbeoir mar leigheas ar thitimeas. Bhíodh clú air ina lán áiteanna mar leigheas ar ghalair croí; úsáidtear ceann de na gliocóisídí, digeatáilin, fós inniu i leigheas do ghalair croí.

In Éirinn fadó chreidtí gur cosaint ar an slua sí agus go mór mór ar aicídí a chuirfidís ar leanbh í. Chuimiltí an luibh nó súlach na luibhe ar leanbh a bhí ag meath chun a n-iarlais a dhíbirt. Bhíodh eagla ar dhaoine an planda a stoitheadh nó é a thabhairt isteach sa tigh Lá Bealtaine, toisc go leanfadh mí-ádh é.

Leagamar síos ar thinteán an Dálaigh iad / gur eachtraigh sé dúinn mar a bhris / Peig Sayers a cromán lá dar thug / bean leighis lán a croibh / de mhéiríní sí isteach sa tigh chuici.
(Michael Davitt, *Seandaoine,* 1990).

Méiríní nó méaracáin sí, púcaí nó táilliúra cuid de na hainmneacha eile air.

Foxglove

A tall (0.6–1.2 m), downy biennial, abundant in hedgerows, woods, heaths, banks and stony places, from sea level to 880 m.

Stem: Erect, stout, simple.

Leaf: Large, oval or lanceolate, bluntly toothed, upper sessile, lower stalked; alternate on stem, with a basal rosette.

Flower: June–August; purplish-red, sometimes white, in a terminal, one-sided raceme; calyx five-lobed; corolla tubular, inverted, with five small lobes; hermaphrodite; four stamens; two carpels, fused, single style; superior ovary; insect-pollinated (usually by bumblebees).

Fruit: An egg-shaped capsule, splitting lengthwise; seeds numerous.

Warning: All parts of the plant contain poisonous glycosides, which survive boiling and drying. It should not be eaten or included in animal fodder.

Lus cré

Veronica chamaedrys L.—
Scrophulariaceae

Luibh streachlánach ghiobach ilbhliantúil, flúirseach i bhfálta, i gcoillte agus i bhféartha, ó leibhéal na farraige go 800 m. Gas: 150–500 mm ar fad, le dhá líne clúimh; duilleog: ubhchruthach nó croíchruthach, cíorach, garbh, gan chos; bláth: Aibreán–Iúil, glé-ghorm le súilín bhán, i raicéimí éadlútha ascallacha; coróinín le feadán gearr agus ceithre mhaothán, beagnach rialta; toradh: capsúl croíchruthach, i bhfad níos giorra ná an chailís. Seo é an bláth is maisiúla agus is flúirsí i measc na lusanna cré dúchais.

Germander speedwell

A straggling, hairy perennial, abundant in hedgerows, woods and pastures, from sea level to 800 m. Stem: 150–500 mm long, with two lines of hairs; leaf: oval or cordate, coarsely toothed, rough, sessile, in opposite pairs; flower: April–July, bright blue with white eye, in loose axillary racemes; corolla with short tube and four almost regular lobes; fruit: a heart-shaped capsule, much shorter than the calyx lobes.

Lus cré garraí

**Veronica persica* Poiret—
Scrophulariaceae

Luibh íseal chlúmhach streachlánach bhliantúil, coitianta mar fhiaile i dtalamh rómhartha agus in áiteanna gan tairbhe, ó leibhéal na farraige go 300 m. Gas: sínte no leath-dhíreach; duilleog: simplí, ubhchruthach, maol, garbh-chíorach, le cos; bláth: Eanáir–Nollaig; spéirghorm agus bán, le súilín bhán; aonair, ascallach, ar bhláth-chos níos sia ná an duilleog, cromtha faoi shíol; coróinín le ceithre mhaothán mhí-chothroma, an ceann in íochtar beag, bán; toradh: capsúl croíchruthach lioctha leathan. Tugadh an planda seo ón Áis i dtosach na naoú haoise déag, agus scaip sé ar fud na háite.

Common field speedwell

A low, straggling, hardy annual, a common weed of tilled ground and waste places, from sea level to 300 m. Stem: prostrate or semi-erect; leaf: simple, oval, blunt, coarsely toothed, stalked; flower: January–December, blue and white with white eye; single, axillary, on peduncles longer than the leaves, drooping in seed; corolla tube short, with four unequal lobes, lower small and white; fruit: a broad, flattened, heart-shaped capsule. This plant was introduced from Asia at the beginning of the nineteenth century and spread widely.

Lochall

Veronica beccabunga L.—
Scrophulariaceae

Luibh láidir lom reatha il-bhliantúil, coitianta i srutháin, i bhfliuchán agus i lathaigh, ó leibhéal na farraige go 310 m. Gas: 300–500 mm ar fad, ag snámh ar uisce nó ag cur préamh uaidh ar an ngrinneall; duilleog: ubhchruthach, maol, simplí, gléasta, lom, feolmhar; bláth: Iúil–Lúnasa, gléghorm, i raicéimí dlútha ascallacha, i bpéirí urchomhaireacha; coróinín le feadán gearr agus ceithre mhaothán, beagnach cothrom; toradh: capsúl ciorclach, beagán lioctha, le heagaí éadoimhne. Bíonn sé i gcónaí ag fás le biolar, agus itear le chéile iad chun an fhuil a ghlanadh agus an corp a choimeád i ndea-shláinte; leigheas ar an ngalar carrach é. I nDún Chaoin d'úsáidtí é snadhmtha ar a chéile le cur i mbun droma mná "i mbreoiteacht rud big" (1965).

Brooklime

A stout, glabrous, fleshy perennial, common in streams, ditches and muddy places, from sea level to 310 m. Stem: spreading, floating or rooting, 300–500 mm long; leaf: oval, blunt, simple, glossy, glabrous, fleshy; flower: July–August, bright blue, in dense axillary racemes in opposite pairs; corolla tube short, with four nearly equal lobes; fruit: a round, slightly flattened capsule, faintly notched. The plant grows with watercress and is often eaten with it as a tonic for the blood. In Dún Chaoin it was knotted and used as a poultice to ease labour pains.

Biolar grá

Veronica anagallis-aquatica L.—
Scrophulariaceae

Luibh lom láidir fheolmhar ilbhliantúil, 300–500 mm ar airde, go minic i ndígeacha, i srutháin mhalla agus i lathaigh, ó leibhéal na farraige go 300 m. Gas: bláfar, ag éirí díreach in airde ó ghas préamhaithe reatha; duilleog: 50–80 mm ar fad, lansach, slán nó beagáinín cíorach, gan chos, uaireanta le scáil dhearg uirthi; bláth: Meitheamh–Lúnasa, bán-ghorm, i raicéimí éadlútha ascallacha, i bpéirí urchomhaireacha; coróinín le feadán gearr, ceithre mhaothán mhíchothroma; toradh: beagnach cruinn, le heagaí éadoimhne.

Blue water-speedwell

A glabrous, fleshy perennial, 300–500 mm tall, frequent in ditches, slow streams and muddy places, from sea level to 300 m. Flowering stem: erect from a creeping and rooting base; leaf: 50–80 mm, lanceolate, entire or slightly toothed, red-tinged, sessile; flower: June–August, pale blue, in loose axillary racemes, in opposite pairs; corolla with short tube, four unequal lobes; fruit: almost orbicular, slightly notched.

Pingin Dhuibhneach

Sibthorpia europaea L.—
Scrophulariaceae

Luibh leochaileach chlúmhach ilbhliantúil, gann, in áiteanna fliucha ar bhruacha lochán agus sruthán agus cois bóthar, ó leibhéal na farraige go 520 m.

Gas: Sínte, tanaí, ag cur amach an-chuid préamh ag na nóid, ag déanamh paistí.

Duilleog: Cruinn nó duánach, stuach, le idir cúig agus seacht maothán, 12 mm trastomhas; ailtéarnach, le cos fhada.

Bláth: Iúil–Meán Fómhair; bídeach, bándearg-chorcra, beagnach rialta; ascallach, aonair, ar chos fhada; ceithre nó cúig sheipeal; coróinín ceithremhaothánach nó cúigmhaothánach; déghnéasach; idir trí agus cúig staimín—athraíonn an uimhir ó bhláth go bláth ar an bplanda céanna; dhá chairpéal táite, stíl shingil; ubhagán uachtarach; pailniú feithide.

Toradh: Capsúl bídeach clúmhach a scoilteann ar a fhad.

Ní fhásann an planda seo ach ar chósta Atlantach na hEorpa, ó iarthuaisceart na Portaingéile agus na Spáinne, suas cósta thiar na Fraince go hInis Iocht, i ndeisceart Shasana agus na Breataine Bige, agus i gCorca Dhuibhne. James Mackay (1775–1862), luibheolaí a bhunaigh Garraithe Lus Choláiste na Tríonóide, Baile Átha Cliath, agus a scríobh *Flora Hibernica* (1836), a fuair ar dtús in Éirinn é: "Found at the foot of the remarkable road over Connor Hill, on the side next to the bay of Tralee, and in a lane leading from the main road to the first cabin after you leave the hill, in Sept., 1805." De réir Scully (1916) bhí sé flúirseach ar an dá thaobh de Bharr Conrach agus san achar talún a shíneann 30 km soir uaidh sin ar fhána thuaidh na sléibhte. Tá sé an-ghann anois.

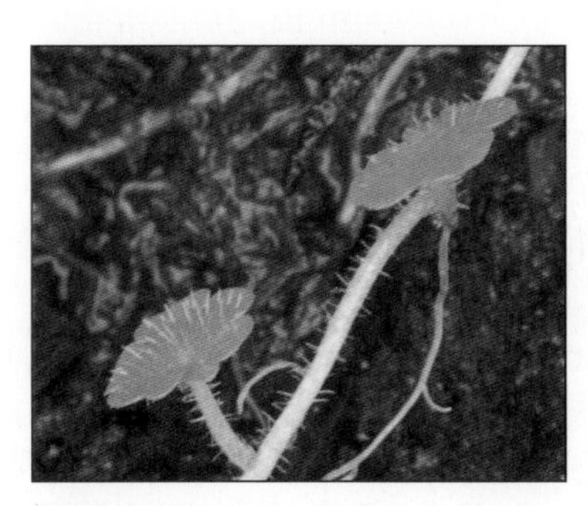

Duilleoga / Leaves

Cornish moneywort

A delicate, prostrate, hairy perennial, rare, occurring in wet, grassy places on lakesides, streambanks and roadsides, from sea level to 520 m.

Stem: Prostrate, fine, hairy, rooting at the nodes, forming patches.

Leaf: Round or kidney-shaped, crenate, five to seven-lobed, 12 mm in diameter; alternate, long-stalked.

Flower: July–September; minute, pinkish-purple, almost regular; axillary, solitary, on a long peduncle; four or five sepals; corolla four or five-lobed; hermaphrodite; three to five stamens—the number varies from flower to flower even on the same plant; two fused carpels, single style; superior ovary; insect-pollinated.

Fruit: A hairy capsule, opening vertically.

"The special plant of the Dingle Peninsula is the little *Sibthorpia,* which is abundant along the northern slopes from Brandon to Tralee, and from sea level to 1,700 ft. In Ireland it is not found elsewhere" (Praeger). The plant is now very rare.

Glanrosc

Euphrasia L. Agg.—Scrophulariaceae

Luibh bheag bhliantúil leathsheadánach; an-chuid speiceas le fáil i bhféaraigh, in áiteanna gan scáth nó fé bheagán scátha, ó leibhéal na farraige go 960 m.

Gas: sreangach, díreach, caol, géagaithe.

Duilleog: beag, cíorach, gan chos, cinn íochtaracha urchomhaireach, cinn íochtaracha ailtéarnach.

Bláth: Iúil–Meán Fómhair; bán le súilín bhuí agus línte corcra, uaireanta gorm-chorcra, i spící duilleogach, foirceanta agus ascallach; cailís de cheithre sheipeal; coróinín le dhá liopa; liopa uachtarach, dhá mhaothán le heagaí, liopa íochtarach, trí mhaothán le heagaí; déghnéasach; ceithre staimín; dhá chairpéal táite, stíl singil; ubhagán uachtarach; pailniú feithide.

Toradh: Capsúl fada a scoilteann ar a fhad.

Leathsheadáin atá san *Euphrasia,* le clóraifill sna duilleoga chun bia a dhéanamh trí fhótaisintéis, ach gan fhíorphréamha. Cuireann an planda óg súiteoir isteach i bpréamh óstaigh chuí (féar áirithe de ghnáth), agus tógann uisce agus mianraí as.

Chreidtí go mbíodh leigheas sa luibh, go mór mór ar ghalair súl. D'úsáidtí glanrosc agus camán meall le chéile mar leigheas ar chraobh odhair. Dheintí súlach nó uisce dríogtha den phlanda, a thógaint ina dheoch nó é chur ina bhraon agus ina bhraon sna súile chun cailicín, brach nó galair a lagódh an radharc a leigheas; chabhródh an deoch le droch-chuimhne nó inchinn freisin. D'úsáidtí barra an bhlátha: thriomaítí é agus choimeádtaí na plandaí ná cailleadh a ndath. Chaitheadh ribí faireogach a bheith ar an gcailís chun leigheas a bheith ann.

"Glanrosc mar leigheas ar shúile teinne—súile a bheadh dearg istigh agus mar sin de. Is fearr agus is treise an planda ar a mbíonn na bláthanna dearga. Deintear é stathadh as an dtalamh préacha agus uile agus é chur ag beirbhiú nó ag tarrac; an 'tae' do chur i mbuidéal nó go mbeadh gnó dó. Ba cheart an planda bheith dhá chroma ar aoirde os cionn na talún. Dheintí ola leis an bplanda so le hé chur a beirbhiú le hím gan salann" (SCC).

Eyebright

A short, hemiparasitic annual; many very similar species grow in grassland, in open or semi-shaded conditions, from sea level to 960 m.

Stem: Erect, branched, wiry.

Leaf: Small, sessile, toothed; lower in opposite pairs, upper alternate.

Flower: July–September; white, purple-veined, yellow-eyed, sometimes purple-blue, in terminal and axillary leafy spikes; calyx four-toothed; corolla two-lipped, upper, two notched lobes, lower, three notched lobes; hermaphrodite; stamens four; carpels two, fused, style single; ovary superior; insect-pollinated.

Fruit: A long capsule, splitting lengthwise.

Euphrasias are hemiparasites on the roots of certain grasses. They have no true roots but use suckers to penetrate the host root and absorb water and minerals. The leafy shoots make food through photosynthesis.

Medicinal use of the plant was mainly for the treatment of eye ailments. Juice or distilled water from the plant was taken as a drink or used as an eye lotion to heal inflammation or conjunctivitis; eyebright and chamomile were applied to a sty.

Hocas tae

Odontites verna (Bellardi) Dumort—
Scrophulariaceae

Luibh cuibheasach íseal, leathsheadánach, beagáinín clúmhnánach, bliantúil; coitianta i ngoirt, lantáin agus talamh suaite, ó leibhéal na farraige go 550 m. Gas: cruaidh, géagaithe; duilleog: lansach, cíorach, gan chos; bláth: Iúil–Lúnasa; bándearg nó dearg i spící duilleogacha; coróinín le dhá liopa; toradh: capsúl lioctha. Is minic a fhásann an planda seo i bhféaraigh leis an nglanrosc (*Euphrasia* sp.) agus an maothlán móna (*Rhinanthus minor*), dhá leathsheadán eile. Is de chlann na Scrophulariaceae iad uile, clann ina bhfuil go leor géineas de sheadáin agus leathsheadáin.

Red bartsia

A short, hemi-parasitic, slightly downy annual, common in fields, grassy banks and disturbed ground, from sea level to 550 m. Stem: hard, branched; leaf: lanceolate, toothed, sessile; flower: July–August, pink or red, in leafy spikes; corolla two-lipped; fruit: a flat capsule. Red bartsia often grows in short grassland with eyebright (*Euphrasia* sp.) and yellow rattle (*Rhinanthus minor*), also hemiparasites. All are members of the Scrophulariaceae, a family that contains many hemiparasitic and parasitic genera.

Hocas tae buí

Parentucellia viscosa (L.) Caruel.

Luibh bhliantúil leath-sheadánach, 150–450 mm ar airde, clúdaithe le clúmh greamaitheach, anso is ansúd i móinéir agus i bhféaraigh taise, flúirseach go minic sna háiteanna ina bhfásann sé, ó leibhéal na farraige go 280 m; gas díreach; duilleog gan chos, garbhchíorach, cinn íochtaracha i bpéirí urchomhaireacha, cinn uachtaracha ailtéarnach; bláth: Meitheamh–Lúnasa, glébhuí; cailís le ceithre mhaothán fhada; coróinín in dhá liopa, an liopa uachtar-ach trímhaothánach, i bhfad níos faide ná an ceannn uachtarach; toradh: capsúl atá níos giorra ná an chailís.

Yellow bartsia

An erect, sticky annual, hemi-parasitic, up to 150–450 mm tall; plentiful here and there in damp pastures; stem upright, sparingly branched; leaves ses-sile, coarsely toothed, lower in opposite pairs, upper alternate; flower June–August, bright yellow; calyx with four long teeth; corolla two-lipped, the lower lip three-lobed, much longer than the upper; fruit a capsule, shorter than the calyx. Often locally abundant in damp fields in Corca Dhuibhne, though rare outside Co. Kerry.

Lus riabhach

Pedicularis palustris L.—
Scrophulariaceae

Luibh 150–600 mm, leathsheadánach, bliantúil; coitianta i gcorraithe agus i móinte fliucha, ó leibhéal na farraige go 300 m. Gas: singil, an-ghéagach, lom, díreach, scáil chorcra ann; comhdhuilleog chleiteach lom ailtéarnach; bláth: Meitheamh –Lúnasa, bándearg nó dearg, i raicéim duilleogach; cailís fheadánach chlúmhach séidte, le dhá mhaothán neamhrialta; coróinín fheadánach, le dhá liopa; liopa uachtair comhbhrúite, le fiacail ar an dá thaobh ag an mbarr agus leath bealaigh ar an imeall; toradh: capsúl lioctha.

Red rattle

A hemiparasitic annual, 150–600 mm tall, common in marshes and wet pastures, from sea level to 300 m. Stem: single, freely branched, glabrous, erect, purple-tinged; leaf: pinnately divided, glabrous, alternate, segments toothed or pinnatifid; flower: June–August, pinkish-red, in a leafy raceme; calyx tubular, inflated, downy, with two irregular lobes; corolla tubular, two-lipped, upper lip compressed, with a tooth on each side half way along the margin and at the top; fruit: a flattened capsule.

Lus an ghiolla

Pedicularis sylvatica L.—
Scrophulariaceae

Luibh íseal leathsheadánach ilbhliantúil, an-choitianta ar phortaigh, ar fhraochaigh agus ar fhéaraigh thaise sléibhe, ó leibhéal na farraige go 900 m. An-chuid gas reatha gan ghéaga; duilleog: comhdhuilleog chleiteach lom ailtéarnach; bláth: Bealtaine–Iúil, bándearg nó dearg, i raicéim dhuilleogach; cailís fheadánach séidte, le ceithre mhaothán bheaga, lom no le beagán clúimh; coróinín fheadánach, le dhá liopa; liopa uachtair comhbhrúite, le fiacail ar an dá thaobh ag an mbarr amháin; toradh: capsúl lioctha.

Ceapadh tráth gur scaip an luibh seo míola i mbeithígh. Cé nach bhfuil sin fíor, tá seans ann go dtógfadh beithígh puchán ae sna gnáthóga fliucha ina bhfásann sé.

Lousewort

A low, perennial hemiparasite, very common on bogs, heaths and damp upland pastures, from sea level to 900 m. Many unbranched stems, leaf: pinnately divided, glabrous, alternate, segments toothed or pinnatifid; flower: May–July, reddish-pink, in a leafy raceme; calyx tubular, inflated, with four small lobes; glabrous or slightly hairy; corolla tubular, two-lipped, upper lip compressed, with a tooth on each side at the top; fruit: a flattened capsule.

Maothlán móna

Rhinanthus minor L.—Scrophulariaceae

Luibh 100–300 mm ar airde, beagnach lom, bliantúil, leathsheadán ar fhéartha, flúirseach i móinéir agus i mbánta, ó leibhéal na farraige go 725 m.

Gas: Díreach, cruaidh, le cúinní, go minic le scáil dhubh.

Duilleog: Lansach-leathfhada, cíorach, gan chos, i bpéirí urchomhaireacha.

Bláth: Bealtaine–Iúil; glébhuí, i spíce duilleogach foirceanta éadlúth; cailís fheadánach shéidte lioctha, béal cúng le ceithre fhiacail bheaga air; coróinín fheadánach, le dhá liopa; liopa uachtarach ina chochaillín le dhá fhiacail chorcra, liopa íochtarach le trí mhaothán, níos giorra ná an ceann uachtarach; dé-ghnéasach; ceithre staimín; dhá chairpéal tháite, stíl shingil; ubhagán uachtarach; pailniú feithide.

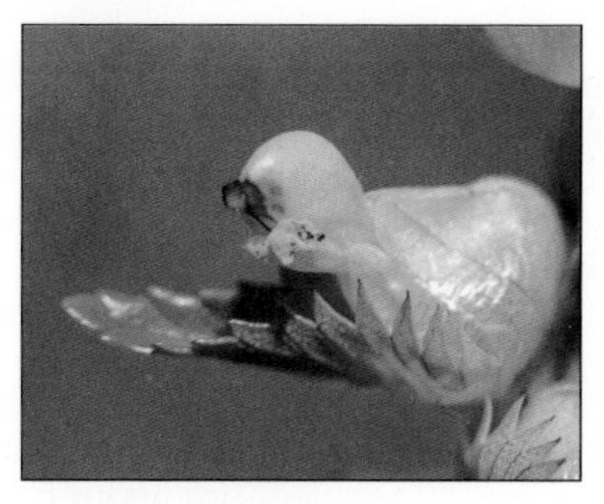

Bláthanna / Flowers

Toradh: Capsúl ciorclach lioctha, le cúpla síol; nuair a thriomaíonn siad, deineann na síolta glór istigh ann cosúil le "rattler" linbh agus iad á luascadh ag an ngaoth.

Yellow rattle

An erect, nearly glabrous annual, 100–300 mm, hemiparasite on grasses, abundant in pastures and meadows, from sea level to 725 m.

Stem: Erect, hard, angular, often blackish.

Leaf: Lanceolate-oblong, toothed, sessile, in opposite pairs.

Flower: May–July; bright yellow, in loose, leafy terminal spikes; calyx tubular, inflated, flattened, mouth narrow, with four small teeth; corolla tubular, two-lipped; upper lip hooded, compressed, with two purple teeth, lower lip three-lobed, shorter than upper; hermaphrodite; four stamens; two carpels, fused, single style; superior ovary; insect and self-pollinated.

Fruit: A round, flattened capsule with a few seeds.

Múchóg dhearg

Orobanche alba Stephan ex Willd.—Scrophulariaceae

Luibh ilbhliantúil, 100–250 mm ar airde, seadánach, a mhaireann ar phréamha an tím creige (*Thymus praecox*) agus b'fhéidir ar bhaill eile de na Labiatae; an-ghann, ach flúirseach in áiteanna anseo is ansiúd cois farraige.

Gas: Díreach, feolmhar, crón-dearg; gainní dearga ag a bhun.

Duilleog: Gan fhíordhuilleog; gainní ar an ngas.

Bláth: Meitheamh–Lúnasa, neamhrialta, le scáil dhearg, i ndias fhoirceanta; brachtanna níos giorra ná na bláthanna; cailís le dhá liopa; coróinín fheadánach, ag leathnú i dtreo an bhéil, le dhá liopa; déghnéasach; ceithre staimín; dhá chairpéal táite i gcill amháin; stíl shingil, stiogma le dhá mhaotháin dhearga, buailte le chéile; ubhagán uachtarach; pailniú feithide nó féinphailniú.

Toradh: Capsúl, le han-chuid síolta beaga.

Cuireann na múchóga péac isteach i bpréamh an óstaigh agus goideann an bia as. Níl aon chlóraifill acu féin, agus ní féidir leo bia a dhéanamh. Maireann siad mar thiúbar faoin talamh, agus ní bhíonn aon radharc orthu ach le linn dóibh bláthú.

Tá múchóg eile, an mhúchóg bheag (**Orobanche minor* L.) le feiscint i gCorca Dhuibhne freisin. Is seadán é ar na seamair (*Trifolium* sp.), agus is dócha gur tugadh isteach sa tír é le síol seamair nó féir. Tá dath buí-dhonn le scáil chorcra uirthi, na brachtanna ar comhfhad leis na bláthanna, feadán an choróinín sorcóireach, agus na stiogmaí corcra agus scartha.

Thyme broomrape

An erect perennial, 100–250 mm tall, parasitic on thyme (*Thymus praecox*) and possibly on other Labiateae; very rare, but locally abundant in a few coastal areas.

Stem: Erect, fleshy, reddish-brown; red scales at the base.

Flower: June–September; irregular, tinged reddish, in a terminal spike; bracts shorter than the flowers; calyx two-lobed; corolla tubular, widening towards the mouth, two-lipped; hermaphrodite; four stamens; two carpels, fused into a single cell; style single, stigmas two, contiguous lobes, reddish; superior ovary; insect and self-pollinated.

Fruit: A many-seeded capsule.

Broomrapes are fully parasitic: they lack chlorophyll (green pigment) and rely on their hosts for food.

Common broomrape (**Orobanche minor* L.) may also be seen in Corca Dhuibhne. It is parasitic on clovers and other Leguminosae, and may have been imported with clover or grass seed. The plant is yellowish-brown with a purple tinge, bracts equalling the flowers in length, corolla tube cylindrical, and stigmas purple and separated.

Leith uisce

Pinguicula grandiflora Lam.—
Lentibulariaceae

Luibh bheag ilbhliantúil, faireogach ach amháin ar an gcoróinín; coitianta i bpaistí loma silte portaigh agus fraochlaigh, ar charraigeacha fliucha agus fhailltreacha sléibhe, ó leibhéal na farraige go 850 m.

Gas: Gas an-ghearr, na duilleoga uile i gcnota bunach; caitheann sé an geimhreadh mar bhachlóg gan phréamh.

Duilleog: Ubhchruthach, 30–50 mm ar fad, buíghlas, slán, faireogach, ciosa iompaithe isteach.

Bláth: Bealtaine–Meitheamh; corcra le croí bán, ina aonar ar bhláthchos fada; cailís le dhá liopa; coróinín fheadánach, le sáil; dhá liopa, ceann dé-mhaothánach in uachtar, ceann trímhaothánach in íochtar, na maotháin cuarach agus ag dul thar a chéile; déghnéasach; dhá staimín; dhá chairpéal táite chun cill amháin a dhéanamh; ubhagán uachtarach; pailniú feithide.

Toradh: Capsúl a scoilteann ar a fhad in dhá leath.

Ball eile den "flora Lusitanica" is ea an planda seo. Tá sé coitianta sa chuid is mó de Chiarraí agus de Chorcaigh, in easnamh sa chuid is mó den tír taobh amuigh, mar a bhfásann *P. vulgaris* L. ina áit. Ní fhásann sé sa Bhreatain, ach faightear é i sléibhte theas na Fraince agus in iarthuaisceart Leithinis na hIbéire.

Plandaí feithiditeacha atá sna Lentibulariaceae, le seifteanna éagsúla chun breith ar fheithidí. Tálann faireoga na nduilleog súlach milis a mheallann míoltóga. Greamaíonn an mhíoltóg den nduilleog, agus tálann faireoga eile einsímí a dhíleánn an fheithid. Sa tslí seo faigheann an planda mianraí, go háirithe níotráití agus fosfáití, atá gann sna gnáthóga ina bhfásann sé.

Tugtar "leith uisce" freisin ar an bpuchán ae, péist sheadánach a mhaireann in ae caorach agus a dheineann an-damáiste dóibh. Tá deárthamh ag an bpuchán le crut na duilleoige. Mar sin cheap na daoine gur as an bplanda a tháinig an galar: "Táid siad sa talamh bhog—luibh bheag ghránna bhuí is ea í; trí cluasa uirthi, agus nuair a chimleofá do lámh di, leanfadh an saghas drúchta atá uirthi támáilte úr bog inti féin. Aisti sin a thógann na caoirigh iad" (Williams, 1993).

Large-flowered butterwort

Small perennial herbs, covered (except the corolla) in sticky glands that catch flies; common in bare patches on bogs and heaths, on wet rocks and mountain cliffs, from sea level to 850 m.

Stem: Very short, all leaves in a basal rosette; overwintering as a rootless bud.

Leaf: Elliptical, 30–50 mm long, yellowish-green, entire, glandular, margins inrolled.

Flower: May–June; purple with white centre, solitary on a long peduncle; calyx two-lipped; corolla tubular, spurred, two-lipped, two-lobed above, three-lobed below, lobes overlapping, margins wavy; hermaphrodite; two stamens; two carpels, fused into a single cell; superior ovary; insect-pollinated.

Fruit: A capsule splitting lengthwise.

Better known as the "Kerry violet", this insectivorous plant is a member of the so-called "Lusitanian flora". Common in the south-west, where it replaces *P. vulgaris* L., it is absent from most of Ireland and Britain. It reappears in the mountains of southern France and the north-western part of the Iberian Peninsula.

Slánlus mór

Plantago major L.—Plantaginaceae

Luibh íseal théagartha, lom nó beagáinín clúmhach, ilbhliantúil, flúirseach in áiteanna oscailte, i bhfásaigh, cois bóthar agus in áiteanna pasáilte, ó leibhéal na farraige go 400 m.

Gas: An-ghearr, na duilleoga uile i gcnota bhunaidh.

Duilleog: Leathan, ubhchruthach, slán, lom, droimíneach, le idir cúig agus naoi bhféith comhthreomhara; ag cúngú go cos leathan sciathánach atá ar comhfhad leis an lann.

Bláth: Meitheamh–Lúnasa; liathbhán, i ndias dhlúth ar chos atá ar comhfhad leis an dias (*c.* 150 mm); brachtanna glasa; ceithre sheipeal; coróinín fheadánach scannánach, le ceithre mhaothán triantánacha liatha; déghnéasach; ceithre staimín, antair chorcra nó donna ar fhaisc fada; dhá chairpéal táite, stíl shingil; ubhagán uachtarach; pailniú gaoithe.

Toradh: Capsúl le idir ocht gcinn agus sé cinn déag de shíolta dubha.

Luibh mhór leighis an planda seo. D'ullmhaítí deoch den phlanda go léir chun "na putóga a chur ag obair," nó chun réim a bhogadh agus a dhíbirt nó rith fola a chosc. Bhíodh leigheas sa síol ar thinneas uisce, titimeas, lia bhuí, galar ae agus dubhán. D'úsáidtí an phréamh púdraithe i meascán chun tinneas fiacaile a leigheas. Nítí súile tinne i súlach an phlanda nó san uisce ina mbeireofaí é. Dheintí deoch de dhuilleoga triomaithe agus púdraithe mar oideas piast; leáití an púdar céanna ar fhíon chun piastaí in othrais a mharú (chreidtí go mbíodh piast i lár gach othrais). Bhí leigheas ann freisin ar thinneas cinn agus alt, gearba nó tochas, rua, tine fhia, nó cneá faoi shileadh.

Greater plantain

A robust, low-growing perennial, glabrous or slightly downy, abundant in open habitats, waste places, roadsides and trodden areas, from sea level to 400 m.

Stem: Very short; all leaves in a basal rosette.

Leaf: Broad, oval, entire, glabrous, ridged, with five to nine parallel veins; narrowing to a broad, winged stem, the same length as the blade.

Flower: June–August; grey-white, in a slender, dense spike, on a stalk of similar length to the leaves (*c.* 150 mm); bracts green; four sepals; corolla tubular, with four triangular lobes; hermaphrodite; four stamens, anthers purple-brown on long filaments; two fused carpels, single style; superior ovary; wind-pollinated.

Fruit: A capsule with eight to sixteen seeds.

Native in Europe and Asia, the plant is now naturalised throughout most of the world as a weed of cultivation. Native Americans called it "Englishman's foot", because it grew wherever the newcomers walked or worked. Plants with seven-veined leaves were credited with wide curative powers.

Adharca fia

Plantago coronopus L.—Plantaginaceae

Planda íseal clúmhach débhliantúil, flúirseach ar ghrean, ar charraigeacha agus ar bhainc gainimhe cois mara. Gas: an-ghearr; duilleog: caol, cleiteogach, clúmhach, le meánfhéith amháin i gcnota bunaidh; bláth: Meitheamh–Lúnasa, ar dhias seang; ceithre phiotal bhuí; déghnéasach; ceithre staimín bhuí ar fhaisc fada; stíl shingil; ubhagán uachtarach; pailniú gaoithe; toradh: capsúl le trí nó ceithre shíol donn.

Seachas ar bhruach thoir Loch Gaineamháin (timpeall dhá mhíle slí ón gcósta), ní bhfaightear an planda seo i gCiarraí ach amháin cois farraige.

Buck's-horn plantain

A low, hairy biennial, abundant on gravel, rocks and sandbanks near the sea. Stem: very short; leaf: narrow, hairy, deeply pinnatifid, with a single midrib, in a basal rosette; flower: June–August, in a slender spike; four yellow petals; hermaphrodite; four yellow stamens on long filaments; style single; superior ovary; wind-pollinated; fruit: a capsule containing three or four seeds.

Slánlus mara

Plantago maritima (L.)—Plantaginaceae

Planda beag téagartha il-bhliantúil, lom de ghnáth; flúirseach ar ghrean agus ar charraigeacha, i gcóngar na farraige; anseo is ansiúd istigh sa tír, ó leibhéal na farraige go 670 m. Gas: gearr, adhmadach; duilleog: fada, caol, ramhar, slán, i gcnota bunaidh, le idir trí agus cúig nó uaireanta seacht bhféith doiléir; bláth: Meitheamh–Meán Fómhair, i ndias dlúth; ceithre phiotal saghas bán; déghnéasach; ceithre staimín ghlana bhuí ar fhaisc fada; stíl shingil, ubhagán uachtarach; pailniú gaoithe; toradh: capsúl le dhá shíol donn.

Fásann an planda seo ar shléibhte, ar charraigeacha agus cois locha isteach fén dtír chomh maith le cois na farraige.

Sea plantain

A short, sturdy perennial, usually glabrous, abundant on gravel and rocks near the sea, occasional inland, from sea level to 670 m. Stem: short, woody; leaf: long, narrow, fleshy, entire, in a basal rosette, with three to five, occasionally seven, faint veins; flower: June–September, in dense spikes; four petals, whitish; hermaphrodite; four pale-yellow stamens on long filaments; single style, superior ovary; wind-pollinated; fruit: a capsule containing two brown seeds.

The plant occurs inland on mountains, rocks and lakeshores as well as by the sea.

Slánlus

Plantago lanceolata L.—Plantaginaceae

Planda lom ilbhliantúil, le bonnstoc téagartha, flúirseach i ngach áit i móinéir, taobh bóthair, ar thalamh saothraithe is i bhfásaigh, ó leibhéal na farraige go 725 m.

Gas: An-ghearr, na duilleoga uile i gcnota bunaidh.

Duilleog: Fada, caol, slán, beagnach lom, ag caolú go cos; le idir trí agus seacht bhféith suntasach, beagnach comhthreomhar.

Bláth: Meitheamh–Iúil; i ndias dlúth foirceanta, ar chos fhada eitreach; brachtanna dubha; ceithre sheipeal; coróinín fheadánach scannánach, le ceithre mhaothán triantánacha, saghas bán; déghnéasach; ceithre staimín, antair saghas bán ar fhaisc fhada; dhá chairpéal táite, stíl shingil; ubhagán uachtarach; pailniú gaoithe.

Toradh: Capsúl le dhá shíol dubha.

Bhí an planda seo forleathan san Eoraip ag deireadh na hOighearaoise, ach d'éirigh sé an-fhlúirseach nuair a thosaigh na feirmeoirí Neoiliteacha ag leagadh na bhforaoiseacha. Is fiáile curadóireachta anois é, agus is cúis mhór fiabhrais léana a chuid pailín. Tá cógaisí frithbhaictéaracha agus fuiltriomaithe san luibh. Dheintí céirí as fadó a chuirtí le créachta nó le dó, agus d'óltaí nó d'ití ullmhúcháin de na duilleoga mar phurgóid nó mar phurgóid piast nó mar faoiseamh ar ghúta. San Blascaod chogaintí "an bhileog" ar dtúis sara gcuirtí leis an ngearradh nó leis an gcréacht í: "Slánlus—é bhrú fé d'fhiacla nó idir dhá lic cloiche agus é chur ar an gcneá nó an ngearradh chun é leigheas is é chneasú chomh maith. Tá scéal ann a deir gurb é an slánlus a cuireadh le cneá Ár dTiarna" (SCC).

Bhí leigheas inti ar aicídí áirithe bó leis. Is as an leigheas so ar fad a tháinig an ainm "slánlus". "Saighdiúirí" a tugtar ar na diasa bláth, agus is mó cluiche d'imríodh leanaí leo.

Ribwort plantain

A glabrous perennial with a tough rootstock, abundant everywhere, in meadows, on roadsides, in waste places, from sea level to 725 m.

Stem: Very short; all leaves in a basal rosette.

Leaf: Long, narrow, entire, almost glabrous, upright, narrowing to a stalk, with three to seven prominent veins, almost parallel.

Flower: May–July; whitish, in a dense terminal spike on a long, furrowed stalk; bracts black; four sepals; corolla tubular, membranous, with four triangular lobes; hermaphrodite; four stamens, anthers whitish, on long filaments; two carpels, fused, single style; superior ovary; wind-pollinated.

Fruit: A capsule, with two black seeds.

This plant was widespread in Europe at the end of the last Ice Age, but it was only when the Neolithic farmers began to clear the forests that it became the abundant weed of cultivation it now is. Its English name "soldiers" and the children's game played with it are believed to be very ancient.

Trom

Sambucus nigra L.—Caprifoliaceae

Crann beag bréan le coirt liath coirc, na géaga lán de laíon, flúirseach i gcoillte agus i bhfálta in aice le tithe, ó leibhéal na farraige go 300 m.

Gas: Adhmad go 12 m ar airde; go minic casta, cam.

Duilleog: I bpéirí urchomhaireacha, comhdhuilleog chleiteach le idir cúig agus naoi bhfodhuille ubhchruthach nó lansach, cíorach, biorach, le cos; stípeoga beag nó in easnamh.

Bláth: Meitheamh–Iúil; bán, cumhra, 5–7 mm trastomhas, iliomad i gcíomaí; cailís chúigfhiaclach, feadán táite leis an ubhagán; coróinín le cúig mhaothán leata amach in dhá liopa; déghnéasach; cúig staimín; trí chairpéal táite, stíl shingil, stiogma trímhaothánach; ubhagán íochtarach; pailniú feithide.

Toradh: Drúp dubh, tríshíolach, cosúil le caor.

Bhí an-mheas ag na draoithe ar an dtrom: i dteannta an chuilinn agus an chaorthainn mheabhraíodh sé lena bhláth agus lena thoradh cur agus baint an fhómhair do na feirmeoirí. Chreidtí go raibh baint aige le hainsprideanna; in áiteanna áirithe ní úsáidtí é mar ábhar tine nó chun bád nó cliabhán a dhéanamh. Cheaptaí go ndeineadh cailligh draíochta crainn troim díobh féin agus go dtiocfadh fuil as dá ngearrfaí a leithéid de chrann. Bhíodh a gcuid scéal féin ag na Críostaithe: gur den chrann seo a chroch Iúdás é féin agus gurbh as sin an boladh bréan; gur den adhmad a deineadh cros Chalvaire, agus gur comhartha bróin agus báis a bhí ann as sin amach.

Fós chreidtí go mbeadh suaimhneas ó dheamhain agus ó ainsprideanna ag mairbh a bheadh curtha fé scáth troim.

Bhí leigheas sa trom freisin, mar shampla ar bhricineach: uisce a driogfaí as duilleoga troim sa Bhealtaine a chuimilt den aghaidh ar mheath na gealaí, ghlanfadh sé bricineach nó goiríní.

Tae láidir de bhlátha troim agus mismín a ól, anthe, an rud déanach istoíche—leigheas ar fliú. Crúca blátha troim agus crúca mismín i gcrúiscín, doirt piunt go leith uisce fiuchaidh orthu agus tarraic ar feadh tríocha nóiméad. Scag, athéigh, ól. Milsigh le mil nó siúcra más gá.

Elder

A small, greyish, corky-barked, fetid tree, its branches containing soft pith, abundant in woods and hedgerows near houses, from sea level to 300 m.

Trunk: wood, often crooked, up to 12 m high.

Leaf: In opposite pairs, pinnate, with five to nine stalked, oval or lanceolate, toothed, pointed leaflets; stipules tiny or absent.

Flower: June–July; white, fragrant, 5–7 mm diameter, numerous, in cymes; calyx five-toothed, tube fused to the ovary; corolla with five spreading lobes forming two lips; hermaphrodite; five stamens; three fused carpels, single style, stigma three-lobed; inferior ovary; insect-pollinated.

Fruit: A black, three-seeded, berry-like drupe.

The plant was sacred to the druids and was highly regarded for its reputed magical and curative powers. A long list of herbal uses is attributed by various authorities.

Táthfhéithleann

Lonicera periclymenum L.—
Caprifoliaceae

Dreapadóir scaipthe inlomtha a fhásann go tapaidh, flúirseach i bhfálta, i gcoillte agus i screagáin, ó leibhéal na farraige go 450 m.

Gas: Adhmadach, féithleanta, suas go 7 m ar airde.

Duilleog: Ubhchruthach, slán, 25–50 mm ar fad, íochtar glasghorm; gan chos, i bpéirí urchomhaireacha.

Bláth: Meitheamh–Lúnasa; neamhrialta, buíbhán le scáil dhearg, i mbláthcheann foirceanta; cailís fheadánach, táite leis an ubhagán, le cúig fhiacail bheaga; coróinín fheadánach, le dhá liopa mhíchothroma; déghnéasach; cúig staimín; dhá chairpéal táite, stíl shingil, stiogma slán, barr ata; ubhagán íochtarach; pailniú feithide agus féinphailniú.

Toradh: Cnuasach caor cruinneogach dearg, le idir dhá agus ocht síol. *Rabhadh:* Tá nimh lag sa chaor.

Bláth / Flower

Sa Mheánaois d'óltaí deoch de chaor an táthfhéithlinn ar fhíon chun cruas liatháin a bhogadh agus feadáin a réiteach. Chreidtí go raibh sé go maith freisin do chasachtach, ghearranáil, agus luí seoil. D'úsáidtí na duilleoga púdraithe le fíon in aghaidh fiabhrais. Bhíodh leigheas sna duilleoga beirbhthe ar lia bhuí, agus dheintí na duilleoga úra a chogaint chun tinneas fiacaile a leigheas; dheintí amhlaidh mar leigheas ar bhéal tinn nó ar dhrochanáil. Chreidtí go raibh cumhacht san luibh in aghaidh ainsprideanna freisin, agus in áiteanna áirithe d'úsáidtí i ndeoch leighis in aghaidh an "tsúil mhillte" é.

Glaotar "mil na ngabhar" ar an mbláth.

Toradh / Fruit

Honeysuckle

A diffuse, fast-growing climber, deciduous, common in hedgerows, woods and rocky places, from sea level to 450 m.

Stem: woody, clockwise twiner up to 7 m high.

Leaf: Oval, entire, 25–50 mm long, undersurface glaucous; sessile, in opposite pairs.

Flower: June–August; irregular, creamy-white, sometimes tinged with red; sessile, in a terminal flower-head; calyx tubular, fused to ovary, with five tiny teeth; corolla tubular, with two unequal lips; hermaphrodite; five stamens; two carpels, fused, single style, stigma entire; inferior ovary; insect and self-pollinated.

Fruit: A cluster of red, globular berries, two to eight-seeded. *Warning:* The berries are mildly poisonous.

The leaves and berries were used in various medicinal preparations; the plant was also believed to have power to protect against the "evil eye".

Caorthann corraigh

Valeriana officinalis L.—Valerianaceae

Luibh lom ilbhliantúil, 0.5–1.25 m ar airde, le boladh láidir, coitianta i ndígeacha, i gcorraithe, ar bhruacha abhann, i gcoillte taise agus i ndraipeanna fliucha sléibhe, ó leibhéal na farraige go 800 m.

Gas: Gas bláfar simplí, díreach in airde, ag éirí as riosóm téagartha.

Duilleog: Comhdhuilleog chleiteach, 25–200 mm ar fad, i bpéirí urchomhair-eacha; idir naoi gcinn agus trí cinn déag d'fhodhuillí lansacha cíoracha; cos faoi na duilleoga íochtaracha.

Bláth: Meitheamh–Lúnasa; bán no bándearg éadrom, 5 mm trastomhas, beagnach rialta, i gcoirímí foirceanta; cailís fheadánach, roinnte i bhfiacla infhillte, a fhásann amach chun papas cleiteach a dhéanamh ar an toradh aibí; coróinín fheadánach chúigmhaothánach, le sáil bheag ar an bhfeadán; déghnéasach; trí staimín; trí chairpéal táite, ná forbraíonn ach ceann amháin acu; ubhagán íochtarach; pailniú feithide agus féinphailniú.

Toradh: Aicéin le papas cleiteach.

Dheintí deoch suain as an luibh seo chun fuascailt a thabhairt ar na drochriochta a leanann suaiteacht aigne nó cráiteacht: neamh-chodlatacht, ísle brí, meabhrán, agus mar sin de. D'úsáidtí é chun spreanga titimis nó falrais a mhaolú, mar nimhíoc ar shnapanna nó chealga nimhe. Dheintí deoch as an bpréamh chun an córas análaithe a ghlan-adh, chun cneá inmheánach a leigheas, nó chun gnáthas na mban a spreagadh. Chuirtí céirí den phréamh le scolb nó dealg chun é a tharrac.

D'úsáidtí mar spíosra agus mar chumhrán é sa Mheán-aois; chuirtí an phréamh in éadach chun boladh úr a bheith uaidh agus chun na leamhan a dhíbirt. Meallann boladh na préimhe ainmhithe, go mór mór cait.

Bláth / Flower

Common valerian

A glabrous, strong-smelling perennial, 0.5–1.25 m tall, common in ditches, marshes, river banks, damp woods and damp mountain ledges, from sea level to 800 m.

Stem: Simple, erect, flowering stem arising from a stout rhizome.

Leaf: Pinnatifid, 25–200 mm long, in opposite pairs, with between nine and thirteen lanceolate, toothed leaflets; lower leaves stalked.

Flower: June–August; white or pale pink, 5 mm diameter, almost regular, in terminal corymbs; calyx tubu-lar, with inrolled divided lobes, expand-ing in fruit into a feathery pappus; corolla tubular, with a small spur, five-lobed; hermaphrodite; three stamens; three carpels, only one developing; inferior ovary; insect and self-pollination.

Fruit: Egg-shaped, flattened achenes with a feathery pappus.

Slán iomaire

*Centranthus ruber (L.) DC.—Valerianaceae

Luibh lom ilbhliantúil, 250–600 mm in airde, anseo is ansiúd ar sheanfhallaí agus ar charraigeacha in aice le tithe, ó leibhéal na farraige go 150 m.

Gas: Díreach, lom, ag déanamh toir bhig, adhmadach ina bhun.

Duilleog: Ubhchruthach nó lansach, beagnach slán, le scáil ghorm; i bpéirí urchomhaireacha, na cinn íochtaracha le cos.

Bláth: Bealtaine–Meán Fómhair; dearg, bán, nó bándearg, i bpanacail dhlútha; cailís fheadánach chúigmaothánach, roinnte i bhfiacla infhillte, a fhásann amach chun papas cleiteach a dhéanamh ar an toradh aibí; coróinín fheadánach, le sáil, cúigmhaothánach, neamhrialta; déghnéasach; staimín singil; trí chairpéal tháite, ná forbraíonn ach ceann amháin acu; ubhagán íochtarach; pailniú feithide.

Toradh: Aicéin le papas.

Toradh / Fruit

D'úsáidtí síol an phlanda seo chun marbhán a leagan amach. Ar an Mór-roinn itear na duilleoga óga i sailéid; sa bhFrainc deintear anraith uaireanta as an bpréamh.

Seo bláth a mheallann féileacáin, a thógann mil ó fheadáin an choróinín le linn dóibh an bláth a phailniú. Tugadh ó chríocha na Meánmhara go Sasana é sa Mheánaois, agus tháinig sé go hÉirinn ina dhiaidh sin. Ag tosach an chéid seo ní raibh sé le fáil i gCiarraí ach in aice le tithe agus ar sheanfhothracha; tá sé níos flúirsí anois.

Red valerian

A glabrous perennial 250–600 mm high, locally frequent on old walls and rocks, from sea level to 150 m.

Stem: Erect, glabrous, forming a clump, woody at the base.

Leaf: Oval or lanceolate, almost entire, glaucous; in opposite pairs, lower leaves stalked.

Flower: May–September; red, white, or pink, in dense panicles; calyx tubular, with five inrolled, divided lobes, expanding in fruit into a feathery pappus; corolla tubular, spurred, with five unequal lobes; hermaphrodite; one stamen; three carpels, only one developing; inferior ovary; insect-pollinated.

Fruit: An achene with pappus.

This Mediterranean plant, also known as "setwall", was common in England in Chaucer's time:

Then springen herbs great and smale,
The licoris and the setewale.

It was introduced into Ireland somewhat later and is still mainly confined to the vicinity of dwellings. It is one of a number of plants grown in gardens for its attractiveness to butterflies.

Odhrach bhallach

Succisa pratensis Moench—Dipsacaceae

Luibh cuibheasach ard (0.3–1 m), clúmhach, ilbhliantúil; flúirseach in áiteanna oscailte i gcorraithe, i mbánta sléibhe agus i móinteáin, ó leibhéal na farraige go 800 m.

Gas: Díreach, clúmhach, géagach, ag éirí as phréamh le cuma mhanntach air.

Duilleog: Ubhchruthach-leathfhada, slán, ar beagán clúimh; le cos, i gcnota bunaidh no i bpéirí urchomhaireacha in íochtar an ghais.

Bláth: Iúil–Meán Fómhair; gormchorcra, beag, gan chos, i mbláthcheann leath-chruinneogach, 25 mm trasna, le tiomchla brachtanna faoi; cupán ceithremhaothánach de bhraichtíní timpeall gach bláthóige; cailís fheadánach le ceithre fhiacail ghuaireacha; coróinín le feadán fada ceithremhaothánach; déghnéasach agus aon-ghnéasach baineann; ceithre staimín; dhá chairpéal táite i gcill amháin; stíl shingil; ubhagán íochtarach; pailniú feithide.

Toradh: Aicéin, clúdaithe ag an gcailís le ceithre ribe ghuaireacha agus ag an gcupán braichtín.

De réir scéil bhí leigheas chomh láidir sa luibh seo go dtáinig formad ar an Áibhirseoir agus go mbain sé snap as an bpréamh. Seo bunús na hainme “devil’s bit” sa Bhéarla. Sa tseansaol Ceilteach chreidtí go raibh sé an-cumhachtach i gcoinne an “tsúil mhillte”. D’óltaí súlach nó urbhruith den luibh, nó chuimiltí ungadh de den chraiceann chun tochas agus an scrabhadh nó chneá a leanann é a leigheas. D’úsáidtí meascán den súlach, púdar bóráis agus cabáiste faille chun an craiceann in aon pháirt den cholainn a ghlanadh agus bricineach agus spotaí a bhaint. Nítí an ceann leis an meascán seo chun caradh an chinn, scalpán, rua, paistí tinne, tochas nó aon aicíd ar mhullach an chinn a ghlanadh.

Devil’s-bit scabious

A mid-tall (0.3–1 m), hairy perennial, abundant in open habitats, in marshes, upland pastures and heaths, from sea level to 800 m.

Stem: Erect, hairy, branched, arising from a short, blunt rootstock.

Leaf: Oval-oblong, stalked, entire, sparsely hairy or glabrous, mostly basal or in opposite pairs low down on the stem.

Flower: July–September; purplish-blue, small, sessile, in a hemispherical flower-head, 25 mm across, surrounded by an involucre of bracts, each floret surrounded by a four-lobed cup of fused bracteoles; calyx tubular, with four bristle-like teeth; corolla with long tube, four-lobed; hermaphrodite and unisexual female; four stamens; two carpels, fused into a single chamber, single style; inferior ovary; insect-pollinated.

Fruit: An achene, enclosed by the calyx tube with four bristle-like points and the bracteole cup.

The rootstock is short and abruptly truncated, as though bitten. The story goes that the Devil, jealous of its healing power, bit off a part of the root, hence the name “devil’s bit”.

Luibh an ghalair cam

Jasione montana L.—Campanulaceae

Luibh íseal (100–400 mm) chlúmhach dhébhliantúil, coitianta ar mhóinteáin, lantáin ghlasa agus screagáin sléibhe, ó leibhéal na farraige go 950 m.

Gas: Íseal, ag iompú in airde le bláthú, géagach uaireanta.

Duilleog: Lansach-leathfhada, clúmhach, le ciosa cuaracha; ailtéarnach ar an ngas, agus i gcnota bunaidh.

Bláth: Meitheamh–Lúnasa; gléghorm, beag, rialta, le cos ghearr; i mbláthcheann dlúth cruinn, 15–25 mm trasna, tiomchla brachtanna faoi; cailís fheadánach, táite leis an ubhagán, le cúig fhiacail thanaí; coróinín le cúig mhaothán fhada chaola eisréimneacha; déghnéasach; cúig staimín, antair táite timpeall na stíle; dhá chairpéal táite; dhá stíl, na stiogmaí trímhaothánach; ubhagán íochtarach; pailniú feithide.

Toradh: Capsúl ubhchruthach leis an gcailís timpeall air; cúpla síol ann; osclaíonn sé le dhá fhiacail ghearra.

Chreidtí go raibh leigheas ar an ngalar cam i gcaoirigh sa luibh seo. Dheintí an luibh a bheiriú agus an t-uisce a thabhairt le n-ól don ainmhí (Dún Chaoin, 1965).

Is é an méaracán gorm (*Campanula rotundifolia* L.) an ball eile de na Campanulaceae atá coitianta in Éirinn: luibh íseal lom ilbhliantúil; gas: tanaí le duilleoga lansacha, duilleoga cruinne i gcnota bunaidh; bláth: Iúil–Lúnasa, bánghorm, ar nós chloigín chúigmhaothánach, ceann faoi, ina aonair nó i raicéim ghairid; i ndumhcha, féaraigh is failltreacha sléibhe.

Sheep's bit scabious

A low (100–400 mm), hairy biennial, common on heaths, grassy patches and rocky places in mountains, from sea level to 950 m.

Stem: Low-growing, sometimes branched, turning upwards to flower.

Leaf: Lanceolate-oblong, hairy, with wavy margins; alternate on the stem and in a basal rosette.

Flower: June–August; bright blue, small, regular, short-stalked, in dense, rounded heads, 15–25 mm diameter, with an involucre of bracts; calyx tubular, fused to the ovary, with five narrow teeth; corolla, five long, narrow, spreading lobes; hermaphrodite; five stamens, anthers joined around styles; two carpels, fused; two styles, stigmas three-lobed; inferior ovary; insect-pollinated.

Fruit: An egg-shaped capsule, surrounded by the calyx; containing several seeds; opening by two short teeth.

The other common member of the Campanulaceae is the harebell (*Campanula rotundifolia* L.), a short, glabrous perennial; thin stems with lanceolate leaves rising from a basal rosette of rounded leaves; flower: July–August, pale blue, bell-shaped, five-lobed, drooping; single or in short racemes.

Mileanna móna

Wahlenbergia hederacea (L.) Reichenb.—Campanulaceae

Luibh bheag leochaileach lom ilbhliantiúil, anseo is ansiúd ar lantáin ghlasa taise, ar bhruacha abhann agus lochán, ó leibhéal na farraige go 300 m. Gas: tanaí, sínte, streachlánach; duilleog: ciorclach, maothánach-bosach, le cos; bláth: Iúil– Lúnasa; bán-ghorm, ina aonar ar chos fhada, ar aghaidh na duilleoige amach; coróinín i bhfoirm cloigín, le cúig mhaothán iompaithe siar; déghnéasach; cúig staimín, saor; ubhagán íochtarach; toradh: capsúl clúdaithe ag an gcailís. Cé go bhfuil an planda seo gann, is minic a bhíonn sé flúirseach san áit a fhásann sé. I ndeisceart na tíre is mó a faightear é.

Ivy-leaved bellflower

A small, delicate perennial, rare and local, in damp grassy patches on river banks and lakesides, from sea level to 300 m. Stem: slender, prostrate, straggling; leaf: circular, palmately lobed, stalked; flower: July–August, pale blue, solitary, long-stalked, opposite the leaves; corolla bell-shaped, with five reflexed lobes; hermaphrodite; five stamens, free; inferior ovary; fruit: a capsule, covered by the calyx. Although rare, the plant is often abundant where it occurs.

Plúr an locháin

Lobelia dortmanna L.—Campanulaceae

Luibh uisce báite il-bhliantúil, coitianta anseo is ansiúd i locha fíoruisce le grinneall grin, ó leibhéal na farraige go 475 m. Gas: bláfar, díreach in airde, gan ghéag, 150–250 mm os cionn dromchla an uisce, ag éirí ó stólain; duilleoga cúnga ramhra maola i gcnota bunaidh ar ghrinneall; bláth: Iúil–Lúnasa, corcra éadrom, neamhrialta, i raicéim; cailís fheadánach, táite leis an ubhagán, cúigfhiaclach; coróinín fheadánach fhada chaol, scoilte in dhá liopa ag a bharr; déghnéasach; cúig staimín; ubhagán íochtarach; toradh: capsúl clúdaithe ag an gcailís. Tá an planda seo flúirseach ó Chiarraí go Dún na nGall ach gann sa chuid eile den tír.

Water lobelia

A submerged perennial, locally common in gravelly freshwater lakes, from sea level to 475 m. Flowering stem leafless, unbranched, erect, 150–250 mm above the surface, arising from stolons; leaf: narrow, fleshy, blunt, forming a rosette on the lake bottom; flower: July–August, pale mauve, irregular, in a raceme; calyx tubular, fused to the ovary, five-toothed; corolla tubular, long, narrow, divided into two lips at the tip; hermaphrodite; five stamens; inferior ovary; fruit: a capsule covered by the calyx. This plant is frequent from Kerry to Donegal but very rare elsewhere.

Lus an fhalsaora

Solidago virgaurea L.—Compositae

Luibh dhíreach, 150–600 mm ar airde, beagnach lom, ilbhliantúil, coitianta ar chlathacha, fálta, coillte, móinteáin is screagáin, ó leibhéal na farraige go 1,000 m.

Gas: Díreach in airde, géagaithe in uachtar amháin.

Duilleog: Lansach, fada, cíorach, ailtéarnach, gan chos ach ag caolú ag a bun.

Bláth: Iúil–Meán Fómhair; buí, bláthóga gathacha i bhfáinne amháin ar imeall, dioscacha sa lár; i mbláthcheann 6–10 mm trastomhas, tiomchla sorcóireach de bhrachtanna faoi, na bláthchinn i bpanacail fhoirceanta; cailís i bhfoirm papas de ribí síodúla; coróinín fheadánach, neamhrialta (gathach) nó rialta (dioscach), cúigmhaothánach (léaráid, lch 23); bláthóga gathacha baineann nó aimrid, bláthóga dioscacha déghnéasach; cúig staimín, antair táite i bhfeadáin timpeall na stíle; cairpéal singil, stíl shingil, stiogma gabhlánach; ubhagán íochtarach; pailniú feithide nó féinphailniú.

Toradh: Aicéin le papas de ribí simplí.

Tá trácht ar an bplanda seo mar luibh leighis, mar ungadh nó mar dheoch, ó aimsir an Ghearmánaigh Hieronymus Bock, a scríobh leabhar luibheolaíochta sa bhliain 1546. D'úsáidtí é chun créachtaí inmheánacha nó seachtracha a chneasú, chun fual a bhrostú, chun clocha fuail a bhriseadh, chun feadáin an ae agus an liatháin a réiteach, mar chraosfholcadh chun othrais béil agus scornaí a chneasú, chun na baill giniúna a ní mar leigheas ar ghalair collaí, agus chun fuil mhíosta trom nó maidhm seicne a mhaolú. Is iad na duilleoga óga, úr nó triomaithe, a úsáidtí. D'allmhairítí lear mór de go Londain sa séú haois déag, go dtí gur fritheadh ag fás é fén dtuath máguaird. Tá meas ar an speiceas seo agus ar speicis agus hibridí ó Mheiriceá mar phlandaí garraí. Spreagann a bpailín fiabhras léana, áfach.

Toradh / Fruit

Goldenrod

An erect, almost glabrous perennial, 150–600 mm tall, common in banks, hedgerows, woods, heaths and rocky places, from sea level to 1,000 m.

Stem: Erect, branched only in upper part.

Leaf: Lanceolate, toothed, alternate, sessile, narrowed at base.

Flower: July–September; yellow, single outer row of ligulate ray florets, disc florets in centre; in flower-heads 6–10 mm diameter surrounded by cylindrical involucre of bracts; flower-heads in terminal panicles; calyx in form of a pappus of silky hairs; corolla tubular, irregular (ray florets) or regular (disc florets), five-lobed (diagram, p. 23); ray florets female or sterile, disc florets hermaphrodite; five stamens, anthers united into a tube around the style; single carpel, single style, stigma forked; inferior ovary; insect or self-pollinated.

Fruit: Achene with a pappus of simple hairs.

Valued as a medicinal herb in the sixteenth and seventeenth centuries, goldenrod and its hybrids and related species are today valued as garden plants. Their pollen is among those responsible for hay fever.

Nóinín

Bellis perennis L.—Compositae

Luibh íseal ilbhliantúil shíorghlas, flúirseach i bhféar gearra, i mbánta, ciosa bóthar is clathacha, ó leibhéal na farraige go 725 m.

Gas: An-ghairid.

Duilleog: Cnota íseal síorghlas, slán nó maolchíorach, feolmhar, ar cruth spúnóige, le cos leathan.

Bláth: Ar feadh na bliana ach níos flúirsí Márta–Deireadh Fómhair; bláthóga gathacha bána ar an imeall, bláthóga dioscacha buí sa lár; i mbláthcheann 20 mm trastomhas, ina aonar ar chos gan duilleoga; tiomchla brachtanna faoi in dhá shraith, an-chuid ag dul thar a chéile; bláthóga gan phapas; comhdhéanamh ginearálta na mbláthóg cosúil le *Solidago* (lch 214; léaráid, lch 23); bláthóga gathacha baineann, bláthóga dioscacha déghnéasach; pailniú feithide nó féinphailniú.

Toradh: Aicéin gan phapas.

D'úsáidtí an planda seo mar luibh leighis tráth. Chuirtí na duilleoga agus na préamha ag beiriú in uisce, agus d'óltaí an deoch mar leigheas ar an treighid nó ar chréachta. Thugtaí é do dhaoine le gaid bhrád, agus chuirtí an planda beirithe mar cheirí leis na cnapáin. Chuirtí na duilleoga ar bogadh i mbainne asail a bheadh díreach beirithe agus d'óltaí é chun eitinn scamhóg a leigheas. D'úsáidtí é in ullmhúcháin do shúile tinne freisin, agus in ungadh a chuimiltí d'úth bó.

Ceann bláthra / Inflorescence

Deirtear dá seasódh duine ar an gcéad nóinín a chífeadh sé aon bhliain go mbeadh sé ag tabhairt an fhéir agus na nóinín faoi dheireadh na bliana!

Daisy

A low-growing evergreen perennial, abundant in short grass, pastures, roadsides and banks, from sea level to 725 m.

Stem: Very short.

Leaf: Spoon-shaped with wide, flat stalk; entire or bluntly toothed, fleshy, in a basal rosette.

Flower: All year round, most numerous March–October; ray florets white, disc florets yellow, in a solitary flower-head 20 mm diameter, surrounded by an involucre of two rows of overlapping bracts; flower-stalk leafless; florets without pappus; general structure of florets as in *Solidago* (p. 214; diagram, p. 23); ray florets female, disc hermaphrodite; insect-pollinated

Fruit: Achene; pappus absent.

The daisy was used as a medicinal herb, to treat scrofula, consumption, pleurisy, and internal and external wounds.

Luibh bléine

Aster tripolium L.—Compositae

Luibh ard (0.2–1 m) lom ilbhliantúil, forleathan feadh an chósta, ar chladaigh agus ar fhailltreacha i raon an chúráin, agus i riasca sáile. Gas: riosóm téagartha; duilleog: lansach, feolmhar, lom, slán; bláth: Lúnasa–Meán Fómhair; bláthóga gathach corcra, gorm, nó bán, bláthóga dioscacha buí, i mbláthcheann 12–20 mm treasna; i gcoirím dhlúth fhoirceanta, papas donn de ribí simplí; comhdhéanamh ginearálta na mbláthóg cosúil le *Solidago* (lch 214; léaráid, lch 23); gathacha baineann nó aimrid, dioscacha déghnéasach; toradh: aicéin le papas.

Sea aster

A glabrous perennial, 0.2–1 m tall, widespread on sea-shores and cliffs in the spray zone and on saltmarshes. Leaf: lanceolate, fleshy, glabrous, entire; flower: August–September; ray florets white or pale purple, disc florets yellow, in flower-heads 12–20 mm diameter, heads in dense terminal corymbs; brownish pappus of simple hairs; general structure of florets as in *Solidago* (p. 214; diagram, p. 23); ray female or sterile, disc hermaphrodite; fruit, achene with pappus.

Liathlus

Gnaphalium uliginosum L.—Compositae

Luibh íseal (50–150 mm) chlúmhach bhliantúil, anghéagach, coitianta i dtalamh lom gainimhe nó móna ina luíonn uisce ó am go ham, ó leibhéal na farraige go 350 m. Gas: géagach ó bhonn duilleogach, clúdaithe le clúmh liath; duilleog: ailtéarnach, líneach-lansach, clúdaithe le clúmh liath ar an dá thaobh; bláth: Iúil–Meán Fómhair; bláthóga sórt buí, iad ar fad feadánach nó dioscach, le papas, i mbláthchinn bheaga 3–4 mm treasna, le tiomchla brachtanna donna lansacha; gan chos, idir trí agus deich gcinn acu i gcnuasaigh foirceanta, na duilleoga ag a mbun níos airde ná iad; comhdhéanamh ginearálta na mbláthóg cosúil le *Solidago* (lch 214; léaráid, lch 23); formhór na mbláthóg baineann, cúpla ceann déghnéasacha sa lár; pailniú feithide agus féinphailniú; toradh: aicéin le papas.

Marsh cudweed

A low (50–150 mm), downy, much-branched annual, common on bare sandy or peaty soil in situations liable to intermittent flooding, from sea level to 350 m. Stem: branched from base, leafy, covered with greyish down; leaf: alternate, linear or lanceolate, covered on both sides with greyish down; flower: July–September; florets yellowish, all tubular or disc, with pappus, in small heads 3–4 mm diameter, with brown involucre; sessile; in terminal groups, overtopped by leaves; structure of florets as in *Solidago* (p. 214; diagram, p. 23); most florets female, fruit: achene with pappus.

Lus na ndreancaidí

Pulicaria dysenterica (L.) Bernh.—Compositae

Luibh leath-ard (300–600 mm), díreach in airde, ilbhliantúil, clúdaithe le ribí boga clúmhnánacha, anseo is ansiúd cois bóthair agus i mbánta taise, flúirseach san áit ina bhfásann sé, ó leibhéal na farraige go 300 m.

Gas: Díreach, géagach, duilleogach, clúdaithe le ribí clúmhnánacha, stólain ag leathadh amach uaidh agus ag déanamh paistí móra.

Duilleog: Ubhchruthachleathfhada, ailtéarnach, ag greamú an ghais; cuarach, cíorach, rocach.

Bláth: Lúnasa–Meán Fómhair; bláthóga go léir buí, gathach ar imeall, le ligiúil ("ga") fada caol, dioscach (feadánach) sa lár, i mbláthcheann 25 mm i dtrastomhas; tiomchla de mhórán brachtanna bioracha faoi; na bláthchinn i gcoirím fhoirceanta éadlúth; papas de dhá fháinne, cupán scannánach taobh amuigh, ribí simplí taobh istigh; comhdhéanamh ginearálta na mbláthóg cosúil le *Solidago* (lch 214; léaráid, lch 23); bláthóga go léir déghnéasach; pailniú feithide agus féinphailniú.

Toradh: Aicéin le papas.

Tagann an ainm luibheolaíochta ó *pulex,* an Laidin ar dhreancaide, agus *dysenteria,* an Laidin ar bhuinneach dhearg. Bhíodh an planda in úsáid mar luibh tís ar feadh na gcéadta bliain. Chreidtí go gcuireadh an deatach ón bplanda ag dó an ruaig ar fheithidí mar dhreancaidí agus míola corra. De réir Culpepper mheallfadh boladh an phlanda úir feithidí freisin, agus ansin do mharbhódh an súlach iad. D'úsáidtí urbhruith den luibh mar leigheas ar an mbuinneach dhearg agus ar othras goile.

Common fleabane

A medium-sized (300–600 mm), erect perennial, covered with soft, downy hairs, occasional on road verges and in damp meadows, plentiful where it occurs, from sea level to 300 m.

Stem: Erect, branched, leafy, covered with soft, downy hairs; spreading by means of stolons to form large patches.

Leaf: Oval-oblong, alternate, clasping the stem; wavy, toothed, wrinkled.

Flower: August–September; florets all yellow, outer florets with long, narrow ligule ("ray"), disc florets tubular; in flower-heads 25 mm in diameter, surrounded by an involucre of numerous pointed bracts; flower-heads in loose terminal corymbs; pappus of two rings, outer a membranous cup, inner of simple hairs; general structure of florets as in *Solidago* (p. 214; diagram, p. 23); all florets hermaphrodite; insect and self-pollinated.

Fruit: An achene with a pappus.

The plant gets its botanical name from the Latin *pulex,* a flea, and *dysenteria,* dysentery, referring to its former uses as a household and medicinal herb.

Cnáib uisce

Bidens tripartita L.—Compositae

Luibh leath-ard (350–700 mm), díreach in airde, lom, bliantúil, anseo is ansiúd i gcorraithe, bruacha abhann, poill phortaigh agus silteáin, ó leibhéal na farraige go 200 m.

Gas: Díreach, géagach, lom, duilleogach.

Duilleog: I bpéirí urchomhaireacha, ina dtrí chuid nó trímhaothánach; deighleoga lansach agus garbhchíorach.

Bláth: Lúnasa–Meán Fómhair; glasbhuí, bláthóga feadánacha dioscacha amháin; i mbláthchinn díreach in airde, 15–25 mm trasna, le dhá fháinne brachtanna faoi, na cinn ar an taobh amuigh duilleogach; papas de dhá spíona chrua leadánach, cosúil le muirgha; comhdhéanamh ginearálta na mbláthóg cosúil le *Solidago* (lch 214; léaráid, lch 23); bláthóga go léir déghnéasach; pailniú feithide agus féinphailniú.

Toradh: Aicéin le papas de dhá spíona chrua. Ceanglaíonn an toradh d'aon ainmhí a ghabhann thart nó do sceolbhach an éisc; sa tslí seo a scaiptear an síol.

Bhíodh an planda seo in úsáid mar luibh leighis, chun glanadh, triomú agus cneasú ar shileadh ramhar righin ón gcíoch. Mheastaí é a bheith go maith ar dhrochshláinte de bharr dhrochbhidh nó easpa bidh do dhaoine ná beadh ag tabhairt aire dóibh féin. Chreidtí go réiteodh sé feadáin an ae agus go neartódh sé an ae, an liathán, agus na scamhóga, go spreagfadh sé fual agus fuil mhíosta, agus go bhfónadh ar an lia bhuí. Bhíodh sé de cháil air piastaí a mharú sa chóras díleá, an fhuil a ghlanadh, agus aon spotaí nó galair chraicinn a thagann de bharr drochfhola a ghlanadh. Thugtaí do stoc é chun casachtach nó galair chléibhe a leigheas.

Toradh / Fruit

Trifid bur-marigold

A medium-sized (350–700 mm), erect, glabrous annual, occasional in marshes, on river banks, in bog holes and by streams, from sea level to 200 m.

Stem: Erect, branched, leafy, glabrous.

Leaf: In opposite pairs; ternate or three-lobed; segments lanceolate and coarsely toothed.

Flower: August–September; greenish-yellow, tubular disc florets only; in an erect flower-head, 15–25 mm diameter, surrounded by two rings of bracts, the outer bracts leaf-like; pappus consisting of two rigid, harpoon-like spines; general structure of florets as in *Solidago* (p. 214; diagram, p. 23); all florets hermaphrodite; insect and self-pollinated.

Fruit: An achene with a pappus of two rigid harpoon-like spines. The seed hooks onto the fur of passing animals, or the gills of fish if it falls in water, and in this way is dispersed.

The plant had many medicinal uses, both as a tonic and a cure for ailments of the liver, spleen, and digestive tract, the breast and chest, as well as the genital and urinary tracts. It was also used as an animal remedy.

Roibhe

Achillea ptarmica L.—Compositae

Luibh leath-ard (300–800 mm) lom ilbhliantúil, coitianta in áiteanna oscailte, in ithir thais ná fuil cailcreach, i mbánta taise, i gcorraithe is ar bhruacha locha, ó leibhéal na farraige go 350 m.

Gas: Díreach in airde, cúinneach, cruaidh, do-lúbtha, ag éirí as riosóm.

Duilleog: Ailtéarnach, líneach-lannsach, gan chos, 40–70 mm ar fad; cíorach, le himeall mionfhiaclach loingeánach.

Bláth: Iúil–Lúnasa; bláthóga gathacha bána i bhfáinne singil ar imeall, bláthóga dioscacha, bán nó glasbhán, sa lár; i mbláthcheann 12–18 mm trastomhas, le tiomchla brachtanna de chúpla sraith faoi, na bláthchinn i ngrúpa beag i gcoirím fhoirceanta; na bláthóga gan phapas, gainní tanaí ina measc ar an ngabhdán; comhdhéanamh ginearálta na mbláthóg cosúil le *Solidago* (lch 214; léaráid, lch 23); na cinn gathacha baineann, na cinn dioscacha déghnéasach; pailniú feithide nó féin-phailniú.

Toradh: Aicéin gan phapas.

Chognaítí an phréamh tráth mar leigheas ar thinneas fiacaile. Thriomaítí na duill-eoga agus dheintí púdar díobh cosúil le snaois a úsáidtí chun tinneas cinn buan a leigheas. Chuirfeadh sé an t-othar ag sraothar-taigh, rud a ghlanfadh sileadh agus réim on gceann —an rud a ceapadh ba chúis leis an síorthinneas cinn. Chreidtí go raibh an-chneasú ann: dheintí tae nó ur-bhruith as chun aon sileadh míchuí a mhaolú, go háirithe buinneach nó fuil mhíosta trom. Cheaptaí go neartódh sé bean i dtreo ná beadh sí ag fáil laigí.

Tá blas géar taitneamhach ar bharr na ngas óg; d'úsáidtí i sailéid iad tráth.

Sneezewort

A medium-sized (300–800 mm), glabrous perennial, common in open habitats, in damp non-calcareous soil, in damp fields, marshes and on lake shores, from sea level to 350 m.

Stem: Stiff, angular, erect, flowering stems, arising from a basal rhizome.

Leaf: Alternate, linear-lanceolate, sessile, 40–70 mm long; toothed, with a minutely denticulate, cartilaginous margin.

Flower: July–August; white ray florets in a single marginal ring, disc florets, white or greenish, in the centre, in flower-heads 12–18 mm diameter, with an involucre of bracts overlapping in several rows; flower-heads in small groups in terminal corymbs; florets without pappus; thin scales between the florets; general structure of florets as in *Solidago* (p. 214; diagram, p. 23); ray florets female, disc florets hermaphrodite; insect and self-pollination.

Fruit: An achene without pappus.

The plant had a variety of medicinal uses. Its English name comes from use as a remedy for persistent headache: the powdered leaves were used as snuff to induce sneezing and clear the head of excessive mucus.

Athair talún

Achillea millefolium L.—Compositae

Luibh chlúmhach leath-ard (100–600 mm) chumhra il-bhliantúil, flúirseach i lantáin thirime féir is móinte, cois bóthar agus i bhfásaigh, ó leibhéal na farraige go 725 m.

Gas: Gas bláfar simplí de ghnáth, eitreach, clúmhach, ag fás in airde díreach ó stólain fhadreathacha.

Duilleog: Fada, caol, clúmh-ach, déchleiteach nó trí-chleiteach, na deighleoga plódaithe le chéile.

Bláth: Iúil–Meán Fómhair; bláthóga gathacha bán nó bándearg, bláthóga diosc-acha buí; i mbláthchinn 6–9 mm trastomhas, le tiomchla brachtanna in an-chuid sraitheanna; mórchuid bláth-cheann i gcoirímí foirceanta; comhdhéanamh ginearálta na mbláthóg cosúil le *A. ptarmica* (lch 219).

Toradh: Aicéin gan phapas.

Ceann de na luibheanna is cumhachtaí chun leighis nó cosanta é seo; chreidtí go dtairraingeodh sé rath ar dhuine a bhéarfadh leis ina phóca é agus go raibh cosaint ann ar an "tsúil mhillte". Deir Danagher (1972) go mbaintí timpeall Lá Fhéile Eoin é le triomú i gcomhair leighis. Chrochtaí athair talún i dtithe Lá Bealtaine chun aicídí agus breoiteacht a choimeád amach. D'óltaí tae láidir de chun fuil nó sileadh d'aon sórt a chosc, agus deirtí ortha "cosctha na fola".

Chuirtí céirí de le créacht, at, leonadh, lasadh, fiolúin, fíocais nó aon ní faoi shil-eadh. D'úsáidtí go forleathan é i gCorca Dhuibhne mar leigheas ar thinneas droma.

Úsáidtear fós é mar luibh leighis. Deintear tae as mar fhuilchosc, mar athbhríoch, nó mar leigheas ar shlaghdán: dó nó trí duilleoga úra nó triomaithe a tharrac i gcupán uisce fiuchaidh ar feadh ceithre nóiméad. Scag; milsigh le mil nó siúcra más mian; ól. Buaileann daoine inniu slisne líomóide ina bharra; go maith chun dathacha leis (Caisleán Ghriaire, 1990).

Bláthchinn i gcoirímí / Flower-heads in corymbs

Yarrow

A mid-tall (up to 600 mm), woolly, aromatic perennial, abundant in dry grassy banks, pastures, roadsides and waste places, from sea level to 725 m.

Stem: Erect flowering stem, grooved, downy, usually unbranched, arising from widely creeping stolons.

Leaf: Long, narrow, woolly, bipinnate or tripinnate, the leaflets crowded together.

Flower: July–September; ray florets white or pink, disc florets yellow, in flower-heads 6–9 mm across, with an invo-lucre of many rows of overlapping bracts; in terminal corymbs of many flower-heads; general structure of florets as in *A. ptarmica* (p. 219).

Fruit: An achene; pappus absent.

The plant has a long history of use, both as a magical and medicinal herb; yarrow tea is still recommended as a refreshing tonic and remedy for colds and rheumatism.

Camán meall

Chamaemelum nobile (L.) All.—Compositae

Planda íseal (50–300 mm) cumhra, beagán clúmh-nánach, ilbhliantúil; an-fhlúirseach in áiteanna pasáilte, cois bóthair agus sa bhfraoch, ó leibhéal na farraige go 450 m.

Gas: Gas bláfar ag éirí ó riosóim a leathnaíonn i bpaistí.

Duilleog: Ailtéarnach, cleiteach, fodhuilleoga cosúil le ribí; cumhra: boladh úill nó banana uaithi.

Bláth: Iúil–Lúnasa; bláthóga gathacha bán, bláthóga dioscacha buí, i mbláth-cheann aonair, 25 mm trastomhas; tiomchla de dhá nó thrí shraith brachtanna le ciosa scannánach glasbhán; na bláthóga gan phapas, gainní tanaí ina measc ar an ngabhdán coirceogach; comhdhéanamh ginearálta na mbláthóg cosúil le *Solidago* (lch 214; léaráid, lch 23); na cinn gathacha baineann nó aimrid, na cinn dioscacha déghnéasach; pailniú feithide nó féinphailniú.

Toradh: Aicéin gan phapas.

Tá an planda seo á úsáid leis na cianta. D'úsáid na Sean-Éigiptigh é chun leighis, agus thoirbhir siad dá ndéithe é; ceann de "naoi luibh bheannaithe" na Meán-aoise é. Luibh leighis a bhíodh ann, agus chroití ar na hurláir é freisin chun boladh breá a bheith ar fud an tí. Deir Keogh go mbrost-aíonn sé fual agus fuil mhíosta, go ruaigeann sé marbhghin, go spreagann sé gaoth, go dtugann sé fuascailt ar phianta boilg, agus go bhfuil ungadh déanta de chamán meall, im úr agus cac gé go maith ar dhó nó loscadh.

Tá meas ar thae camáin meall go fóill. Deirtear go gcuireann muga den tae seo an aigne chun suaimhnis, agus leigheasann sé tromluí.

Camomile

A low (50–300 mm), aromatic, slightly downy perennial, often abundant in well-trodden ground, on roadsides or heaths, from sea level to 450 m.

Stem: Flowering stem arising from a spreading rhizome.

Leaf: Alternate, pinnate, segments hair-like; aromatic, with a banana or apple scent.

Flower: July–August; ray florets white, disc florets yellow, in solitary flower-heads, 25 mm diameter; involucre of two or three rows of bracts with pale, membranous margin; florets without pappus, mingled with thin scales, on a conical receptacle; general structure of florets as in *Solidago* (p. 214; diagram, p. 23); ray florets female or sterile, disc florets hermaphrodite; insect and self-pollination.

One of the "nine sacred herbs" of the Middle Ages, camomile has been in use from ancient times to the present day, when camomile tea bags and shampoo can be found on the shelves of supermarkets.

Lus Bealtaine

Matricaria maritima (L.)—Koch
Compositae

Luibh íseal (suas go 300 mm), beagnach lom, débhliantúil nó ilbhliantúil, coitianta ar chladaigh ghrin, ar charraigeacha agus ar ghainimh feadh an chósta. Gas: leathshínte, anghéagaithe; duilleog: ailtéarnach, cleiteach, súmhar; bláth: Iúil–Lúnasa; bláthóga gathacha bán, bláthóga dioscacha buí, i mbláthcheann aonair, 30–45 mm trasna, le tiomchla de mhórán brachtanna le ciumhais scannánach chrón; fáinne scannánach ar na bláthóga in ionad papais; gan gainní ar an ngabhdán; pailniú feithide nó féinphailniú; toradh: aicéin.

Sea mayweed

A low (up to 300 mm), glabrous or sparsely hairy biennial or perennial, common on rocky, shingly and sandy seashores. Stem: semi-prostrate, highly branched; leaf: pinnate, segments fleshy; flower: July–August; ray florets white, disc florets yellow, in solitary flower-heads 30–45 mm across; involucral bracts in several rows with dark brown, membranous margin; florets with membranous ring instead of pappus; no scales on receptacle; insect and self-pollination; fruit: an achene.

Lus na hiothlainne

Chamomilla suaveolens (Pursch) Rydb.—Compositae

Luibh íseal (50–300 mm), beagnach lom, bliantúil, le boladh láidir anainne; flúirseach timpeall na hiothlainne, ar chasáin, cois bóthar agus i dtalamh suaite pasáilte. Gas: géagach; duilleog: déchleiteach, snáithíneach; bláth: Meitheamh–Meán Fómhair; bláthcheann coirceogach dlúth, glasbhuí, 8–12 mm trasna, le bláthóga dioscacha amháin; toradh: aicéin le fáinne sreabhnach in ionad papais. Tugadh síolta an phlanda seo ó Mheiriceá Thuaidh trí thaisme. Tugadh faoi ndear den chéad uair san Eoraip é in aice le Berlin sa bhliain 1852; fuair Colgan i gCarraig Mhaighin in aice le Baile Átha Cliath é in 1894. Fuaireadh den chéad uair i gCiarraí é sa bhliain 1903; bhí sé ag leathnú go han-tapaidh nuair a bhí Scully ag bailiú eolais idir 1911 agus 1914. "Mismín caoireach" a tugtar air i nDún Chaoin.

Pineapple weed

A low (50–300 mm), glabrous or sparsely hairy annual with a strong scent of pineapple, abundant in farmyards, on footpaths and disturbed ground. Stem: branched; leaf: bi- or tripinnate, finely divided; flower: June–September; single conical flower-heads, 8–12 mm in diameter, yellowish-green, florets all tubular; fruit: an achene with membranous ring instead of pappus. This alien was accidentally introduced from North America to Europe, first recorded near Berlin in 1852. It had reached Dublin by 1894 and was first noticed in Kerry in 1903.

Nóinín mór

Leucanthemum vulgare Lam.—
Compositae

Luibh ard (300–700 mm) ilbhliantúil, lom nó le clúmh scáinte, forleathan agus flúirseach i móinéir agus i bhféaraigh thirime, ó leibhéal na farraige go 400 m.

Gas: Díreach, géagaithe uaireanta; go leor gas bláfar ag éirí as bonnstoc adhmadach, ag déanamh toir bhig go minic.

Duilleog: Ailtéarnach, cleiteach nó beagnach slán, cíorach; duilleoga íochtaracha le cos, duilleoga uachtaracha gan chos.

Bláth: Meitheamh–Lúnasa; bláthóga gathacha bán, bláthóga dioscacha buí, i mbláthcheann aonair, 50 mm i dtrastomhas; tiomchla brachtanna le ciumhais dhonn scannánach faoi; na bláthóga gan phapas, ach fáinne scannánach ar bharr na n-aicéiní gathacha; comhdhéanamh ginearálta na mbláthóg cosúil le *Solidago* (lch 214; léaráid, lch 23), na cinn gathacha baineann, na cinn dioscacha déghnéasach; pailniú feithide nó féinphailniú.

Toradh: Aicéin le taobháin.

Tá an planda seo á úsáid mar luibh leighis ó aimsir na sean-Ghréige anuas. Thógtaí deoch de mar leigheas ar ghalair scamhóg ar nós chasachtaí agus eitinne (an *decay*); chreidtí go raibh sé go maith freisin do ghalair ae mar an lia bhuí. Dheintí goin, lasadh, ábhar, ioscóidí agus fiolúin a ní leis an lacht, nó chuirtí ungadh déanta de orthu. Mholtaí leis é mar leigheas ar an easpa brád. Chuirtí braonta den súlach i súil thinn.

Cothaítear gaol dó, *L. maximum,* mar bhláth gairdín.

Bláth / Flower

Oxeye daisy

A tall (300–700 mm), glabrous or sparsely hairy perennial, abundant in meadows and dry pastures from sea level to 400 m.

Stem: Erect, sometimes branched; many flowering stems arise from a woody rootstock, often making a small bush.

Leaf: Alternate, pinnatifid or almost entire, toothed; lower leaves stalked, upper leaves sessile.

Flower: June–August; outer florets white, inner florets yellow, in solitary flower-heads 50 mm in diameter, surrounded by an involucre of bracts with brown membranous margins; florets without pappus, but ray achenes with a membranous ring; general structure of florets as in *Solidago* (p. 214; diagram, p. 23); ray florets female, disc florets hermaphrodite; insect and self-pollination.

Fruit: A ribbed achene.

The plant has a history of medicinal use traceable as far back as ancient Greece. In the Middle Ages it was boiled in water to produce a liquid that was the basis of medicines used for maladies ranging from wounds, boils and ulcers to tuberculosis and jaundice, while the juice was applied as drops to inflamed eyes.

Buafanán

Artemisia vulgaris L.—Compositae

Planda ard (0.5–1.2 m) ilbhliantúil, forleathan ar lantáin thirime agus in áiteanna gan tairbhe in aice le tithe, ó leibhéal na farraige go 200 m.

Gas: Díreach, beagnach lom, eitreach, le scáil dhearg air, adhmadach in íochtar.

Duilleog: Cleiteach, le deighleoga cíoracha; duilleoga lom, glas ar an taobh uachtarach, liathbhán le clúmh ar an taobh íochtarach.

Bláth: Iúil–Meán Fómhair; bláthóga buí le scáil crón-dearg, i mbláthcheann beag, 3–5 mm trasna, le tiomchla brachtanna cadásacha le ciosa scannánacha; i bpanacail foirceanta; na bláthóga go léir feadánach, dioscach, gan phapas, baineann ar imeall, déghnéasach sa lár; comhdhéanamh ginearálta na mbláthóg cosúil le *Solidago* (lch 214; léaráid, lch 23); pailniú gaoithe.

Toradh: Aicéin.

Is ceann de na "naoi luibh bheannaithe" é seo; bhíodh an-chuid draíochta, piseog agus geasadóireachta ag baint leis. Chreidtí go gcosnódh sé lucht taistil ar thuirse, scalladh gréine, ainmhithe allta agus dhroch-sprideanna, agus go raibh adhmaint sna duilleoga ionas go gcasaidís i dtreo an tuaiscirt. In oirdheisceart na hÉireann bhailítí é Lá Fhéile Eoin; choimeádtaí sa tigh é nó chaití sa tine é go leanfadh dea-rath é. Dheintí é a bharrloisceadh chun an deataigh a shú usteach i scamhóga mar leigheas. Dhíbreodh an deatach feithidí leis.

In áiteanna eile dheintí urbhruith a scagadh agus an céirí a chur le crampaí agus pianta cnámha nó bolg tinn. D'úsáidtí é chun cúrsaí ban agus saolú linbh a bhrostú, chun píobáin an ae, an duáin is an liatháin a réiteach, chun faobhar a chur ar an ngoile agus an díleá a spreagadh, agus chun póit a leigheas. Dheintí "tae" de na bláthanna agus bachlóga, ligtí dó fuaradh, chuirtí bainne agus siúcra air, agus d'óltaí mar a bheadh gá leis.

Duilleoga / Leaves

Mugwort

A tall (0.5–1.2 m) perennial, widespread in dry, grassy banks and waste places, particularly near houses, from sea level to 200 m.

Stem: Erect, grooved, reddish, almost glabrous, woody at the base.

Leaf: Pinnate with toothed pinnae; upper surface green and glabrous, lower surface greyish-white, woolly.

Flower: July–September; yellowish to reddish-brown; in flower-heads 3–5 mm diameter, with an involucre of cottony bracts with membranous margins; in terminal panicles; florets all tubular, disk-type, without pappus, female around the edge, hermaphrodite in the centre; general structure of florets as in *Solidago* (p. 214; diagram, p. 23); wind-pollinated.

Fruit: An achene.

"In East County Cork and in Co. Waterford the herb variously called 'muguird', 'boguird', 'mugwort' (*Artemisia vulgaris*) was gathered for medicinal and other purposes. Some kept it in the house for luck, some threw it on the fire for the same purpose. Others kept it in the house, and, as a remedy, singed it and got the patient to inhale the smoke" (Danaher, 1972).

Gallán greanchair

Tussilago farfara L.—Compositae

Luibh íseal (100–150 mm.) ilbhliantúil, coitianta in ithir shuaite, go mór mór ar ithir chré, ó leibhéal na farraige go 350 m.

Gas: Gas bláfar díreach in airde, le scáil chorcra, gainní in ionad duilleoga; stólain bhána shúmhara a dheineann paistí leathana.

Duilleog: Slán, croí-chruthach, 80–150 mm trastomhas, cúinneach, cíorach; glas, lom in uachtar, bán, cadásach in íochtar; ní fhásann na duilleoga go mbíonn an bhláth ag teip.

Bláth: Feabhra–Bealtaine; buí, i mbláthcheann aonair, 25–40 mm trastomhas, le tiomchla de bhrachtanna caola, a bhformhór in aon sraith amháin; bláthóga gathacha líonmhar, i mórán sraitheanna, baineann; bláthóga dioscacha tearc, fireann; papas de mhórán sraitheanna de ribí fada simplí; comhdhéanamh ginearálta na mbláthóg cosúil le *Solidago* (lch 214; léaráid, lch 23); pailniú feithide agus féinphailniú.

Toradh: Aicéin le papas de ribí simplí síodúla.

Tugann daoine "sponc" nó "adhann" ar an luibh seo go minic. Bhailítí agus thriomaítí íochtar bán cadásach na duilleoige chun tine a adú; uaireanta mheasctaí le *salpêtre* é. D'úsáidtí duilleoga triomaithe chun casachtach nó sileadh sa scamhóga a leigheas; dheintí iad a ól casta ar a chéile mar thoitín nó i bpíp. D'úsáidtí duilleoga úra mar leigheas ar chasachtach thirim, piacháin, nó gearranáile. Dheintí insileadh nó súlach na luibhe a chuimilt de na huisne chun teocht ard a ísliú, nó d'at nó lasadh chun iad a thrá. Chuirtí duilleoga brúite le mil mar ungadh ar aon sórt lasaidh chraicinn: féitheanna borrtha, othrais, créachta, goin.

Coltsfoot

A low (100–150 mm) perennial, common in disturbed ground, particularly on clay soils, from sea level to 350 m.

Stem: Flowering stem upright, scaly, leafless, purplish, appearing before the leaves; white, fleshy stolons, spreading to make broad patches.

Leaf: Entire, heart-shaped, angular-toothed; upper surface green and glabrous, undersurface white and cottony, appearing after the plant has flowered.

Flower: February–April; florets yellow, in solitary flower-heads 25–40 mm diameter, involucral bracts linear, mainly in a single row; ray florets numerous, in many rows, female; disc florets few, male; pappus of many rows of long, simple hairs; general structure of florets as in *Solidago* (p. 214; diagram, p. 23); insect and self-pollination.

Fruit: An achene with a pappus of simple, silky hairs.

The white cottony undersurface of the leaves was harvested as tinder before the development of the match. The plant was smoked like tobacco as a remedy for coughs and other lung ailments, and preparations were used externally to treat various types of inflammation.

Gallán mór

Petasites hybridus (L.) Gaertner, B. Meyer & Sherb.—Compositae

Luibh íseal (150–400 mm) ilbhliantúil; anseo is ansiúd i gCorca Dhuibhne, neamh-choitianta sa chuid eile den chontae; ag déanamh paistí móra leathana in áiteanna taise scáfara cois abhainn nó cois bóthair, ó leibhéal na farraige go 200 m.

Gas: Riosóm téagartha faoi thalamh; is féidir leis fás méadar sa bhliain; éiríonn gas bláfar, le gainní duilleog, aníos roimh na duilleoga.

Duilleog: Croíchruthach, slán, cíorach, clúmhach ar an taobh íochtarach; éiríonn siad an-mhór, suas le 1 m trastomhas, tar éis do na bláthanna feochadh.

Bláth: Aibreán–Bealtaine; bláthóga corcra, bláthcheann 7–12 mm trasna, tiomchla de bhrachtanna fada maola; mórán bláthcheann i raicéim dhlúth; bláthóga feadánach ar fad, gan bholadh; beagnach dé-éiciach, formhór na bplandaí in Éirinn fireann, cuid acu le cúpla bláthóg baineann ar imeall; plandaí baineann an-ghann; papas de mhórán sraith-eanna de ribí fada simplí; comhdhéanamh ginearálta na mbláthóg cosúil le *Solidago* (lch 214; léaráid, lch 23); pailniú feithide, go mór mór beacha.

Toradh: Aicéin le papas de ribí simplí síodúla.

D'úsáidtí an duilleog sa tslí chéanna le gallán greannchair (*Tussilago farfara*) mar leigheas ar chasachtach agus ghearr-anáile. Dheintí insileadh de chun fual agus cúrsaí ban a spreagadh, chun piastaí sa bholg a mharú, agus chun neart a chur sa chroí agus meanma a ardú. D'úsáidtí insileadh den rúta púdraithe chun allas a spreagadh mar leigheas ar fhiabhraisí. Chuirtí an rúta púdraithe ar chneá faoi shileadh, agus mheasctaí le fíon é mar nimhíoc. D'úsáidtí an urbhruith chun goráin agus smáil chraicinn a ghlanadh.

Bláthanna / Flowers

Butterburr

A low-growing (150–400 mm) perennial, locally abundant in Corca Dhuibhne, un-common in the rest of the county, forming large patches along shaded river banks and roadsides, from sea level to 200 m.

Stem: Strong, fast-growing rhizome, growing up to a metre per year; flowering stem, bearing scale leaves, appears before the leaves.

Leaf: Heart-shaped, entire, undersurface downy; growing very large, up to 1 m diam-eter, after the flowers have withered.

Flower: April–May; florets dull purple, flower-heads 7–12 mm across, involucre of long, blunt bracts; numerous flower-heads in a dense raceme; florets all tubular, not scented; almost dioecious, most Irish plants male, some with a few female florets at the margin; female plants very rare; pappus of many rows of long, simple hairs; general structure of florets as in *Solidago* (p. 214; diagram, p. 23); insect-pollinated, particularly by bees, for which it can be an important early food source.

Fruit: An achene, with pappus of simple, silky hairs.

The plant had several medicinal uses, main-ly similar to coltsfoot (*Tussilago farfara*).

Buachalán buí

Senecio jacobaea L.—Compositae

Luibh ard (0.3–1.2 m) ilbhliantúil, lom nó ar bheagán clúimh, flúirseach ar thalamh féaraigh, i ndumhcha agus in áiteanna gan tairbhe, ó leibhéal na farraige go 700 m.

Gas: Gas bláfar díreach in airde, géagaithe sa leath uachtarach; bonnstoc gearr le cnota duilleog san earrach.

Duilleog: Ailtéarnach, cleiteach, le maotháin dhoimhne, na deighleoga cíorach.

Bláth: Meitheamh–Deireadh Fómhair; órbhuí, bláthóga gathacha i sraith amháin ar an taobh amuigh (uaireanta in easnamh i mbláthphobail cois farraige), na cinn feadánacha sa diosca láir; bláthchinn 18–25 mm trastomhas, le tiomchla de bhrachtanna bioracha faoi, i gcoirím dhlúth fhoirceanta; bláthóga gathacha baineann, le haicéin lom, bláthóga dioscacha déghnéasach, le haicéin chlúmhach, araon le papas; comhdhéanamh ginearálta na mbláthóg cosúil le *Solidago* (lch 214; léaráid, lch 23); pailniú feithide agus féinphailniú.

Toradh: Aicéin le papas de ribí simplí. Is féidir le planda amháin suas le caoga míle síol a chur amach.

Rabhadh: Tá an buachalán buí lán d'alcalóidí nimhneacha, a fhanann gníomhach sa phlanda tirim agus i bplandaí ar a gcuirtear fiailnimh roghnach. De ghnáth ní itheann stoc an planda beo, ach d'íosfadh siad plandaí tirime i bhféar sábháilte nó i sadhlas, nó plandaí i dtalamh féaraigh ar a gcuireadh fiailnimh roghnach chun iad a ghlanadh as. Deineann nimh an bhuachaláin an-díobháil do stoc, mar loiteann sé an ae iontu de réir a chéile. Tá an buachalán buí ar liosta na fiaile díobhálach le fada anuas; tá sé de dhualgas ar úinéirí talún é a ghearradh sara bhforbraíonn an síol.

In ainneoin a nimhe, d'úsáidtí an buachalán buí mar luibh leighis tráth. Bhíodh a lán piseog ag baint leis, go mór mór i dtuaisceart na tíre agus in Albain agus níos faide i gcéin. Deirtí go ngabhadh an slua sí ag marcaíocht ar fud na gcúig cúigí Oíche Shamhna ar bhuachaláin bhuí mar chapaill; duine ar bith a sciobadh siad leo, dhúiseodh sé ar maidin leis an mbuachalán ina lámh. Chuir Críostaithe an planda faoi chúram San Séamas, éarlamh an chapaill; tagairt de seo an ainm speiceasach Laidine *jacobea.*

Ragwort

A tall (0.3–1.2 m), glabrous or slightly hairy perennial, abundant in pastures, sandhills and waste places, from sea level to 700 m.

Stem: Flowering stem erect, branched in the upper half; short basal stock that bears a rosette of leaves in spring.

Leaf: Alternate, deeply pinnatifid, segments toothed.

Flower: June–October; golden-yellow, ray florets in a single outer ring (sometimes absent in seaside populations), tubular in the central disc; flower-heads 18–25 mm in diameter, surrounded by an involucre of pointed bracts in dense terminal corymbs; ray florets female, achene glabrous, disc florets hermaphrodite, achene hairy, all with pappus; general structure of florets as in *Solidago* (p. 214; diagram, p. 23); insect and self-pollinated.

Fruit: An achene with pappus of simple hairs; one plant may produce as many as fifty thousand seeds.

Caution: This plant contains poisonous alkaloids, which remain active in hay and silage and in plants treated with selective herbicides. It is then dangerous to animals, which are unable to distinguish it, although they avoid the fresh plant.

Samhadh corraigh

Senecio aquaticus Hill—Compositae

Luibh leath-ard (300–800 mm) lom, de ghnáth dé-bhliantúil, coitianta i mbánta fliucha, corraithe agus dígeacha fliucha, go mór mór san iarthar, ó leibhéal na farraige go 400 m. Gas: bláfar le scáil dhearg, géagach beagnach go bun; bláth: Iúil–Lúnasa, buí, cosúil leis an mbuachalán buí ach na bláthchinn níos mó, i gcoirím éadlúth, agus na haicéiní go léir lom. Tá an planda seo nimhneach, ach is annamh inniu a shábháiltear an féar sa saghas áitribh ina bhfásann sé. D'úsáidtí mar luibh leighis é tráth; chuirtí céirí de na duilleoga brúite le cneá faoi bhraon.

Marsh ragwort

A medium-tall (300–800 mm) perennial or biennial, common in wet pastures, marshes and wet ditches, particularly in the west, from sea level to 400 m. Flowering stem: reddish, branched almost from the base; flower: July–August, yellow, similar to ragwort but the flower-heads larger, in lax corymbs, and all the achenes glabrous. This plant is just as poisonous as ragwort, but the herbage of the habitats in which it flourishes is hardly ever harvested nowadays.

Grúnlas

Senecio vulgaris L.—Compositae
"An buachalán ná heascrann"

Luibh íseal (100–350 mm) lom bhliantúil, flúirseach i dtalamh suaite agus in áiteanna gan tairbhe, ó leibhéal na farraige go 350 m. Gas: díreach le duilleoga cleiteacha; faoi bhláth i rith na bliana; bláthóga: buí, go léir feadánach, déghnéasach, bláthchinn 4 mm i dtrastomhas, i gcoirím dhlúth fhoirceanta agus ascallach; aicéin le clúmh dlúth ar na heitrí; is féidir leis imeacht chun síl gan aon phailniú; toradh: aicéin le papas de ribí simplí. Fiaile rí-choitianta i dtalamh suaite é. Is breá le coiníní é, agus itheann éanlaith na síolta. San earrach feictear lasair choille i bpéirí ag bailiú na bpapas mar ábhar nide. Luibh chosanta agus leighis é sa tseanaimsir.

Groundsel

A low, glabrous annual (100–350 mm), abundant in disturbed soil and waste places, from sea level to 350 m. Stem: erect, with pinnatifid leaves; flowering throughout the year; florets: yellow, all tubular, hermaphrodite, in flower-heads 4 mm in diameter, in dense terminal and axillary corymbs; achenes densely hairy on the ribs; insect and self-pollinated; can produce seeds without pollination (apomixis); fruit: an achene with a pappus of simple hairs. One of the most common weeds of disturbed soil, it is relished by rabbits, while the seeds are eaten by birds.

Copóg thuathail

Arctium minus agg.—Compositae

Luibh ard (0.6–1.2 m) théagartha chlúmhnánach dhébhliantúil, coitianta i bhfálta, cois bóthar is i bhfásaigh, ó leibhéal na farraige go 300 m.

Gas: Díreach in airde, láidir, géagach, eitreach; scáil dhearg go minic ann.

Duilleog: Ailtéarnach, croíchruthach, biorach, cíorach, le cos fholamh; lom in uachtar, clúmhnánach-bán in íochtar.

Bláth: Iúil–Lúnasa; corcradhearg, bláthóga feadánacha amháin; bláthcheann cruinn nó ubhach, 15–30 mm trasna; tiomchla de bhrachtanna líonmhara a chríochnaíonn le leadáin chrúcacha; i raicéimí nó panacail éadlútha; bláthóga uile déghnéasach, le papas de ribí garbha dolúbtha, i gcúpla sraith; comhdhéanamh ginearálta na mbláthóg cosúil le *Solidago* (lch 214; léaráid, lch 23); pailniú feithide agus féinphailniú.

Toradh: Aicéin le papas, istigh sa tiomchla dúnta, ar a dtugtar “leadán liosta”. Greamaíonn crúcaí na leadán ar pé rud a ghabhann tharstu; faoi dheireadh stractar an leadán as a chéile de réir mar a éiríonn sé tirim, agus scaiptear na síolta.

Luibh thábhachtach leighis ab ea sa planda seo tráth, agus bhíodh go leor seanchais ag muintir Chorca Dhuibhne ina thaobh. D’úsáidtí céirí den síol nó den duilleog chun bruinn a bheadh as áit a chur ina cheart, céirí le baithis an chinn chun í a tharrac in airde, céirí le bonnaíocha na gcos chun í a tharrac anuas (luí seoil), agus céirí leis an imleacán chun é a choimeád mar a bhfuil sé (chun leanbh a choimeád agus anabaíocht a stopadh).

Lesser burdock

A tall (0.6–1.2 m), stout, downy biennial, common in hedgerows, roadsides and waste places, from sea level to 300 m.

Stem: Erect, strong, branched, grooved; often red-tinged.

Leaf: Alternate, cordate, pointed, toothed, hollow-stalked; upper surface glabrous, lower surface downy-white.

Flower: July–August; purplish-red, florets all tubular; flower-head spherical or ovoid, 15–30 mm diameter; involucral bracts numerous, ending in stiff hooked bristles; in lax racemes or panicles; all florets hermaphrodite, pappus of rough, stiff hairs in several rows; general structure of florets as in *Solidago* (p. 214; diagram, p. 23); insect and self-pollinated.

Fruit: An achene with pappus, within the closed involucre or bur. The hooked bracts become attached to passing animals or people. As it dries the bur is eventually pulled apart and the seed scattered.

The burdock was known as a medicinal herb in Corca Dhuibhne down to recent times.

Feochadán colgach

Cirsium vulgare (Savi) Ten.—Compositae

Luibh ard (0.3–1.2 m) théagartha cholgach dhébhliantúil, flúirseach i dtalamh suaite, ar bhánta agus i bhfásaigh, ó leibhéal na farraige go 300 m.

Gas: Díreach in airde, le sciatháin dheilgneacha.

Duilleog: Ciumhaiseanna cuaracha, le maotháin dhoimhne, colg láidir i mbarr gach maothán; uachtar clúdaithe le miondealga, íochtar bán cadásach.

Bláth: Iúil–Lúnasa; corcra trom, bláthóga feadánacha ar fad, i mbláthchinn chruinneogacha throma ghearrchosacha, in airde díreach, 25–30 mm trasna, aonair nó cúpla ceann le chéile; tiomchla brachtanna cadásacha le coilg láidre; déghnéasach le papas de ribí fada míne cleiteacha, táite ag a mbun; comhdhéanamh ginearálta na mbláthóg cosúil le *Solidago* (lch 214; léaráid, lch 23); pailniú feithide agus féinphailniú.

Bláthcheann / Flower-head

Toradh: Aicéin le papas.

Is é seo suaitheantas náisiúnta na hAlban: dolúbthacht agus an chosaint sna coilg. Meabhraíonn an planda a dhualgaisí náisiúnta don Albanach, mar atá mórtas cine, dolúbthacht i gcath, agus cosaint a thíre.

Spear thistle

A tall (0.3–1.2 m), stout, prickly biennial, abundant on disturbed ground, in pastures and waste places, from sea level to 300 m.

Stem: Erect, stout, with prickly wings.

Leaf: Margins wavy, deeply lobed, each lobe ending in a stout spine; upper surface covered with small, rough prickles, undersurface cottony.

Flower: July–August; deep purple, florets all tubular, in an erect, globular flower-head, 25–30 mm in diameter, short-stalked, solitary or two or three in a cluster; involucre of cottony bracts with strong spines; florets hermaphrodite, with a pappus of long, soft, feathery hairs; general structure of florets as in *Solidago* (p. 214; diagram, p. 23); insect and self-pollinated.

Fruit: An achene with pappus.

The spear thistle is the national emblem of Scotland: its protective and unyielding prickles remind the Scots of their duties to their country.

Feochadán corraigh

Cirsium palustre (L.) Scop.—Compositae

Luibh ard (0.3–1.2 m) dhébhliantúil, an-cholgach, giobach, coitianta i gcoillte agus i móinte fliucha, ó leibhéal na farraige go 650 m. Gas: le sciatháin cholgacha; duilleog: cleiteach, cíorach, colgach, le scáil chorcra; bláth: Meitheamh–Lúnasa, corcra, bán corruair; bláthcheann gan chos, le tiomchlaí braicht beagnach cruinneogach; brachtanna cadásach, biorach; bláthóga ar fad feadánach, déghnéasach agus aonghnéasach baineann; papas de ribí fada míne cleiteacha; toradh: aicéin lom, le papas. Is é seo an feochadán is coitianta ar na sléibhte.

Marsh thistle

A tall (0.3–1.2 m), very prickly, hairy biennial, common in woods and wet pastures, from sea level to 650 m. Stem: erect, with spine-tipped wings; leaf: narrow, pinnatifid, toothed, prickly, purple-tinged; flower: June–August, purple, occasionally white; flower-head sessile, with nearly globular involucre of pointed, cottony bracts; florets all tubular, hermaphrodite and unisexual female; pappus of long, soft, feathery hairs; fruit: a glabrous achene with pappus.

Feochadán reatha

Cirsium arvense (L.) Scop.—Compositae

Luibh ard (0.3–1.2 m) cholgach ilbhliantúil, anfhlúirseach, fiaile thrioblóideach ag déanamh paistí móra cois bóthair, ar ualaí cré, i dtalamh suaite agus i móinte ligthe chun báin, ó leibhéal na farraige go 350 m. Préamha reatha; gas: in airde gan sciatháin; duilleog: le maotháin dhoimhne, ciumhaiseanna colgach; bláth: Iúil–Lúnasa, bánchorcra; bláthcheann 15–25 mm trastomhas, ar chos ghearr, le tiomchla de bhrachtanna colgacha corcra; bláthóga ar fad feadánach, papas de ribí fada míne cleiteacha; dé-éiciach, bláthcheann fireann níos mó ná an bláthcheann baineann; toradh: aicéin lom, le papas. Tá seo ar na plandaí a líonann an t-aer le canach feochadáin ("scuaibíní") ag deireadh an tsamhraidh; tá sé ar liosta na fiaile díobhálach.

Creeping thistle

A tall (0.3–1.2 m), prickly perennial, abundant, a troublesome weed, forming large patches on roadsides, waste places, disturbed ground and neglected pastures, from sea level to 350 m; creeping roots, stems erect, not winged; leaf: deeply lobed, margins very prickly; flower: July–August, pale purple; flower-heads short-stalked, with involucre of purple, erect, spine-tipped bracts; florets all tubular; dioecious, male flower-heads larger than female; fruit: glabrous achene with pappus. This plant is on the offcial list of "noxious weeds".

Mínscoth

Centaurea nigra L.—Compositae

Luibh leath-ard (150–600 mm) chlúmhach ilbhliantúil, flúirseach i mbánta, i móinéir is i lantáin ghlasa cois bóthar, ó leibhéal na farraige go 450 m.

Gas: Díreach in airde, dolúbtha, eitreach, géagach in uachtar.

Duilleog: Ailtéarnach, leathfhada, simplí, slán; na cinn uachtaracha gan chos, na cinn íochtaracha le cos agus sórt cleiteach, gan a bheith colgach, clúmhach, ná cadásach.

Bláth: Iúil–Meán Fómhair; dúchorcra, uaireanta bán; bláthcheann 20–40 mm trastomhas, aonarach; tiomchla de bhrachtanna dorcha donna, le fabhra de ribí beaga ar a bharr; bachlóga dubh, an-chruaidh, cruinneogach; bláthóga uile feadánach, déghnéasach de ghnáth, ach uaireanta na bláthóga seachtracha níos sia agus aimrid; papas de ribí guaireacha gairide; comhdhéanamh ginearálta na mbláthóg cosúil le *Solidago* (lch 214; léaráid, lch 23); pailniú feithide agus féinphailniú.

Toradh: Aicéin le papas de ghuairí gearra crua.

Tá na foirmeacha den phlanda le bláthcheann bán nó le bláthóga fada ar an imeall níos flúirsí i gCorca Dhuibhne ná mar atá siad áit ar bith eile sa chontae (Scully).

D'úsáidtí urbhruith den luibh seo mar chraos-ghlanadh chun othrais bhéil agus scornaí a thriomú agus a chneasú; d'óltaí deoch de chun fuil shróin, fuil drandail nó aon fhuiliú a chosc nó aon chneá faoi shileadh a thriomú. Chuimiltí an phréamh bheirithe do ghoin nó do leonadh, go háirithe iad siúd a bheadh basctha de bharr titime nó buille (hailip). "Tobac an chapaill" ainm eile air.

Bláthóga fada / Extended florets

Knapweed

A medium-sized (150–600 mm) hairy perennial, abundant in pastures, meadows, grassy banks and roadsides, from sea level to 450 m.

Stem: Upright, stiff, grooved, branched above.

Leaf: Alternate, oblong, simple, entire; upper leaves sessile, lower leaves stalked and slightly pinnatifid; not prickly, hairy, or cottony.

Flower: July–September; dark purple, occasionally white; flower-head 20–40 mm diameter, solitary; involucre of dark brown bracts, fringed at the top with tiny hairs; buds black, globular, very hard; florets usually all tubular, hermaphrodite, but sometimes outer florets enlarged and sterile; pappus of short bristly hairs; general structure of florets as in *Solidago* (p. 214; diagram, p. 23); insect and self-pollinated.

Fruit: An achene with pappus of short, stiff bristles.

The forms with white flower-heads or enlarged outer florets are more common in Corca Dhuibhne than elsewhere in the county (Scully).

Cluas chait

Hypochoeris radicata L.—Compositae

Luibh leath-ard (150–600 mm) chlúmhach ilbhliantúil, flúirseach ar bhánta, ar chlathacha, ar mhóinteáin, cois bóthar, ó leibhéal na farraige go 600 m; cnota duilleog cleitiúil, garbhchlúmhach; bláth: Meitheamh–Meán Fómhair, glébhuí, bláthóga gathacha ar fad; bláthcheann 23–35 mm trasna, idir ceann amháin agus ceithre cinn ar gach gas; tiomchla de bhrachtanna loma in an-chuid sraitheanna; gabhdán réidh, le han-chuid gainní lansacha; bláthóga dé-ghnéasach; papas de ribí cleiteacha bána; toradh: aicéin le gob agus papas.

Cat's ear

A medium-sized (150–600 mm), hairy perennial, common on pastures, heaths and roadsides, from sea level to 600 m. Rosette of leaves, pinnatifid, covered with stiff hairs; flower: June–September, bright yellow, all ray florets; flower-heads 25–35 mm diameter, one to four per stalk; involucre of glabrous bracts in numerous rows; receptacle flat, with numerous lanceolate scales; florets hermaphrodite, pappus of white, feathery hairs; fruit: an achene with beak and pappus.

Caisearbhán caol dearg

Leontodon autumnalis L.—Compositae

Luibh leath-ard (50–500 mm) lom ilbhliantúil, flúirseach i mbánta taise agus ar mhóinteáin shléibhe, ó leibhéal na farraige go 950 m. Cnota duilleog caol, cleiteach, le maotháin dhoimhne, lom nó ar bheagán clúimh, uaireanta scáil dhearg sa phríomhfhéith; bláth: Iúil– Deireadh Fómhair, buí, bláthóga ar imeall uaireanta le stríocaí dearga, bláthóga gathacha ar fad; bláthcheann 20–30 mm trasna, idir dhá cheann agus seacht gcinn ar gach gas; tiomchla de bhrachtanna loma nó giobach dubh; gabhdán loigíneach, gan ghainní; bláthóga dé-ghnéasach, le papas de ribí cleiteacha bána; pailniú feithide agus féinphailniú; toradh: aicéin gan ghob, le papas.

Autumn hawkbit

A medium-sized (50–500 mm), glabrous perennial, abundant in damp meadows and mountain heaths, from sea level to 950 m. Rosette of narrow leaves, deeply lobed, glabrous, occasionally sparsely hairy, midrib sometimes tinged with red; flower: July–October, yellow, outer florets sometimes with red streaks, ray florets only, flower-heads 20–30 mm diameter, two to seven per stalk; involucre of bracts glabrous or black-haired; receptacle pitted, without scales; florets hermaphrodite, with pappus of white, feathery hairs; fruit: an achene without beak, with pappus.

Bleachtán mín

Sonchus oleraceus L.—Compositae

Luibh ard (0.3–1 m) lom bhliantúil, uaireanta ag maireachtaint tríd an ngeimhreadh, an-fhlúirseach i bhfásaigh, cois bóthar, i dtalamh suaite, ó leibhéal na farraige go 300 m.

Gas: In airde díreach, cúigchúinneach, lom, folamh ina chroí, sú bán.

Duilleog: Ailtéarnach, cleiteach, maotháin cíorach; íochtarach le cos leathan sciathánach, uachtarach ag greamú an ghais le cluaisíní triantánacha; scáil ghorm, gan ghléas.

Bláth: Meitheamh–Deireadh Fómhair; bánbhuí, bláthóga gathacha ar fad; bhláthchinn líonmhara, 20–25 mm trastomhas, le tiomchla de bhrachtanna in iliomad sraitheanna, i gcoirím foirceanta; bláthóga uile déghnéasach, le papas de dhá shraith ar comhfhad de ribí simplí; comhdhéanamh ginearálta na mbláthóg cosúil le *Solidago* (lch 214; léaráid, lch 23); pailniú feithide agus féinphailniú.

Toradh: Aicéin rocach lioctha, gan ghob, le papas bán.

Bhíodh an planda seo á ithe mar ghlasra leis na cianta, sara bhforbraíodh na glasraí níos torthúla atá againn anois. Is féidir na duilleoga óga a bhaint san earrach agus a ithe beirithe ar chuma spionáiste, gearrtha in anraithí agus i struisíní, nó amh i sailéid, le hola agus sú líomóide (Mabey).

Chuirfeadh an súlach bán bainne i gcuimhne; thugtaí do chránta é chun tál bainne a fheabhsú. Deirtí go mbíodh an-dúil acu ann tar éis banaí a bhreith, chun go mbeadh breis bhainne acu.

Chreidtí go dtabharfadh an planda misneach agus neart do dhuine. De réir scéil sa tsean-Ghréig do ghlac an laoch Theseús, rí na hAithne, béile bleachtán sular thug sé fén Minotaur, amhailt ar a raibh corp fir agus ceann tairbh agus a chaitheadh seachtar ógfhear agus seachtar maighdean fháil le n-ithe gach bliain. Siúd leis ansin agus sháigh sé an Minotaur, agus bhí suaimhneas ar na hAithnigh as sin amach.

"Bleachtfheochadán" ainm an-choitianta eile ar an mbleachtán mín.

Smooth sow-thistle

A tall (0.3–1 m), glabrous annual, sometimes persisting over winter, abundant in waste places, roadsides and disturbed soil, from sea level to 300 m.

Stem: Erect, five-angled, glabrous, hollow, with a milky sap.

Leaves: Alternate, pinnate, with toothed lobes; lower with a broad winged stalk; upper clasping the stem, with triangular auricles; glaucous, dull.

Flower: June–October; pale yellow, florets all ligulate; flower-heads numerous, 20–25 mm diameter, with involucral bracts overlapping in several rows, in terminal corymbs; all florets hermaphrodite, pappus of two equal rows of simple hairs; general structure of florets as in *Solidago* (p. 214; diagram, p. 23); insect and self-pollinated.

Fruit: A wrinkled, flattened achene, not beaked, with a pappus of white hairs.

This plant has been eaten since prehistoric times. The young leaves can be eaten raw in salads or cooked like spinach.

Bleachtán colgach

Sonchus asper (L.) Hill—Compositae

Luibh ard (0.3–1.2 m) lom bhliantúil, uaireanta ag maireachtaint tríd an ngeimhreadh, flúirseach i dtalamh suaite, i ngoirt, cois bóthar is i bhfásaigh, ó leibhéal na farraige go 350 m. Gas: téagartha, cúig-uillinneach, folamh, le sú bainneach; duilleog: lom, cuarach, cíorach, ciumhais-eanna colgach, cluaisíní uachtaracha cruinn cealgach; bláth: Meitheamh–Meán Fómhair, órbhuí, bláthóga uile gathach; déghnéasach, le papas de dhá shraith; toradh: aicéin lioctha, gan ghob, le papas.

Prickly sow-thistle

A tall (0.3–1.2 m), glabrous annual, sometimes over-wintering, abundant in disturbed ground, in tilled fields, road-sides and waste places, from sea level to 350 m. Stem: stout, five-angled, hollow, with milky sap; leaf: glabrous, wavy, toothed, prickly at margins, upper auricles rounded, prickly; flower: June–September, golden-yellow, florets all ligulate; hermaphro-dite, pappus of two equal rows of simple hairs; insect and self-pollinated; fruit: an achene, flattened, not beaked, with pappus.

Bleachtán léana

Sonchus arvensis L.—Compositae

Luibh ard (0.6–1.2 m) chlúmhach ilbhliantúil, coitianta i gcladaigh, corraithe, lantáin ghlasa agus talamh suaite, ó leibhéal na farraige go 200 m. Gas: bláfar, díreach, súmhar, folamh ina chroí, ag éirí ó riosóm; duilleog: ailtéarnach, cleitiúil, deighleoga cíorach, imeall deilgneach, cluaisíní uachtaracha gearr agus cruinn; bláth: Iúil– Meán Fómhair, trom bhuí, bláthóga uile gathach, bláth-cheann 35–40 mm trasna, tiomchla de bhrachtanna clúmhacha, i gcoirím foirceanta; bláthóga dé-ghnéasach, le papas de dhá shraith ar comhfhad de ribí simplí; toradh: aicéin rocach lioctha, gan ghob, le papas.

Perennial sow-thistle

A tall (0.6–1.2 m), hairy perennial, common on seashores, marshes, grassy banks and disturbed ground, from sea level to 200 m. Flowering stem: erect, hollow, sappy leaf: alternate, pinnatifid, segments toothed, margins prickly, upper auricles short and rounded; flower: July–September, deep yellow, florets all ligu-late, flower-heads 35–40 mm across, invo-lucre hairy, in terminal corymbs; florets hermaphrodite, pappus of two equal rows of hairs; fruit: an achene, flattened, wrinkled, not beaked, with pappus.

Caisearbhán

Taraxacum sp.—Compositae

Luibheanna ísle loma ilbhliantúla, le súlach bán, flúirseach i ngach áit, i bpoll an chlaí agus lantáin fhéir, ó leibhéal na farraige go 800 m. Ní speiceas amháin atá sa chaisearbhán ach coimpléacs de mhórán mionspeiceas, a bhfuil a bhformhór in ann síolrú gan phailniú. Tá os cionn ochtó mionspeiceas, i naoi roinn, aitheanta in Éirinn go dtí seo. Tá na tréithe seo a leanas acu uile:

Gas: Gan ghas ach le socphréamh théagartha, as a n-éiríonn bachlóga téagmhasacha.

Duilleog: I gcnota bunaidh, lom, maothánach, síorghlas.

Bláth: Bealtaine–Meitheamh agus ar feadh na bliana; glébhuí, bláthóga gathacha ar fad; bláthcheann 300–400 mm trasna, aonair, ar bhláthchos fhada mhín lom fholamh; tiomchla de bhrachtanna i mórán sraith; déghnéasach, ach forbraíonn an síol gan phailniú.

Toradh: Aicéin, garbh ag a bharr, le gob an-fhada ar a bhfuil papas de ribí síodúla.

D'úsáidtí an súlach bán chun faithne a dhó, agus dheintí deoch den phréamh nó de na duilleoga chun suaimhneas agus suan a chur ar easláin. An cháil is mó atá air ná mar fhualbhrostach—uaireanta rómhaith!

Is féidir fíon a dhéanamh leis na bláthchinn. Itear na duilleoga i sailéid: clúdaítear le buicéad iad ar feadh tamaill chun na duilleoga a ghealú. "Is minic a chonac cuid des na seandaoine agus is amhlaidh a bhíodh bileoga an chaisearbháin tirim sábháilte nó feoigithe ina bpóca acu, agus bhídís a d'ithe aníos as a bpóca mar a íosfá duileasc, agus ní le hocras a bhídís á ithe leis!" (Cáit Bean Uí Shúilleabháin, Baile an Ístínigh, 1923).

Dandelion

Low (50–150 mm), glabrous perennials, with milky sap, abundant everywhere, on walls, grassy banks and disturbed ground, from sea level to 800 m. This is not a single species but a complex of many microspecies, most of which reproduce without fertilisation (apomixis). More than eighty microspecies have been identified in Ireland so far. The following characteristics are common to all:

Stem: Stemless but with a stout taproot from which adventitious buds arise.

Leaf: In a basal rosette, glabrous, lobed, evergreen.

Flower: May–June and throughout the year; bright yellow, all ray florets; flowerhead 300–400 mm across, solitary, on a long, smooth, glabrous, hollow flowerstalk; involucral bracts in several rows; hermaphrodite, but seed develops without fertilisation.

Fruit: An achene, rough at the top, with a very long beak and a pappus of silky hairs.

The dandelion is perhaps best known for its diuretic properties, reflected in its common names in several languages. The flower-heads are used to make wine, the leaves are blanched for use in salads.

Duilleog Bhríde

Lapsana communis L.—Compositae

Luibh 300–900 mm ar airde, beagnach lom, bliantúil, coitianta i gclathacha, i bhfálta agus i gcoillte, ó leibhéal na farraige go 250 m. Gas: duilleogach, géagach, le sú bán; duilleog: íochtarach le cos, cleiteach, maotháin fhoirceanta mhóra; duilleog: uachtarach gan chos, lansach; bláth: Iúil–Lúnasa, bánbhuí, bláthóga gathacha ar fad; bláthcheann 15–20 mm trasna, ar choisíní tanaí loma i bpanacail éadlútha; déghnéasach; toradh: aicéin gan phapas laistigh de na brachtanna. Chreidtí go raibh leigheas ann ar shiní tinne, ar phochóidí is ar spucáin.

Nipplewort

An almost glabrous annual, 300–900 mm tall, common on walls, in hedgerows and woods, from sea level to 250 m. Stem: branched, leafy, containing a milky sap; lower leaves stalked, pinnate, large terminal leaflet; upper leaves sessile, lanceolate; flower: July–August, pale yellow, flower-heads 15–20 mm in diameter on slender stalks, in a lax panicle; involucre glabrous; florets all ligulate, hermaphrodite; insect and self-pollinated; fruit: an achene, without pappus.

Lus cúráin mín

Crepis capillaris (L.) Wallr.—Compositae

Luibh lom bhliantúil nó dhébhliantúil, 150–800 mm ar airde, coitianta i dtalamh suaite, ar bhánta, ar lantáin agus ar fhallaí, ó leibhéal na farraige go 350 m. Gas: géagach, lom, duilleogach; duilleog: leathfhada, cleitiúil, gléasta, lom, a bhformhór i mbun, duilleoga uachtaracha ag greamú an ghais; bláth: Meitheamh–Meán Fómhair, bláthóga gathacha ar fad, buí, na cinn sheachtracha le scáil dhearg laistíos; bláthcheann 10–20 mm trasna, i gcoirím fhoirceanta éadlúth; tiomchla de bhrachtanna le ribí dubha faireogacha; bláthóga déghnéasach; pailniú feithide agus féinphailniú; toradh: aicéin gan ghob, le papas de mhórán sraitheanna de ribí síodúla bána.

Smooth hawk's-beard

A glabrous annual or biennial, 150–800 mm tall, common on disturbed ground, pastures, banks and walls. Stem: branched, glabrous, leafy; leaf: linear-oblong, pinnatifid, glabrous, shiny, mainly basal, upper clasping the stem; flower: June–September, florets all ligulate, yellow, outer reddish underneath; flower-head 10–20 mm diameter; involucre of bracts with black, glandular bristles; florets hermaphrodite; insect and self-pollination; achene not beaked, with pappus of many rows of simple, white, silky hairs.

Barr an mhilltigh mara

Triglochin maritima L.—Juncaginaceae

Luibh lom ilbhliantúil, 150–500 mm ar airde, cosúil le geataire, le boladh láidir sainiúil nuair a ghearrtar é, flúirseach i riasca sáile féarmhara, feadh an chósta. Gas: bláfar, láidir, ag éirí ó riosóm téagartha; duilleoga bunach, feolmhar, líneach, fada, suas le 3 mm ar leithead, lioctha ar thaobh amháin, cuarach ar an taobh eile, gan eitre; bláth: Meitheamh– Lúnasa, rialta, glas, i ndias dhlúth fhoirceanta; pailniú gaoithe; toradh: capsúl ubhchruthach, 4 mm ar fad, druidte amach beagáinín ón ngas; na cairpéil ag scaradh óna chéile ar fad sa toradh aibí.

Sea arrowgrass

A glabrous, rush-like perennial, 150–500 mm tall, with a strong characteristic smell when cut, abundant in grassy salt-marshes along the coast. Flowering stem arising from a stout rhizome; leaves basal, fleshy, long, up to 3 mm wide, flattened on one side, curved on the other, not furrowed; flower: June–August, regular, greenish, in a dense terminal spike; wind-pollinated; fruit: a capsule 4 mm long, diverging slightly from the stem.

Barr an mhilltigh

Triglochin palustris L.—Juncaginaceae

Luibh lom ilbhliantúil, cosúil le geataire, 150–350 mm ar airde, coitianta i gcorraithe agus i mbánta fliucha, ó leibhéal na farraige go 400 m. Gas: bláfar, ag éirí o riosóm fada caol; duilleoga bunach, feolmhar, líneach, fada, an-chaol, lioctha ar thaobh amháin, cuarach ar an taobh eile, eitreach ag a mbun ar an taobh uachtair; bláth: Meitheamh–Lúnasa, rialta, glas, le himeall corcra i ndias fhoirceanta éadlúth; pailniú gaoithe; toradh: capsúl ubhchruthach, 8–10 mm ar fad, buailte suas leis an ngas; trí dheighleog ann a osclaíonn i gcruth saighde nuair a bhíonn siad aibí agus greamaíonn iad féin i bhfionnadh na n-ainmhithe a ghabhann thar bráid.

Marsh arrowgrass

A glabrous, rush-like perennial, 150–350 mm tall, common in marshes and wet pastures, from sea level to 400 m. Flowering stem: arising from a long, slender rhizome; leaves: basal, fleshy, linear, long, very narrow, flattened on one side, curved on the other, upper surface furrowed at the base; flower: June–August, regular, greenish, purple-tipped, in a loose terminal spike; wind-pollinated; fruit: a capsule 8–10 mm long, not diverging from the stem, splitting into three arrow-shaped spikes (which bury themselves in passing fur) at maturity.

Duileasc abhann móna

Potamogeton polygonifolius Pourret—Potamogetonaceae

Luibh uisce ilbhliantúil, ag fás ar ghrinneall, le duilleoga leathana ar snámh ar bharr an uisce, coitianta i bpoill portaigh, i ndígeacha, srutháin, locha agus talamh fhliuch mhóintiúil, ó leibhéal na farraige go 700 m. Duilleog: ar chos fhada, le stípeoga 25–35 mm ar fad; duilleoga ar snámh ubhchruthach, slán, leathrach, gan bun an lainn ag rith síos taobha na coise; duilleoga báite tanaí, líneach; bláth: Meitheamh–Lúnasa, saghas glas, déghnéasach; i ndias dhlúth fhoirceanta 25 mm ar fad, os cionn uisce; toradh: cnuasach aicéin. Tá *P. natans* an-chosúil leis seo ach go mbíonn bun lann na duilleoige ag rith síos taobha na coise, agus an dias 35–50 mm ar fad.

Bog pondweed

An aquatic perennial, rooted on the bottom and with broad, floating leaves, common in bogholes, ditches, lakes and wet boggy ground, from sea level to 700 m. Leaf: long-stalked, with stipules 25–35 mm long; floating leaves oval, entire, leathery, the base not decurrent (continued down the sides of the stalk); submerged leaves thin, linear: flower: June–August, greenish, hermaphrodite, in a dense terminal spike, 25 mm long, emergent; fruit: a cluster of achenes. The very similar *P. natans* has long, decurrent leaf bases and a flower-spike 35–50 mm long.

Duilleog féithe

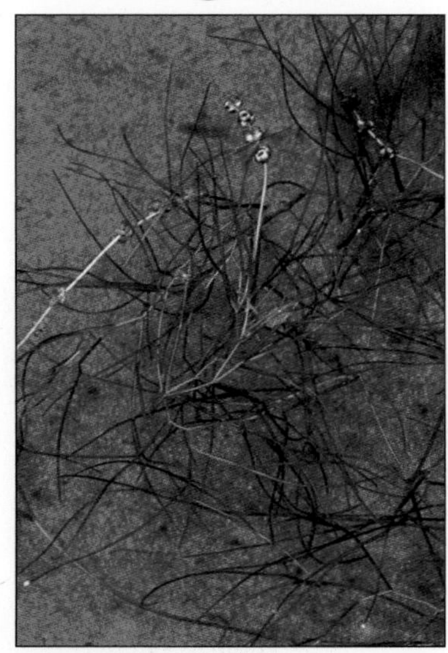

Potamogeton pectinatus L.—Potamogetonaceae

Luibh uisce dhúghlas chaol reatha, an-ghéagach, ilbhliantúil, a fhásann fán ngrinneall, coitianta feadh an chósta, gann istigh faoin tír, i locha, locháin, aibhneacha agus dígeacha fíoruisce. Duilleog: go léir faoi uisce, tanaí, tréshoilseach, 50–100 mm ar fad, 2.5–5 mm ar leithead, le féith amháin; stípeoga mar thruaill oscailte séidte; bláth: Meitheamh– Iúil, saghas glas, i ndias mhantach fhoirceanta, 25–50 mm ar fad.

Fennel pondweed

A dark-green aquatic perennial, slender, much-branched, creeping along the bottom, common near the coast, rare inland, in lakes, ponds, rivers and freshwater ditches. All leaves submerged, thin, translucent, 50–100 mm long, 2.5–5 mm broad, single-veined; stipules forming an open inflated sheath; flower: June–July, greenish; in an interrupted terminal spike, 25–50 mm long, emergent.

Sceolam na móna

Narthecium ossifragum (L.) Hudson—Liliaceae

Luibh íseal (150–300 mm) lom ilbhliantúil, flúirseach i bportaigh agus i móinte fliucha, mar a fhásann a lán plandaí le chéile, ó leibhéal na farraige go 850 m.

Gas: Bláfar, téagartha, díreach in airde, ag éirí ó riosóm reatha a dheineann paistí móra.

Duilleog: Cnota bunaidh duilleoga ar nós an fhéir, fada, cuarach, biorach, slán, le cúig fhéith chomhthreomhara; duilleoga beaga cosúil le gainní ar an ngas.

Bláth: Iúil–Lúnasa; glébhuí, 12 mm trastomhas, i raicéim thanaí fhoirceanta, 20–100 mm ar fad; peirianta de shé mhaothán, caol, sleách, scartha ó chéile; déghnéasach; sé staimín, le hantair dheargchorcra agus fasc clúmhach; trí chairpéal tháite, stíl shingil; ubhagán uachtarach; pailniú feithide; iompaíonn an gas, an peirianta agus an t-ubhagán go dath flannbhuí tar éis toirchithe.

Toradh: Capsúl eitreach, 10–14 mm ar fad, a scoilteann i dtrí chuid; an-chuid síolta, le lár ata, barr agus bun tanaí, ar nós eireabaill.

Chreidtí fadó gur thug an planda seo cnámha briosca do chaoirigh a d'íosfadh é; is tagairt dó san an ainm speiceasach *ossifragum,* a chiallaíonn "briseadh na gcnámh". Cé gur dóichí gur easpa mianra sa ghnáthóg ina bhfásann *N. ossifragum* is cúis leis an ngalar cnámh, tá nimh sa phlanda a ghoilleann ar ainmhithe i slí eile. Fágann sé iad sa tslí go ngoilleann solas na gréine thar cuimse ar na coda gan lí, m.sh. an aghaidh, na cluasa, agus an rúitín. Séideann fúthu, deargaíonn siad, sileann siad, agus tagann gearba gránna cruaidhe orthu; briseann an craiceann uaireanta. Éiríonn ainmhithe dall, titeann barraíocha na gcluas, agus cailltear cuid acu. Ní itheann na caoirigh é ach mar a mbíonn an-ocras agus easpa bidh orthu. Ba cheart an t-ainmhí breoite a thógaint ón áit ina mbíonn an planda ag fás agus é a choimeád in áit faoi scáth go dtiocfadh feabhas air. Dá mbeidís an-olc ba cheart fios a chur ar an tréadlia.

Bog asphodel

A low (150–300 mm), glabrous perennial, abundant in bogs, moors and wet heaths, where the plants grow in large numbers, from sea level to 850 m.

Stem: Robust, erect flowering stem, arising from a creeping rhizome that forms large patches.

Leaf: Basal leaves tufted, grass-like, long, curved, pointed, entire, with five parallel veins; stem leaves small and scale-like.

Flower: July–August; bright yellow, 12 mm diameter, in a slender terminal raceme, 20–100 mm long; perianth of six segments, narrow, spear-shaped, spreading; hermaphrodite; six stamens, with purple-red anthers and yellow, woolly filaments; three fused carpels, single style; superior ovary; insect-pollinated; the stem perianth and ovary turn orange after fertilisation.

Fruit: A grooved capsule, 10–14 mm long, splitting in three parts; many seeds, middle swollen ends thin, tail-like.

The plant contains a poison that induces extreme sensitivity to sunlight in animals that eat it. Sheep avoid it unless driven to eat it by hunger. In severe cases the tips of ears may be lost and animals may become blind and die.

Coinnle corra

Hyacinthoides non-scripta (L.) Chouard ex Rothm.—Liliaceae

Luibh íseal (250–500 mm) lom bhleibíneach ilbhliantúil, an-fhlúirseach, i bpaistí móra i gcoillte, fálta, mothair agus fraochlaigh, ó leibhéal na farraige go 250 m.

Gas: Stoc gairid i mbun an bhleibín (lch 35), as a bhfásann préamha, duilleoga is gas bláfar aonraic na bliana seo agus bachlóga bleibíní na bliana dar gcionn.

Duilleog: Líneach, fada, caol (200–450 mm × 7–15 mm), feolmhar.

Bláth: Aibreán–Bealtaine; gormchorcra, le dhá bhracht ghorma faoi, uaireanta bán nó bándearg; 25 mm ar fad, in airde sa bhachlóg, béal faoi nuair a osclaíonn sé; i raicéim fhoirceanta aontaobhach, le sleabhac ar a barr; peirianta sorcóireach, sé mhaothán, bun táite, barr iompaithe siar; déghnéasach; sé staimín, na cinn seachtracha greamaithe leath slí síos an peirianta, na cinn inmheánacha níos faide síos; trí chairpéal táite, stíl shingil; ubhagán uachtarach; pailniú feithide.

Toradh: Capsúl a scoilteann i dtrí chuid.

Planda chríocha Atlantacha na hEorpa é seo. Ní raibh aithne sa Ghréig ná sa Róimh air ná trácht leighis i mBéarla air go dtí an séú haois déag. De réir Keogh (1735) thógtaí urbhruith de na préamha ar fhíon chun buinneach a chosc, agus d'úsáidtí na préamha in aghaidh an titimis leis. I nDún na nGall chuirtí an bleibín le cnapáin, agus d'óltaí urbhruith díobh mar leigheas ar chasachtach. Tá scéal ó na Gleanntaí gur leis an luibh seo agus an néalfartach nó mianfhartach (*Potentilla erecta*) a chuir Gráinne Fionn agus a shlua chun suain sular éalaigh sí le Diarmaid (Williams). Bhaintí gliú as na bleibíní i gCorca Dhuibhne, ach chlogfadh sé an craiceann ar dhaoine.

Bluebell

A low (250–500 mm), glabrous, bulbous perennial, abundant in large patches in woodland, hedge banks, thickets and heaths, from sea level to 250 m.

Stem: A short stock at the base of the bulb (p. 35), from which grow the roots, leaves and solitary flower-shoot of the current year, as well as buds that become the bulbs of the following year.

Leaf: Linear, long, narrow (200–450 mm × 7–15 mm), fleshy.

Flower: April–May; blue-purple, with two blue bracts, occasionally white or pink; 25 mm long, erect in bud, nodding when open; in a one-sided, terminal raceme, drooping at the tip; perianth cylindrical, six-lobed, joined at the base, tips recurved; hermaphrodite; six stamens, outer inserted half way down the perianth, inner nearer the base; three carpels, fused, single style; superior ovary; insect-pollinated.

Fruit: A capsule, splitting into three.

The Spanish bluebell is planted in gardens and has become naturalised in some areas. It is distinguishable by its paler colour, larger all-over size, raceme not one-sided, individual flowers and raceme tip erect, not drooping.

Creamh garraí

**Allium triquetrum* L. Liliaceae

Luibh lom bhleibíneach ilbhliantúil, 250–500 mm ar airde, anseo is ansiúd, i bpaistí i bhfálta, i gcoillte agus in áiteanna gan tairbhe, ó leibhéal na farraige go 50 m.

Duilleog: Gléghlas, idir dhá cheann agus cúig cinn as gach bleibín, beagnach bunach; líneach, cíleach go láidir, fada, caol (120–200 mm × 5– 10 mm); boladh gairleoige uathu.

Gas: Gas bláfar in airde, tríchúinneach, ag éirí aníos as bhleibín le clúdach.

Bláth: Aibreán–Meitheamh; bán le stríoca glas trí gach deighleog; 12–18 mm ar fad, béal fúthu, ar choisíní atá níos faide ná na bláthanna; in umbal aontaobhach, gan bhleibeog, le spáidín a scoilteann chun dhá bhracht pháipéaracha a dhéanamh faoin umbal; peirianta de sé deighleoga saora, i bhfoirm cloigín; déghnéasach; sé staimín, níos giorra ná an peirianta; trí chairpéal táite, stíl shingil; ubhagán uachtarach; pailniú feithide.

Toradh: Capsúl a scoilteann i dtrí chuid.

Áitreabhach de chríocha iartharacha na Meánmhara é seo, a tugadh isteach go hÉirinn agus go dtí an Bhreatain mar phlanda gairdín. D'aimsigh Praeger é in aice le Neidín sa bhliain 1899, an chéad uair a fuarathas mar éalaitheoir i gCiarraí é. Sa bhliain 1902 fuair Scully in aice le Cill Airne é; tá sé ag scaipeadh ó shin, cé go bhfuil sé gann go leor go fóill. Is cosúil gurb é an grúpa seo sa ghrianghraf, a facthas i gCoill Bhaile an Ghóilín in aice leis an Daingean sa bhliain 1989, an chéad trácht air i gCorca Dhuibhne.

Three-cornered leek

A glabrous, bulbous perennial, 250–500 mm high, local, forming patches in hedgerows, woods, and waste places.

Leaf: Bright green, two to five from each bulb, almost basal; linear, strongly keeled, long, narrow (120–200 mm × 5–10 mm), garlic-scented.

Stem: Triangular flower-stalk, arising from a bulb with tunic.

Flower: April–June; white, with a green line along each segment; 12–18 mm long, nodding, on flower-stalks longer than the flowers; in a one-sided umbel, without bulbils, with a spathe (cover) that splits to form two papery bracts below the umbel; perianth of six free segments, bell-shaped; hermaphrodite; six stamens, shorter than the perianth; three carpels, fused, single style; superior ovary; insect-pollinated.

Fruit: A capsule, splitting in three.

This native of countries bordering the western Mediterranean was introduced to Ireland and Britain as a garden plant and is now naturalised in a number of places. Praeger discovered it in 1899 near Kenmare, the first record as an escape in Kerry.

Líon na Nua-Shéalainne

Phormium tenax J.R. & G. Forst.—Liliaceae

Luibh ard (go 4.5 m) il-bhliantúil, coitianta anseo is ansiúd in áiteanna oscailte agus i bhfálta. Duilleog: fada (1–3 m), leathrach, ar chuma claímh; bláth: Meitheamh–Iúil, dath cré-umhaí, i bpanacail arda; peirianta sé-mhaothánach, bun feadánach; déghnéasach; pailniú éanlaithe ina thír dhúchais; toradh: capsúl. Ón Nua-Shéalainn a tugadh an planda seo. Is féidir snáithín láidir a bhaint as na duilleoga, agus go luath sa chéad seo thug Mullins, Lord Ventry, isteach é chun monarcha lín a chur ar siúl sa Daingean.

New Zealand flax

A perennial herb, up to 4.5 m tall, locally common in open habitats and hedge banks. Leaf: long (1–3 m), sword-shaped, leathery; flower: June–July, bronze-red, in tall panicles; perianth six-lobed, tubular at base; hermaphrodite; bird-pollinated in its country of origin; fruit: a capsule. A New Zealand native with useful fibres, introduced by Lord Ventry to Corca Dhuibhne early this century with the object of setting up a flax industry.

Feileastram dearg

Tritonia aurea × *pottsii* (Lemoine) Nicholson—Iridaceae

Luibh lom ard (0.6–1 m) il-bhliantúil, flúirseach i bhfálta agus i bhfásaigh, cois abhann agus loch, ó leibhéal na farraige go 150 m. Gas: díreach, ag éirí ó chormán; duilleog: fada, caol, ag fás ó bhun an ghais; bláth: Iúil–Deireadh Fómhair; buídhearg, gan chos, i bpanacail fhoirceanta; peirianta feadánach sé-mhaothánach; déghnéasach; pailniú feithide; toradh: capsúl. Hibrid é seo idir *T. pottsii* agus *T. aurea* a póraíodh i Nantes na Fraince sa bhliain 1870. Tugadh na speicis seo ón Cape of Good Hope san Aifric Theas i dtús na naoú haoise déag. An cormán is mó a scaipeann é, caite amach le bruscar ó ghairdíní, ach cuireann sé síol freisin. Tá sé lonnaithe anois sna contaetha le fad an chósta thiar.

Montbretia

A tall (0.6–1 m), glabrous perennial, abundant in hedges and waste places, on riversides and lakeshores, from sea level to 150 m. Stem: erect, arising from a corm; leaf: long, narrow, from the lower part of the stem; flower: July–October, reddish-orange, sessile, in terminal panicles; perianth tubular, six segments; hermaphrodite; insect-pollinated; fruit: a capsule. This is a hybrid between *T. pottsii* and *T. aurea,* introduced from South Africa at the beginning of the nineteenth century. It is spread mainly by means of the corms, but is also fertile. It is now naturalised in all the counties of the west coast.

Feileastram

Iris pseudacorus L.—Iridaceae

Luibh ard (0.3–1.5 m) lom ilbhliantúil, flúirseach, go minic ag déanamh paistí móra i ndígeacha, i gcorraithe, cois abhann agus i bpáirceanna fliucha, ó leibhéal na farraige go 300 m.

Gas: Gas bláfar ag éirí in airde ó riosóm téagartha reatha; díreach, géagach uaireanta, duilleogach.

Duilleog: A bhformhór ag fás ón mbun, cuid acu ar an ngas bláfar; díreach, bun mar thruaill ar an ngas; fada, eitreach, le féitheanna comhthreomhara.

Bláth: Meitheamh–Iúil; glébhuí, dhá nó trí bhláth ar gach gas; peirianta de shé dheighleog, cosúil le piotail bhuí; na trí cinn seachtracha leathan, silteach, na trí cinn inmheánacha níos lú agus níos caoile, díreach in airde; déghnéasach; trí staimín, faoi cheilt; trí chairpéal táite, trí stíl, le trí stiogma leathana cosúil le piotail; ubhagán uachtarach; pailniú feithide.

Toradh: Capsúl fada trí-chúinneach, a scoilteann ar a fhad i dtrí chuid; an-chuid síolta míne donna.

Bhí leigheas ann do thrithí agus chasachtach. D'úsáidtí an phréamh thirim púdraithe mar shnaois chun duine a chur ag sraothartaigh agus an ceann a ghlanadh. Chuirtí stiall den rúta leis an drandal mar leigheas ar thinneas fiacaile (cúramach—tá blas an-searbh air!), agus thugtaí smúitíní den phréamh thriomaithe do leanaí le cogaint chun go ngearrfaidís na fiacla gan dua. Bhaintí ruaim bhuí as an mbláth agus ruaim dhubh as an bpréamh.

Yellow flag

A tall (0.3–1.5 m), glabrous perennial, abundant, often forming large patches in ditches, marshes, riversides and wet fields, from sea level to 300 m.

Stem: Flowering stem erect, arising from a stout, creeping rhizome; sometimes branched, leafy.

Leaf: Mainly basal, some on the flower-stem; erect, base sheathing stem; long, ridged, with veins parallel.

Flower: June–July; bright yellow, two or three flowers on each stalk; perianth of six petal-like segments; three outer ones broad and drooping, three inner erect, smaller and narrower; hermaphrodite; three stamens, concealed; three carpels, fused, three styles, with three broad, petal-like stigmas; superior ovary; insect-pollinated.

Fruit: A long, three-sided capsule, splitting lengthwise in three parts; seeds numerous, smooth and brown.

The plant had a number of traditional medicinal uses, including a remedy for toothache and teething pain.

Geataire

Juncus effusus L.—Juncaceae

Luibh thortógach lom ilbhliantúil, 0.5–1 m ar airde, flúirseach, ag déanamh tortóga dlútha nó paistí móra in ithreacha bochta ar bheagán taosctha, i ndígeacha, coillte is féaraigh fhliucha, cois abhann agus ar shléibhte, ó leibhéal na farraige go 700 m.

Gas: Lom, sorcóireach, bog, mín, gléasta, ar dhath buí-ghlas dhomhain; biorach ag a bharr, gan ghéag; le laíon bán leanúnach suas tríd.

Duilleog: Laghdaithe go truaill donn neamhghléasta ag bun an ghais.

Bláth: Iúil–Lúnasa; beag, rialta, glas nó donn, i gcnuasaigh dhlútha nó éadlútha ar thaobh an ghais gar don bharr; peirianta de shé dheighleog, saor, tirim, scannánach, biorach; déghnéasach; sé staimín saora; trí chairpéal tháite, trí stiogma chleiteacha; ubhagán uachtarach, aoncheallach nó trícheallach; pailniú gaoithe.

Toradh: Capsúl beag maol, le síol amháin nó trí shíol.

Seo an planda go mbaineadh feidhm as chun lampaí geataire a dhéanamh; chuirtí an laíon leanúnach scúite mar bhuaiceas chun úsc éisc a dhó mar choinneal ("coinneal feagha"). Bhíodh an saghas seo lampa á úsáid leis na mílte bliain.

"Nuair a bhíodh mo sheanathair, agus m'athair chomh maith ina dhiaidh san, ag féarach na mbó thuas sna Stéalacha, 'á bhfeicfeá an beairtín deas geatairí a bhíodh scúite aige tar éis an lae! Na geatairí is téagartha agus is raimhre a thógadh sé, agus nuair a bhíodh sé á scamhadh, d'fhágadh sé aon tsnáithín amháin ar thaobh ar gach ceann acu mar ná fanfadh sé 'na chéile gan an tá' san. Bhíodh slige ar chúinne an adharta acu—blúire de chorcán briste nó de sheanscilléad is mó a bhíodh acu mar shlige. Úsc an éisc a chuirtí sa tslige, agus chuirtí geataire 'na sheasamh ann ar lasadh, nó dhá gheataire nuair a theastaíodh solas maith uathu ag airneán" (Cáit Bean Uí Shúilleabháin, Baile an Ístínigh, 1923).

Soft rush

A tufted, glabrous, perennial herb, 0.5–1 m tall, abundant, forming dense tufts or large patches on poor, badly drained soils, in ditches, woods, wet pastures, on streamsides and hillsides, from sea level to 700 m.

Stem: Glabrous, cylindrical, soft, smooth when fresh, glossy, deep yellowish-green; pointed at the tip, unbranched; white pith continuous from top to bottom.

Leaf: Reduced to a dull brown sheath at the base of the stem.

Flower: July–August; small, regular, green or brown in dense or lax clusters, at the side of the stem near the top; perianth of six segments, free, dry and membranous, pointed; hermaphrodite; six free stamens; three fused carpels, three feathery stigmas; superior ovary, one or three-celled; wind-pollinated.

Fruit: A small blunt capsule, with one or three seeds.

The peeled pith of this rush provided the wick for rush lights.

Juncus maritimus Lam.—Juncaceae

Meathán mara

Luibh ilbhliantúil lom, 400–900 mm ar airde, le gas cruaidh sreangach géarbhiorach; duilleoga cosúil leis ach níos giorra; deineann sé tortóga i riasca sáile agus ar chladaigh ghainimhe.

Sea rush

A glabrous perennial, 400–900 mm tall, with stiff, wiry stems, ending in sharp point and leaves similar but shorter; forms tufts in salt-marshes and on sandy seashores.

Juncus squarrosus L.—Juncaceae

Luachair chaoráin

Luibh ilbhliantúil thortógach, 100–300 mm ar airde, le duilleoga cruaidhe claisíneacha agus gas cruaidh, i bpaistí cruinne ar mhóinteáin agus ar mhóinte sléibhe, ó leibhéal na farraige go 1,040 m.

Heath rush

A tufted perennial herb, 100–300 mm tall, with stiff channelled leaves and stiff stem, forming circular patches on moors and upland heath, from sea level to 1,040 m.

Juncus gerardi Loisel.—Juncaceae

Luachair sáile

Luibh ilbhliantúil, 150–600 mm ar airde, le cnota duilleog claisíneach agus gas duilleogach caol, ó riosóm reatha, ag déanamh paistí i riasca sáile agus in áiteanna taise cois farraige.

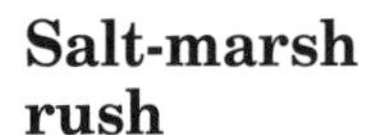

Salt-marsh rush

A perennial herb, 150–600 mm high, with a basal tuft of leaves and slender, leafy stem, from a creeping rhizome, forming patches in salt-marshes and wet places by the sea.

Great wood-rush

Luibh ilbhliantúil thortógach chlúmhach, 300–730 mm ar airde, le duilleog giobach agus gas díreach in airde, flúirseach i gcoillte, i ngleannta agus sléibhte, ó leibhéal na farraige go dtí na beanna is airde (1,040 m).

Luzula sylvatica (Hudson) Gaudin—Juncaceae

Giúnach mór

A hairy, tufted perennial, 300–730 mm tall, with hairy leaves and erect stems, abundant in woods, glens and mountains, from sea level to the highest summits (1,040 m).

Féara

Graminae

Clann an-mhór, ag fás i ngach cuid den domhan; in Éirinn i ngach aon áit chomh flúirseach ná tugtar faoi ndear iad. Is iad na plandaí is tábhachtaí ar domhan ó thaobh éiceolaíochta agus eacnamaíochta de, ag glacadh páirt i mbeagnach gach saghas fásra, i ngach domhanleithead ach amháin na moil, agus ón aigéan go dtí na sléibhte. Tá forbairt na bhféarach mór fite fuaite le héabhlóid na n-ainmhithe féariteacha agus stair an chine daonna féin. As na féara a thagann an grán go léir, agus tá cothú ina gcuid duilleog agus gas d'ainmhithe clóis agus fiáine. Tá pointe fáis na bhféar thíos ag bun an ghais, sa tslí ná milleann an t-iníor iad. Tá a gcuid bláthanna laghdaithe go scata gainní timpeall ar ubhagán mór aoncheallach, stiogmaí cleiteacha ar a bharr agus staimíní le hantair ar sileadh ar fhaisc an-fhada lasmuigh den mbláth, chun pailniú gaoithe a chur i gcrích. Is é an gráinne toradh an fhéir, síol amháin ann, lán de charbaihiodráit agus de phróitéin.

Tá roinnt féartha tábhachtacha á saothrú leis na cianta: cruithneacht agus eorna sa Mheánoirthear le timpeall deich míle bliain anuas, rís san Ind agus oirdheisceart na hÁise le timpeall ocht míle bliain, agus grán buí i Meiriceá ón tréimhse chéanna. Ní saothraíodh coirce ná seagal mar bharra go dtí le fíordhéanaí. Ní luaitear coirce sa Bhíobla, ná níl aon fhocal Sanskrit air. Deirtear go saothraíodh coirce ó choirce fiáin a bhí mar fhiaile i mbarraí cruithneachta sa Tuirc nó sna Balcáin. Fuarthas síol coirce i dtochailtí ar sheanláithreáin ón gCré-umhaois i dtuaisceart na hEorpa, ach deir údair áirithe gur fiaile iad. Deir daoine eile gur i dtuaisceart na hEorpa a saothraíodh ar dtús é, mar gur barra é a fhásann agus a aibíonn i samhraí gairide fliucha, rud ná déanfadh barraí eile go mbíonn grian agus triomacht agus talamh shaibhir uathu.

Grasses

A very large family growing almost everywhere on earth, grasses are so common and plentiful that they are almost overlooked. Ecologically and economically they are of the utmost importance and form part of almost every vegetation type. The development of the great grasslands is bound up with the evolution of grazing animals and the history of humankind itself. From the grasses come all the grains, while their stems and leaves provide fodder for domestic and wild animals. The growing-point of a grass is at the base of the stem, so avoiding destruction by grazing. Their flowers are reduced to a few scales surrounding a large, single-celled ovary with feathery stigmas and stamens in which the anthers dangle on long filaments to promote wind-pollination. The fruit of the grass is a grain, containing a single seed rich in carbohydrate and protein.

A number of cereal grasses are in cultivation for millennia: wheat and barley in the Middle East for about 10,000 years, rice in India and south-east Asia for at least 8,000 years, and maize in the Americas for about the same length of time. Oats and rye were first cultivated in more recent times, probably in Europe.

Festuca rubra L.—Graminae

Feisciú rua

Féar gearr (150–700 mm) lom ilbhliantúil, coitianta i bhfálta, bánta, móinéir, faill-treacha, féaraigh sléibhe, dumhcha agus riasca sáile, ó leibhéal na farraige go 1,040 m. Deineann sé scraithín maith dlúth glas. Tá an-tábhacht leis mar shíol féir báin nó báinsí.

Red fescue

A short (150–700 mm) glabrous perennial, common in hedge-rows, pastures, meadows, cliffs, mountain grasslands, dunes and salt-marshes, from sea level to 1,040 m. It is a valuable pasture and lawn grass, form-ing a close green turf.

Festuca vivipara (L.) Sm.—Graminae

Féar caorach

Féar íseal (120–400 mm) tortógach lom ilbhliantúil, flúirseach ar fhéaraigh shléibhe ach ar ísleáin uair-eanta, ó leibhéal na farraige go 1,040 m. Bíonn plandóga air in ionad na mbláthanna. Eascraíonn na plandóga ar an ndias sula dtiteann siad.

Viviparous fescue

A low (120–400 mm), glabrous, tufted per-ennial, abundant in mountain grassland, rocks and moors, from sea level to 1,040 m. The flowers are replaced by tiny green bulbils that sprout to form plantlets before they fall.

Lolium perenne L.—Graminae

Coirce préacháin

Féar íseal (200–650 mm) lom tortógach ilbhliantúil, le duilleoga gléasta, coitianta i ngach sórt féaraigh is fásaigh agus cois bóthair, ó leibhéal na farraige go 400 m. Tá an féar seo á chur i mbánta agus móinéir le trí chéad bliain.

Perennial rye-grass

A short (200–650 mm), glabrous, tufted perennial, with glossy leaves, common in all pasture types, waste places and roadsides, from sea level to 400 m. This grass has been cultivated in meadows and pas-tures for 300 years.

Dactylis glomerata L.—Graminae

Féar garbh

Féar ard (0.15–1.4 m) lom garbh tortógach ilbhliantúil, coitianta i móinéir, i mbánta, i bhféaraigh cnoic is gleanna, i bhfál is i gcoill, ó leibhéal na farraige go 350 m. Deineann sé féar sábháilte maith, agus taitníonn sé go maith le hainmhithe.

Cocksfoot

A tall (0.15–1.4 m), glabrous, rough, tufted perennial, plentiful in meadows and pastures, hills and dale, hedgerow and woodland, from sea level to 350 m. It makes good hay and is palatable to animals.

Cynosurus cristatus L.—Graminae

Tráithnín

Féar lom íseal (300–600 mm) ilbhliantúil, coitianta i ngach sort féaraigh ar ardán agus ar ísleán, ó leibhéal na farraige go 580 m. Neamh-spleách ar shioc agus ar thriomacht; itheann caoirigh na duilleoga ach fágann siad na spícíní ina dhiaidh.

Crested dogstail

A glabrous perennial, 300–600 mm tall, common in all types of grassland in hills and lowlands, from sea level to 580 m. Drought and cold-resistant; the leaves are eaten by sheep, which leave the tough flower-stalk.

Phleum pratense L.—Graminae

Féar capaill

Féar ard (0.4–1.5 m) tortógach, sórt garbh, il-bhliantúil, coitianta i mbánta agus móinéir, ó leibhéal na farraige go 300 m. Tá an-seasamh ann ar thriomacht; ainmníodh i ndiaidh Timothy Hansen é, a thug go Meiriceá Thuaidh é *c.* 1720.

Timothy

A tall (0.4–1.5 m), tufted, roughish perennial, common in meadows and pastures, from sea level to 300 m. Very drought-resistant; named after Timothy Hanson, who intro-duced it to North America around 1720.

Elymus repens (L.) Gould—Graminae

Broimfhéar

Féar garbh reatha il-bhliantúil, 0.3–1.2 m ar airde, coitianta i dtalamh cuir agus i bhfásaigh, ó leibhéal na farraige go 250 m. Fiaile an-deacair le díbirt é seo. Má deintear mionrabh de, fásann planda nua as gach píosa, ach ní féidir leis iníor a sheasamh.

Couch grass

A rough, creeping perennial, 0.3–1.2 m tall, common in tilled ground and waste places, from sea level to 250 m. A persistent weed that is difficult to eradicate; each piece is capable of forming a new plant, but it cannot support grazing.

Holcus lanatus L.—Graminae

Féar an chinn bháin

Luibh ilbhliantúil chlúmh-ach, 300–700 mm ar airde, coitianta i móinéir, i mbánta is cois bóthair, ó leibhéal na farraige go 500 m. Níl mórán tairbhe bidh ann ach nuair atá sé óg; dhéanfadh sé cúis ar thalamh bhocht in éagmais aon ní ab fhearr.

Yorkshire fog

A downy perennial, 300–700 mm tall, common in meadows, pastures and road-sides, from sea level to 500 m. Of little nutritive value except when young, it may be grown on poor soils where better grasses will not flourish.

Féar gortach

Briza media L.—Graminae

Féar lom ilbhliantúil, 250–500 mm ar airde, anseo is ansiúd i mbánta agus i lantáin thirime, go mór mór ar thalamh chailcreach, ó leibhéal na farraige go 500 m. Níl aon tairbhe talmhaíochta ann. D'íosfadh beithígh, capaill nó caoirigh é in am an ghátair, ach tá blas anghéar air. Ach féar ornáideach é seo, na spícíní ag sileadh ar choisíní tanaí leochaileacha cuaracha, agus é buan i mbláthfhleasca triomaithe. Tá an féar chomh leochaileach go mbíonn sé de shíor ar crith, toisc, chreidtí go láidir, go bhfásann sé as chré ainniseora a cailleadh den ngorta. Dá siúlódh duine tríd an bhféar seo tiocfadh laigíocht ocrais air; thugadh daoine a bheadh ag dul ar an gcnoc crústa aráin ina bpócaí leo ar eagla go dtiocfaidís air.

Quaking grass

A glabrous perennial, 250–500 mm tall, occasional in pastures and grassy banks, particularly on limestone, from sea level to 500 m. Although of no agricultural value, this is a beautiful ornamental grass, with the spikelets drooping at the ends of delicate, wavy flower-stalks, like miniature Chinese lanterns. The graceful panicles are often dried for winter decoration. The branches and flower-stalks are so slender as to cause a continual trembling. People believed that it trembled because it grew on the bones of a victim of famine.

Giolcach

Phragmites australis (Cav.) Trin. ex Steudel—Graminae

Féar an-ard (1–3 m) lom ilbhliantúil, coitianta, i bpaistí ollmhóra, i mbéal tuille, aibhneacha taoide, corraithe agus ciosa loch, ó leibhéal na farraige go 280 m. Gas: bláfar, an-ard, duilleogach, díreach in airde, mín, téagartha, neamhghéagaithe, le hiliomad nód, ag éirí as riosóm téagartha; ag scaipeadh trí stólain a chur amach. Coimeádann na préamha an ithir le chéile, go háirithe cois locha agus cois farraige. Is cosaint mhór ar chreimniú cósta iad, agus is féidir leo loch éadoimhne a líonadh. Is é an giolcach an "tuí ghlas" a chuirtí mar cheann ar chocaí agus ar thithe.

Common reed

A very tall (1–3 m), glabrous perennial grass, common, growing in huge patches in tidal rivers, marshes and lake margins, from sea level to 280 m. Flowering stem: very tall, leafy, erect, stout, smooth, unbranched, with numerous nodes, arising from a stout rhizome; spreading by means of stolons. The network of roots, rhizomes and stolons binds the soil and prevents coastal erosion and is capable of filling up shallow lakes. The mature flower-stalks are harvested for thatching.

Muiríneach

Ammophilia arenaria (L.) Link—Graminae

Luibh ard (0.6–1.2 m) thortógach ilbhliantúil, flúirseach ar dhumhcha agus thránna gainimhe. Fásann an riosóm téagartha géagaithe go tapaidh tríd an ngainimh scaoilte. Coimeádann eangach na riosóm is na bpréamh greim ar an ngainimh agus daingníonn é. Maolaíonn na tortóga fuinneamh na gaoithe, rud a laghdaíonn an méid gainimhe a séidtear. Cruachtar an ghainimh shéidte in aice na dtortóg, agus cuireann an riosóm plandaí nua aníos tríd go tapaidh. Ardaíonn agus daingníonn na rudaí seo an dumhach, agus tosaíonn plandaí eile ag fás inti. Cuireann siad seo scraithín maith fite ar an dumhach thánaisteach.

Marram

A tall (0.6–1.2 m), tufted perennial, abundant on sandhills and sandy shores. The stout, branched rhizome spreads rapidly through the loose sand; the network of roots and rhizomes binds and consolidates the sand, while the tussocks break the force of the wind. Blown sand is deposited near the tussocks, the rhizomes colonise it, and new plants grow up quickly through this sand. This raises the level of the dune and consolidates it. Other plants begin to grow, and soon a good turf is formed; this is called a fixed dune.

Spáirtíneach

**Spartina alterniflora* Loisel × *maritima* (Curtis) Fernald—Graminae

Féar tathagach domhainphréamhach garbh ilbhliantúil, coitianta i bpaistí cruinne ar reileán láibe taoide agus i riasc sáile. Tugadh an planda faoi ndear den chéad uair sa bhliain 1870 ar chladach i Southampton Shasana. Scaip sé feadh an chósta agus i dtuaisceart na Fraince. Daingníonn na riosóim agus na préamha doimhne an pluda; deinid eangach a choimeádann an pluda i ngreim. Téann bruscar agus glár ceangailte sna tortóga ar uachtar na talún, rud a ardaíonn leibhéal na talún i bhfad na haimsire. Cuirtear ar reileán láibe feadh an chósta iad d'aon ghnó, chun iad a dhaingniú agus a thabhairt chun míntíreachais. Ach fásann sé go borb, agus is féidir leis bealaigh uisce a dhúnadh.

Cord grass

A robust, deep-rooted, rough perennial grass, common, forming circular patches on tidal mudflats. This grass was first observed in 1870 on muddy shores near Southampton, England; it spread along the English and French coasts. The rhizomes and roots form a network that binds the soft mud and prevents erosion. Debris and silt are caught in the culms and leaves, thus raising the level of the mudflats. It is planted on mudflats to protect the foreshores and to reclaim hitherto useless land; however, its rampant growth may lead to blockage of channels.

Béitean

Molinia caerulea (L.) Moench—Graminae

Luibh gharbh, ar bheagán clúimh, 0.15–1.2 m ar airde, i dtortóga móra dlútha, flúirseach i gcorraithe, móinteáin fliucha, riasca agus portaigh, ó leibhéal na farraige go 700 m. Deineann sé tortóga anarda in áiteanna a mbíonn uisce ag sileadh go mall tríd an ithir. "Béiteáil" is ea cnoc nó móinteán a dhó chun curadóireachta. Ní mharaíonn an dó seo an béitean, agus tar éis cúpla dó meathann an fhraoch agus tagann an béitean chun cinn. Is féar gan tairbhe talmhaíochta é, ach itheann fianna agus caoirigh cnoic é agus é óg. Sa gheimhreadh dreonn na duilleoga, séidtear den phlanda iad, agus deineann ribíní cuailte ar dhath an tuí dóibh, ar a dtugtar fionnán.

Purple moor-grass

A roughish perennial, 0.15–1.2 m high, in large, dense tussocks, abundant in marshes, wet heaths, moors and bogs, forming tall tussocks where water is seeping through the soil, from sea level to 700 m. "Béiteáil" is the burning of heaths or mountain fields for tillage. Purple moor-grass is resistant to heath fires and tends to replace heather with frequent burning. It is of no agricultural value but is grazed when young by deer and mountain cattle and sheep.

Luachair gabhair

Nardus stricta L.—Graminae

Féar lom sreangach gearr (100–300 mm) ilbhliantúil, i dtortóga dlútha, coitianta i mbánta tirime uachtair sléibhe agus móinteáin, ó leibhéal na farraige go 975 m. Gas: bláfar, tanaí, sreangach, dias le dhá shraith spícíní ar aon taobh amháin agus sa treo céanna. Ní bhaineann stoc ná caoirigh leis an bhféar seo, mar téann coilg na spícín ceangailte ina scórnaigh. Tá na duilleoga róchruaidh róghuaireach leis. Seachnaíonn fianna, giorraithe agus coiníní freisin é; agus is minic a feictear na tortóga le talamh beagnach lom mórthimpeall orthu. Fágann sin gan chomórtas é, agus tagann sé chun cinn gan stró.

Mat-grass

A short (100–300 mm), wiry, glabrous perennial, in dense tussocks, common in dry upland pastures and heaths, from sea level to 975 m. Flowering stem: erect, slender, wiry; spike with two rows of spikelets on one side, always pointing one way. This grass is not palatable to sheep or cattle: the leaves are tough and wiry, and sharp points on both the spikelets and foliage stick in their throats. Wild animals also avoid it; and sometimes individual clumps are surrounded by nearly bare soil. It can then flourish in the absence of competition.

Cluas chaoin

Arum maculatum L.—Araceae

Luibh lom ghearr (300–500 mm) ilbhliantúil, forleathan, ag déanamh paistí beaga anseo is ansiúd i gcoillte agus i bhfálta scáfara, ó leibhéal na farraige go 300 m.

Gas: Beag, gairid, ag éirí ó thiúbar.

Duilleog: Mór, saighdeach, ag fás díreach ón bpréamh; slán, mín, gléasta, le spotaí donna nó corcra.

Bláth: Aibreán–Bealtaine; mórán bláthanna bídeacha i ndias dhlúth ag bun gais bhláfair (spáideog); bracht mór (spáidín) timpeall ar an spáideog, le bun an spáidín fillte isteach mar shac ar na bláthanna agus a bharr oscailte mar chochall ar bharr glas nó corcra na spáideoige; bláthanna baineanna ag bun na spáideoige, bláthanna fireanna os a gcionn; ribí os cionn na mbláthanna uile, fillte síos, ag líonadh scórnach an spáidín (lch 27); pailniú feithide.

Toradh: Caor chraorac fíornimhneach.

Torthaí / Fruit

Meallann boladh bréan ón spáideog cuileoga; téann siad síos sa sac ag bun an spáidín, agus coimeádann na ribí thíos iad ar feadh lae ar a laghad. Osclaíonn na bláthanna baineanna ar dtús, agus gheibheann siad pailin ó *Arum* ar bith eile ar a dtug na cuileoga cuairt. Níos déanaí dúnann na bláthanna baineanna agus osclaíonn na cinn fireanna. Piocann na cuileoga pailin uathu; ar maidin bíonn na ribí dreoite agus is féidir leis na cuileoga éalú agus an pailin a thabhairt go bláth eile.

D'úsáidtí na préamha mar leigheas ar lia bhuí, mar phurgóid piast, is chun máchaill cnis a ghlanadh.

Lords and ladies

A short (300–500 mm), erect, glabrous perennial herb, widespread in patches here and there in woods and shady hedgerows, from sea level to 300 m.

Stem: Short, arising from a basal tuber.

Leaf: Large, sagittate, basal; entire, smooth, shiny, with brown or purple spots.

Flower: April–May; numerous tiny flowers in a dense spike on a flowering stem known as a spadix; surrounded by a large bract called a spathe, with the bottom of the spathe folded round the flowers to form a sack, while the top is opened to form a hood surrounding the brown or purple top of the spadix; female flowers at the base of the spadix, male flowers above them; a ring of hairs above the flowers, pointing downwards and filling the throat of the spathe (p. 27); insect-pollination.

Fruit: A poisonous scarlet berry, dangerous to children.

The spadix exudes an unpleasant smell that attracts flies. They become trapped in the basal sac overnight and take part in an elaborate mechanism to ensure cross-pollination. They pick up pollen, which they take to other flowers when they are released.

Ros lachan

Lemna minor L.—Lemnaceae

Luibh ilbhliantúil bhídeach ghlas, ar snámh i bhfíoruisce mall nó socair, coitianta i ndígeacha, toibreacha is locháin, ó leibhéal na farraige go 400 m. Níl aon idirdhealú idir gas agus duilleog; is é atá sa phlanda ná diosca beag, cruinn nó ubhchruthach, 3–4 mm i dtrastomhas, dlúthdhorcha, tanaí ach cuarach ar an dá thaobh. Bíonn préamh shingil ag sileadh anuas as gach diosca, ach súitear uisce agus mianraí díreach isteach i gcorp an phlanda freisin. Deineann sé atáirgeadh fásúil de ghnáth, trí bhachlú; is fíorannamh a thagann bláth (nó síol) air. "Lus gan athair gan mháthair" a thugtar air uaireanta, agus sa samhradh is féidir leis dromchla locháin a chlúdach leis na dioscaí bídeacha.

Common duckweed

A tiny, green perennial, floating on fresh or slow-moving water, common in ditches, wells, streams and pools, from sea level to 400 m. The plant is not differentiated into stem or leaves but consists of a small disc, circular or oval in outline, 3–4 mm in diameter, opaque, fairly thin, but slightly convex on both sides. A single slender root hangs from each disc, but the plant also absorbs water and mineral salts directly into the body. Reproduction is usually vegetative, carried out by budding; flowering is very rare.

Rísheisc chraobhach

Sparganium erectum L.—Sparganiaceae

Luibh ard (1–2 m) lom ilbhliantúil, coitianta i gcorraithe, i linnte, i ndígeacha is in uisce marbh nó mallghluaiste, ó leibhéal na farraige go 350 m. Duilleog: cíleach, tríthaobhach ag a mbun; gas: bláfar, láidir, tathagach, cruaidh, ag éirí ó riosóm téagartha; bláth: Meitheamh–Lúnasa, moinéiciach, i ndias fhoirceanta ghéagach; na bláthanna fireanna ar bharr na déise, iliomad bláthanna beaga glasbhuí, gan chos, i gcruinneoga beaga; bláthanna baineanna laistíos dóibh, i gcruinneoga móra glasa; pailniú gaoithe; bíonn an cnuasach toradh cosúil le sórt leadáin liosta.

Branched bur-reed

A tall (1–2 m), glabrous perennial, common in slow or stagnant water, from sea level to 350 m. Leaf: keeled, triangular in section at the base; flowering stem: strong, solid, stiff, arising from a stout rhizome; flower: June–August, monoecious, in a terminal panicle; many greenish-yellow male flowers in globular heads at top of spike; female flowers, green, in large globular heads at the base; wind-pollinated; fruit: cluster, bur-like, swelling into heads of conspicuously beaked fruits.

Coigeal na mban sí

Typha latifolia L. Typhaceae

Planda ard (0.6–1.2+ m) ilbhliantúil, neamhchoitianta ach flúirseach anseo is ansiúd, i bhfíoruisce, in eanaigh, locha, locháin agus dígeacha, ó leibhéal na farraige go 155 m. Gas: bláfar, duilleogach, dolúbtha, díreach, ag éirí ó riosóm téagartha; duilleog: chomh fada leis an ngas, lioctha, dolúbtha, glasghorm; bláth: Iúil–Lúnasa, i ndias dhlúth; moinéiciach; bláthanna fireanna ag a bharr, beag, clúmhnánach, órga, ag dreo go luath; bláthanna baineanna, iliomad, an-dlúth, i sorcóir ramhar crón, díreach faoi bhun na mbláthanna fireanna agus gan aon deighilt eatarthu; ribí síodúla mar pheirianta: ribí fireanna bán, ribí baineanna donn; pailniú gaoithe; toradh: capsúl cadásach.

Reedmace

A tall (0.6–1.2+ m) perennial plant, uncommon but abundant where it occurs, in freshwater, in fens, lakes, ponds and ditches, from sea level to 155 m. Flowering stem: leafy, stiff, erect, arising from a stout rhizome; leaves as long as the stem, flattened, stiff, glaucous; flower: July–August, in a dense spike; male flowers at the top, small, downy, golden, soon withering; female flowers in a thick, dark-brown cylinder immediately below; wind-pollinated; fruit: a cottony capsule.

Scirpus maritimus L.—Cyperaceae

Bogshifín mara

Luibh ard lom ilbhliantúil, coitianta i mbéal tuille, aibhneacha taoide agus áiteanna fliucha cois trá. Gas: bláfar, tríchúinneach, duilleogach, tathagach, tortógach; duilleog: fada, leathan, cíleach, na ciumhaiseanna garbh; bláth: Iúil–Lúnasa. Toradh: cnó beag le gob.

Sea clubrush

Tall, glabrous perennial, common in estuaries, tidal rivers and wet places by the sea. Flowering stem: three-angled, leafy, solid, tufted; leaf: long, keeled, rough at the edges; flower: July–August. Fruit: a small beaked nut.

Scirpus lacustris L.—Cyperaceae

Bogshifín

Luibh an-ard (1–2+ m) lom ilbhliantúil, coitianta i bhfíoruisce, i locha, linnte is aibhneacha malla, ó leibhéal na farraige go 300 m. Gas: bláfar, singil, mín, sorcóireach, bog, ramhar; duilleog: de ghnáth laghdaithe go truaill, ag fás ó bhun an ghais; as an bplanda seo a dheintear ciseáin "gheataire".

Clubrush

A very tall (1–2+ m), glabrous perennial, common in freshwater, in lakes, pools and slow rivers, from sea level to 300 m. Flowering stem: single, smooth, cylindrical, soft, thick; leaf: usually reduced to a sheath, confined to lower part of the stem.

Ceannabhán

Eriophorum angustifolium Honckeny—Cyperaceae

Luibh ghearr (150–600 mm) ilbhliantúil, flúirseach i bportaigh, i bpoill portaigh agus claiseacha, ó leibhéal na farraige go 840 m. Gas: bláfar, sorcóireach, duilleogach, ag éirí as riosóm reatha; duilleog: fada, a bhformhór bunach, *c.* 4 mm ar leithead, lioctha nó claisíneach ina mbun, tríchúinneach ag a mbarr, scáil dhearg nó dhonn iontu go minic; bláth: Aibreán–Meitheamh; moinéiciach; spícíní donna, i gcíoma, an-chuid le chéile, coisíní fúthu agus iad silteach faoi thoradh; pailniú gaoithe; toradh: cnó beag le guairí fada bána—na "scothóga fionnaidh". Fásann gaol leis seo, an ceannabhán Gaelach (*E. vaginatum*), ar na portaigh is airde ar na sléibhte; níl ach spícín amháin air, agus níl an toradh silteach.

Cotton grass

A short (150–600 mm) perennial, abundant in bogs, bog-holes and bog drains, from sea level to 840 m. Flowering stem: cylindrical, leafy, arising from a creeping rhizome; leaf: long, mostly basal, c. 4 mm wide, flattened or channelled in lower part, three-angled in upper, often tinged with red or brown; flower: April–June; monoecious; spikelets brownish, in cymes, several per cyme, stalked and drooping in fruit; wind-pollinated; fruit: a small nutlet covered with white, cottony bristles.

Sifín

Schoenus nigricans L.—Cyperaceae

Luibh leath-ard (250–500 mm) thortógach ilbhliantúil, flúirseach i móinteáin, corraithe, portaigh agus ar bhruacha loch, ó leibhéal na farraige go 500 m. Gas: bláfar, sorcóireach, dolúbtha; duilleog: bunach, an-chaol, cosúil le guaire, le truaill ghléasta, dubh nó donn, mórthimpeall an ghais; bláth: Meitheamh–Iúil; moinéiciach; spícíní lioctha, donn an-dorcha, gléasta, gan chos, i gceann foirceanta, le dó nó trí bracht faoi, ceann amháin ar a laghad duilleogach; pailniú gaoithe; toradh: cnó beag. Tá seo ar na plandaí is sainiúla agus is suntasaí ar bhratphortaigh chósta thiar na hÉireann.

Black bog-rush

A medium-sized (250–500 mm), tufted perennial, abundant on heaths, marshes, bogs and lakeshores, from sea level to 500 m. Stem: cylindrical, stiff, tufted, leafy at the base; leaves few, narrow, and bristle-like, with shiny black or brown sheaths, which surround the base of the stem; flower: June–July; monoecious; spikelets flattened, very dark shiny brown, sessile, in a terminal head with two or three bracts, of which at least one has a long, leafy tip; wind-pollinated; fruit: a small nut.

Carex otrubae Podp.—Cyperaceae

Cíb an mhada rua

Luibh ard (0.6–1 m) lom ilbhliantúil, i dtortóga dlútha, coitianta i ndígeacha fliucha agus corrathe feadh an chósta, ó leibhéal na farraige go 30 m. Gas: láidir, garbh, triantánach, le cúinní faobhracha; duilleoga le ciosa garbh faobhrach.

False fox-sedge

A tall, glabrous, densely tufted perennial, common near the sea, in wet ditches and coastal marshes, from sea level to 30 m. Stem: stout, rough, sharply three-angled; leaves with sharp, rough margins.

Carex arenaria L.—Cyperaceae

Cíb ghainimhe

Luibh íseal (150–500 mm) lom ilbhliantúil, coitianta ar thránna agus ar dhumhcha gainimhe, suas go 213 m ar an mBlascaod Mór. Fásann riosóm fada reatha i líne díreach tríd an ngainimh lom, 100 mm faoin dromchla, ag cur plandaí nua aníos gach 100–200 mm.

Sand sedge

A low (150–500 mm), glabrous perennial, common on sandhills and sandy shores but up to 213 m on the Great Blasket. A long rhizome grows rapidly in a straight line, always 100 mm below the surface, sending up young shoots every 100–200 mm.

Carex echinata Murray—Cyperaceae

Cíb na réalt

Luibh íseal (120–250 mm) lom thortógach ilbhliantúil, an-choitianta i móinteáin, portaigh is bánta taise, ó leibhéal na farraige go 1,000 m. Gas: tanaí, sreangach; ceithre spícín i ngach dias; torthaí ag leathnú amach i ngach treo.

Star sedge

A low (120–250 mm), glabrous, tufted perennial, very common on heaths, bogs and damp peaty pastures, from sea level to 1,000 m. Stem: slender, wiry; four spikelets per spike; fruit: pointing in all directions.

Carex distans L.—Cyperaceae

Cíb scrogallach

Luibh ard (go 800 mm) lom thortógach ilbhliantúil, coitianta i riasca sáile agus áiteanna fliucha cois farraige. Spícín fireann amháin in uachtar, dó nó trí spícíní baineanna scartha amach in íochtar.

Distant sedge

A tall (to 800 mm), glabrous, tufted perennial, common in salt-marshes and other wet places by the sea. Male spikelet solitary at the tip of the stem; two or three female spikelets widely spaced below.

Cearc breac

Dactylorhiza maculata (L.) Soó—Orchidaceae

Luibh ghearr (150–500 mm) lom dhíreach ilbhliantúil, coitianta ar mhóinte, mhóinteáin agus chiosa portaigh, ó leibhéal na farraige go 850 m.

Gas: Tathagach, díreach, ag éirí as dhá thiúbar.

Duilleog: Slán, cíleach, biorach, le spotaí dúchorcra.

Bláth: Meitheamh–Lúnasa; bándearg nó corcra, le spotaí agus stríocaí níos dorcha; neamhrialta, i ndias dhlúth; sé dheighleog shaora (léaráid, lch 25); trí sheipeal mar chochall agus sciatháin; dhá phiotal in uachtar, ceann amháin mór leathan in íochtar, ag déanamh liopa (labellum) ar an taobh amuigh agus sac (an tsáil) ar an taobh istigh; déghnéasach; tá na baill ghiniúna an-sainfheidhmeach, staimíní agus stiogmaí ar bhall speisialta, an colún; dhá scailp de phailín ghreamaitheach (na pollinia) ar bharr an cholúin; dhá stiogma thorthúla níos faide síos, le stiogma seasc á ndeighilt ón bpailin; ubhagán íochtarach; pailniú feithide.

Toradh: Capsúl le hiliomad síolta.

Feithidí móra ar nós cuileoga, beacha agus ciaróga a phailníonn na bláthanna. Tuirlingíonn an feithide ar an labellum agus téann sí ag tóir meala ag bun na sáile; buaileann a ceann ar na stiogmaí agus ceanglaíonn pé pailin a bhíonn ar a ceann dóibh. Agus í ag bogadh thart sa tsáil titeann pollinia an bhlátha anuas ar a ceann. Fanann siad greamaithe ansin nó go mbuaileann siad ar an stiogma sa chéad bhláth eile.

Bláth / Flower

Heath spotted-orchid

A short (150–500 mm), glabrous, upright perennial, common on heaths, rough grassland and bog margins, from sea level to 850 m.

Stem: Solid, erect, arising from two tubers.

Leaf: Entire, keeled, pointed, with dark-purple spots.

Flower: June–August; pinkish-purple, with darker spots and streaks; irregular, in a dense terminal spike; six free segments (diagram, p. 25), three sepals, forming a hood and two wings; two petals above, one below large and wide, forming a lip (labellum), inner end extended as a pouch or spur; hermaphrodite; sexual organs very specialised; anthers and stigmas borne on a special structure, the column; two masses of sticky pollen (pollinia) attached to the top of the column, two fertile stigmas lower down, separated from the pollen by a sterile stigma; inferior ovary; insect-pollinated.

Fruit: A many-seeded capsule.

The flowers are pollinated by large insects such as flies, bees, and beetles. They land on the labellum and seek nectar in the spur; its head strikes the stigmas, and any pollen stuck to it is transferred to them.

Magairlín meidhreach

Orchis mascula (L.) L.—Orchidaceae

Luibh ghearr (120–350 mm) lom ilbhliantúil, coitianta i mbánta taise, fálta scáfara agus coillte, ó leibhéal na farraige go 300 m de ghnáth ach go 700 m ar Chnoc Bréanainn. Gas: téagartha, ag éirí as dhá thiúbar ubhchruthacha nó cruinneogacha; duilleoga le spotaí dorcha; bláth: Aibreán–Bealtaine, deargchorcra, i ndias cuibheasach dlúth; an piotal íochtarach ina liopa (labellum) mór, le sáil mhaol théagartha, casta in airde. Tá cosúlacht mhór ag tiúbair an phlanda seo leis na baill giniúna fireann; as seo a ainmnítear é i mbeagnach gach teanga ón tSean-Ghréigis anuas. I gCorca Dhuibhne d'úsáidtí na tiúbair mar luibh chun neart agus seasamh a chur sna baill giniúna, mar chabhair chun gin a ghabhadh, agus mar úpa seirce chun teidhe míchuibheasach collaí a chur ar fhear bocht éigin!

Early purple orchid

A short (120–350 mm), glabrous perennial, frequent in damp pastures, shady banks and woodland, from sea level usually to 300 m but recorded at 700 m on Brandon Mountain. Stem: sturdy, arising from two egg-shaped or globular tubers; leaves with dark spots; flower: April–May, reddish-purple, in a fairly dense spike, the lower petal forming a large lip (labellum), with a stout, upturned spur. Because the tubers resemble male sexual organs, this plant has always been used for love potions and charms to increase sexual prowess. Its names in many languages reflect this.

Magairlín na stuaice

Anacamptis pyramidalis (L.) L.C.M. Richard—Orchidaceae

Luibh ghearr (50–300 mm) lom ilbhliantúil, coitianta i mbánta, lantáin agus dumhcha, in ithir chailceach, ó leibhéal na farraige go 100 m. Gas: díreach, sórt cúinneach, ag éirí as dhá thiúbar ubhchruthacha; duilleog: líneach-lannsach, a bhformhór bunach; bláth: Meitheamh–Iúil, bándearg go corcradhearg, i ndias ghearr dhlúth choirceogach; trí sheipeal lansacha, dhá phiotal uachtaracha níos lú ach in airde díreach; labellum (liopa) réidh le trí mhaothán mhaola; sáil chaol bhiorach.

Pyramidal orchid

A short (50–300 mm), glabrous perennial, common on pastures, banks and sandhills, in calcareous soils, from sea level to 100 m. Stem: erect, slightly angular, arising from two ovoid tubers; leaf: linear-lanceolate, mostly basal; flower: June–July, pink to magenta, in short, dense, conical spikes; sepals lanceolate, two upper petals similar but smaller, erect; labellum (lip) flat, with three blunt lobes; very slender, pointed spur.

Magairlín na beiche

Ophrys apifera Hudson—Orchidaceae

Luibh ghearr (200–400 mm) lom, díreach in airde, il-bhliantúil, anseo is ansiúd, gann, i lantáin thirime agus bánta féarmhara aolchloiche, ó leibhéal na farraige go 50 m.

Gas: Tathagach, duilleogach, ag éirí as dhá thiúbar ubh-chruthacha nó chruinneogacha.

Duilleog: Lansach-leathfhada sa chnota; níos lú ná sin ar an ngas.

Bláth: Meitheamh–Iúil, ildathach; idir trí agus sé bhláth i ndias éadlúth; trí sheipeal bhándearga, sínte amach; dhá phiotal uachtaracha i bhfad níos cúinge agus níos giorra ná na seipil, glas no donn; labellum (liopa íochtarach) ar chuma na beiche, dath donn le stríocaí buí, 12–15 mm trasna, beagnach cruinneogach, clúmhnánach, trímhaothánach, an maothán is ísle casta isteach faoin mbláth, gan sáil; dé-ghnéasach; na baill ghiniúna cosúil le *Dactylorhiza*; ubhagán íochtarach, tanaí, díreach, gan chos; pailniú beiche agus féinphailniú.

Toradh: Cochall leathfhada cúinneach a scoilteann ar a fhad; an-chuid síolta bídeacha ar nós smúite.

Tá cruth beiche ar an labellum; seo seift chun pailniú a chinntiú. Cuireann seo cluain ar na beacha fireanna: tugann siad faoi chéilíocht leis na "beacha" seo, agus beireann siad pollinia ó bhláth go bláth. Pailnítear an bláth cuid den am, ach fós is é féinphailniú an modh is coitianta sa phlanda seo. Tá an-fhorbairt ar na nOrchidaceae sna foraoiseacha báistí; deirtear go bhfuil speiceas blátha ann do bheagnach gach speiceas feithide. Tarlaíonn cros-phailniú ní hamháin idir bhláthanna den speiceas céanna ach idir bhláthanna ná fuil gairid i ngaol. Tá níos mó hibridí nádúrtha i measc na Orchidaceae ná i gclann ar bith eile, agus tá a lán hibridí forbartha ag gairneóirí chomh maith.

Bee orchid

A short (200–400 mm), erect, glabrous perennial, occasional but rare, on dry banks and limestone pastures, from sea level to 50 m.

Stem: Solid, leafy, arising from two ovoid or globular tubers.

Leaf: Basal leaves oblong-lanceolate; smaller on stem.

Flower: June–July; multicoloured; three to six flowers in a very lax spike; sepals pink, lanceolate, spreading; two upper petals much shorter and narrower than the sepals, green or brown; labellum (lower lip) bee-like, brown with yellow markings, 12–15 mm across, more or less globular, velvety, three-lobed, lower lobe bent under the flower, spur absent; hermaphrodite; sexual organs similar to those of *Dactylorhiza*; inferior ovary, slender, straight, sessile; pollinated by bees and self-pollinated.

Fruit: An oblong capsule containing dust-like seeds.

The labellum is bee-like to ensure cross-pollination. The male bee tries to mate with it and in so doing its back becomes covered with pollen, which it carries to the next flower. Still, most bee orchids are self-pollinated.

Liosta leabhar

Barrington, R. M., "Report on the flora of the Blasket Islands, Co. Kerry", *Proceedings of the Royal Irish Academy,* sraith A, iml. 3 (1881).
Beckett, *Biology: a Modern Introduction,* Oxford University Press, Oxford, 1984.
Cameron, J., *The Gaelic Names of Plants,* Blackwood, 1883.
Campbell, N. A., *Biology,* Benjamin Cummings, Menlo Park (California), 1990.
Colgan, Nathaniel, agus Scully, R. W., *Cybele Hibernica,* Ponsonby, Baile Átha Cliath, 1898.
Colgan, Nathaniel, "Clare Island Survey, part 4: Gaelic plant and animal names", *Proceedings of the Royal Irish Academy,* iml. 31 (1911).
Collins New Generation Guide to Wild Flowers of Britain and Northern Europe, Collins, London, 1987.
Culpepper, Nicholas, *The Complete Herbal,* 1653.
Danagher, Kevin, *The Year in Ireland,* 1972, lch 148.
Dinneen, Patrick, *Foclóir Gaedhilge agus Béarla: an Irish-English Dictionary* (eagrán leasaithe), Educational Company of Ireland, Baile Átha Cliath, 1927.
Dörfler and Roselt, *Dictionary of Healing Plants,* Blandford, London, 1989.
Galbraith and Wilson, *Biological Science,* Holt, Rinehart and Wilson, Toronto, 1986.
Green, B., *High School Biology* (dara heagrán), Rand McNally, Chicago, 1970.
Hill, Overholts, Popp, agus Grove, *Botany,* McGraw-Hill, New York, 1960.
Hogan, E. J., *Luibhleabhrán: Irish and Scottish Gaelic Names of Herbs, Plants and Tress,* Gill, Baile Átha Cliath, 1900.
Horne, R., *Geological Guide to the Dingle Peninsula* (Guide Series, no. 1), Suirbhéireacht Gheolaíoch Éireann, Baile Átha Cliath, 1983.
Hubbard, C. E., *Grasses,* Penguin, London, 1959.
Jepson, Maud, *Biological Drawings,* John Murray, London, 1942.
Keogh, John, *An Irish Herbal: Botanalogia Universalis Hibernica,* Corcaigh, 1735 (Michael Scott, eag., Aquarium Press, 1986).
Mabey, Richard, *Food for Free,* Fontana Collins, London, 1975.
Mabey, Richard, *Plants with a Purpose,* Collins, London.
Mac Cionnaith, L., *Foclóir Béarla agus Gaedhilge: English-Irish Dictionary,* Oifig an tSoláthair, Baile Átha Cliath, 1935.
Mackay, J. T., "A systematic catalogue of rare plants found in Ireland", *Transactions of the Dublin Society* (1806), lch 121–184.
Ministry of Agriculture, Fisheries and Food, *Poisonous Plants and Fungi,* HMSO, London, 1988.
Moloney, M. F., *Irish Ethno-Botany,* Baile Átha Cliath, 1919.
Ó Conchúir, D., *Corca Dhuibhne,* Baile Átha Cliath, 1973.
Ó Curraoin, P. L., *Féara agus Bánta Éireann,* Gúm, Baile Átha Cliath, 1991.
Oidhreacht an Bhlascaoid, Coiscéim, Baile Átha Cliath, 1989.
O'Neill Lane, T., *Larger English-Irish Dictionary,* Talbot Press, Baile Átha Cliath, 1921.
Philips, Roger, *Wild Food,* Pan, London, 1983.
Praeger, Robert Lloyd, *The Botanist in Ireland,* Baile Átha Cliath, 1934.
Praeger, Robert Lloyd, *The Way that I Went,* Baile Átha Cliath, 1939 (Allen Figgis, Baile Átha Cliath, 1969).
Roinn Oideachais, *Ainmneacha Plandaí agus Ainmhithe,* Oifig an tSoláthair, Baile Átha Cliath, 1978.
Scannel, M., agus Synnott, D., *Clár de Phlandaí na hÉireann,* Baile Átha Cliath, 1987.
Scully, R. W., *Flora of County Kerry,* Baile Átha Cliath, 1916.
Webb, D. A., *An Irish Flora,* Dundalgan Press, Dún Dealgan, 1977.
Williams, Nicholas, *Díolaim Luibheanna,* Sáirséal Ó Marcaigh, Baile Átha Cliath, 1993.
Wulff, Winifred (eag.), *Rosa Anglica: an Early Modern Irish Translation of a Section of the Mediaeval Textbook of John of Gaddesden,* Irish Texts Society, London, 1929.

SCC: Scoil Chluain Chumhra, Lios Póil (béaloideas a bhailigh Seán Ó Súilleabháin, príomhoide na scoile, ó Cháit Uí Shúilleabháin, Baile an Ístínigh, 1923). Foinse: Cartlann Roinn Bhéaloideas Éireann (S426:91), Coláiste na hOllscoile, Baile Átha Cliath.

Clár na bplandaí

Gaeilge

English

Laidin